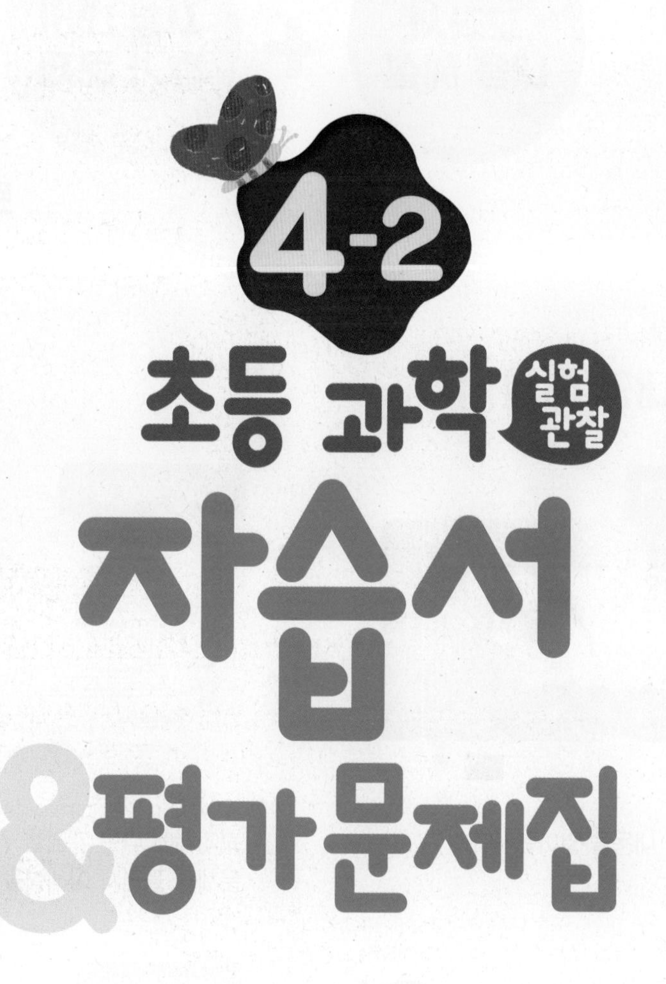

금성출판사

이 책은

교과서 내용 해설 + 시험 대비 평가 문제 + 부록: 창의력 문제

로 구성되어 있습니다.

교과서 내용 해설

교과서 개념 알기

단원에서 배울 내용을 알아봅니다.

교과서 개념 알기

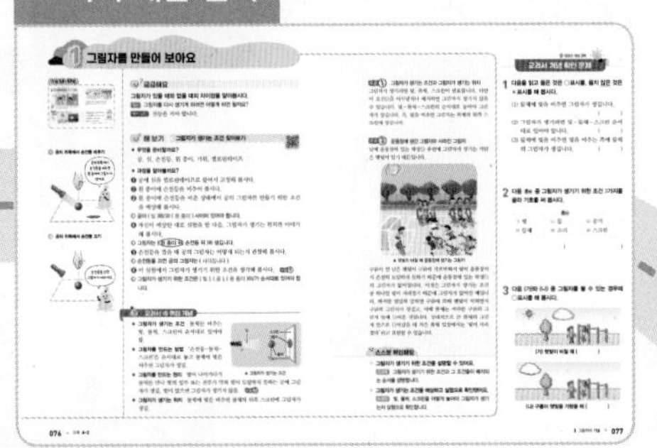

교과서에 나온 개념을 알아보고, 개념 확인 문제를 풀면서 이해력을 높입니다.

실험 관찰 해설

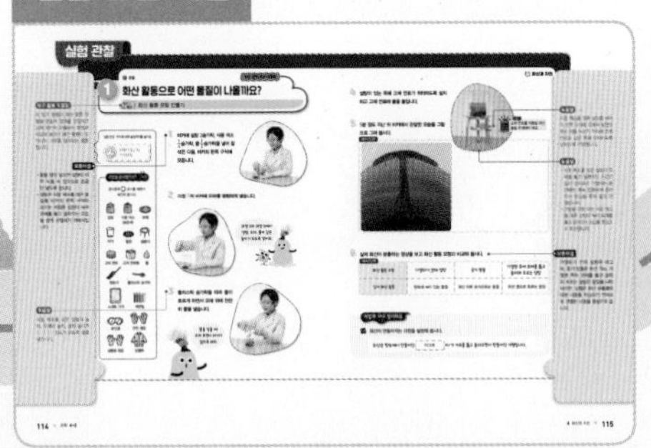

실험 관찰의 탐구 활동을 꼼꼼하게 정리합니다.

교과서 평가 문제

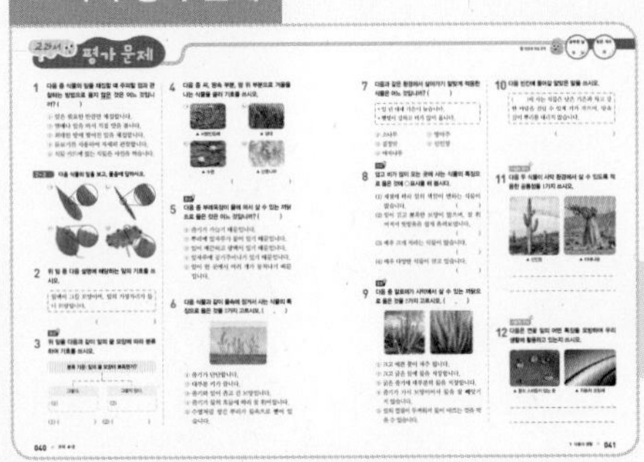

평가 문제로 익힌 개념을 다시 확인하고, 단원을 마무리합니다.

둘

우리학교 시험 대비 평가 문제

학교 시험을 완벽히 대비할 수 있도록 단계별로 평가 문제를 구성하였습니다.

교과서 핵심 정리

쪽지시험

기초 확인 문제

서술형·사고력 문제

성취도 평가 문제

수행 평가

창의력 문제

셋

재미있고 다양한 창의력 문제로 창의력을 높여 봅니다.

과학 학습 비법

1

과학 공부는 기본 원리부터!

운동 경기에서 기본 규칙을 모르면 경기를 할 수도 없고, 재미도 없습니다. 그러나 규칙을 알고 경기를 하면 시간이 지날수록 재미와 자신감이 생겨요. 과학도 마찬가지랍니다. 기본 원리를 알고 공부하면 어느 순간 과학을 재미있어 하는 자신을 발견할 거예요.

2

용어 이해는 과학 공부의 출발점!

과학의 기본 개념은 여러 가지 과학 용어로 표현됩니다. 처음 보면 어렵지만 그 의미를 알고 나면 과학 공부가 쉬워져요. 과학 용어를 단순히 암기하기보다 그 뜻을 먼저 이해한다면 과학 공부가 훨씬 흥미로워질 거예요.

3

그림으로 과학 공부를 쉽게!

과학책에 나오는 그림은 과학 개념을 이해하기 쉽게 표현한 거랍니다. 내용과 함께 그림을 찬찬히 살펴보고, 그 의미를 이해한다면 과학 개념이 좀 더 쉽게 다가올 거예요.
또, 그림의 제목은 그림의 중요 내용을 알려줘요. 그림을 살펴볼 때 제목도 꼭 확인하도록 해요.

이 책의 차례

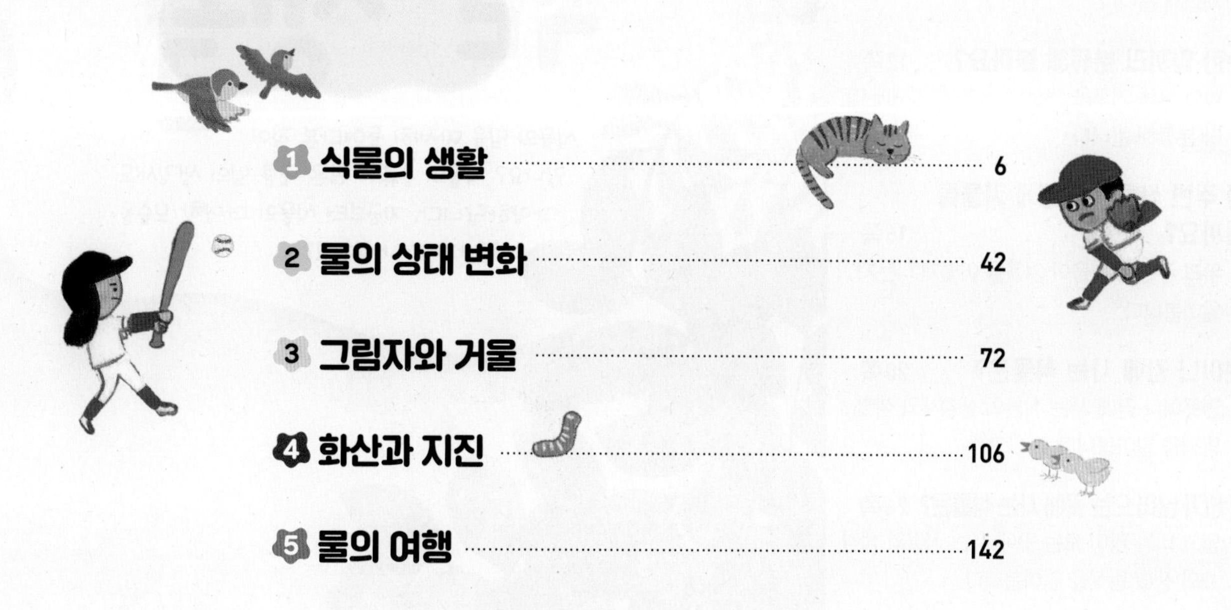

우리학교 시험대비 평가 문제

1 식물의 생활

식물의 잎을 자세히 들여다본 적이 있나요? 식물의 종류가 많은 만큼 잎의 생김새도 다양하답니다. 지금부터 식물의 다양한 모습을 만나러 떠나 볼까요?

이 단원에서 공부할 내용

단원 그림 도움말

단원 그림에서는 다양한 환경에서 사는 여러 가지 식물을 볼 수 있습니다. 그림 속 여러 가지 식물을 보면서 각 식물이 사는 곳의 환경과 생활 방식 등을 추측해 보고, 앞으로 배울 내용에 관하여 생각해 봅니다.

좀 더 설명할게요

암매는 꽃이 피는 식물로, 여름에 피는 흰색이나 붉은색 꽃이 매실나무의 꽃과 닮았으며 나무 중에 키가 가장 작습니다. 암매는 멸종 위기 야생 생물 Ⅰ급 식물로 지정되어 있으니 잘 보존하도록 노력해야 합니다.

▲ 암매

질문과 답

나는 연꽃이에요. 어떤 곳에서 살까요?

물이 많은 곳이나 연못에 삽니다.

과학 놀이터 도움말

식물 카드에 있는 식물의 생김새를 자세히 관찰하고 식물 이름 맞히기 놀이를 하면서 우리 주변에 사는 식물의 이름과 생김새를 익힐 수 있습니다.

이렇게 해요

유의점

- 식물 이름 맞히기 놀이를 할 때는 한 세트의 카드만 사용합니다. 식물 카드는 단원 내 다른 탐구 활동에도 사용하므로 잘 관리합니다.

준비물 도움말

- 놀이를 진행하기 전 『실험 관찰』 꾸러미 70~72쪽에 있는 식물 카드를 미리 뜯어 준비해 둡니다.

활동 도움말

① 식물 카드에 제시된 식물의 생김새를 자세히 관찰해 봅시다.

도움말 식물 카드에는 나팔꽃, 강아지풀, 닭의장풀 등 27종류의 식물이 있습니다.

② 한 사람이 식물 카드에 있는 식물의 생김새를 설명하고, 나머지 사람은 설명을 듣고 식물의 이름을 맞힙니다.

도움말 문제를 내는 사회자 역할을 정해둘 수도 있고, 돌아가며 할 수도 있습니다.

③ 식물 이름을 맞힌 사람이 그 카드를 갖습니다.

도움말 맞힌 카드는 맞힌 사람 앞에 둡니다.

④ **이렇게도 할 수 있어요** 한 사람이 식물 이름의 자음자를 말하면 나머지 사람은 식물 이름을 말합니다.

도움말 예 ㄱㅇㅈㅍ ➡ 강아지풀
다양한 놀이 방법을 활용하여 식물 이름 맞히기 놀이를 할 수 있습니다.

질문

• 놀이를 하면서 새롭게 알게 된 식물의 이름을 말해 보아요.

나의 답 괭이밥, 주목, 닭의장풀 등을 알게 되었습니다.

1 학교 안 식물을 탐험해요

궁금해요

식물 사랑 탐험 대원이 된 친구들이 학교 안에 사는 식물을 관찰하는 모습을 통해 우리 학교 안에 사는 식물은 어떤 것이 있는지 생각해 봅시다.

질문 무엇을, 어떻게 관찰해야 할까요?

예시 답안 식물의 크기와 꽃, 잎, 줄기 등의 생김새를 관찰합니다.

➔ 식물을 채집할 때 주의할 점

해 보기 학교 안 식물 관찰하기

- **무엇을 준비할까요?**

돋보기, 사진기, 가위, 바구니, 식물 카드, 안전 장갑

도움말 과학 놀이터에서 사용한 식물 카드를 준비합니다.

- **과정을 알아볼까요?**

❶ 식물 카드에 있는 식물을 살펴보고, 각 식물이 학교 안 어디에 있을지 이야기해 봅시다.

예시 답안
- 학교 화단에서 강아지풀을 보았습니다.
- 운동장 주변 등 여러 곳에서 서양민들레를 보았습니다.
- 학교 정문 옆에 소나무가 있습니다.

❷ 식물 카드에 있는 식물을 찾아 관찰해 봅시다. 도움①

❸ 식물 카드에 없는 식물은 사진을 찍고 자세히 관찰해 봅시다. 도움②

❹ 과정 ❷와 ❸에서 관찰한 식물의 잎을 채집해 봅시다. 도움③ 도움④

도움말
- 다치지 않도록 주의합니다.
- 땅에 떨어진 잎을 채집하는 것이 좋습니다.
- 잎을 직접 따야 할 때는 필요한 만큼만 채집합니다.
- 식물을 함부로 꺾거나 밟지 않습니다.

교과서 속 핵심 개념

- **학교 안에서 볼 수 있는 식물의 예**

구분	식물
식물 카드에 있는 식물	회양목, 주목, 무궁화, 단풍나무, 닭의장풀, 나팔꽃, 맥문동, 강아지풀, 괭이밥, 서양민들레, 진달래
식물 카드에 없는 식물	토끼풀, 향나무

- **식물을 관찰하는 방법**

① 꽃, 잎, 줄기 등의 생김새와 색깔을 자세히 살펴봄.
② 꽃잎의 수나 잎이 줄기에 붙어 있는 모양 등을 관찰함.

도움 ① 학교 진입로, 화단, 운동장이나 건물 주변 등에서 식물 카드에 있는 식물을 찾아보고, 식물 카드에 제시된 특징과 실제 식물의 모습을 비교하면서 관찰합니다. 관찰할 때 눈으로 잘 보이지 않는 부분은 돋보기나 확대경 등을 활용하면 더 자세히 관찰할 수 있습니다.

도움 ② 식물의 사진을 찍은 뒤 간단하게 그림을 그리고 특징을 기록해 두는 것도 좋습니다. 이름을 아는 경우는 이름을 쓰고, 모르는 경우는 숫자를 씁니다.

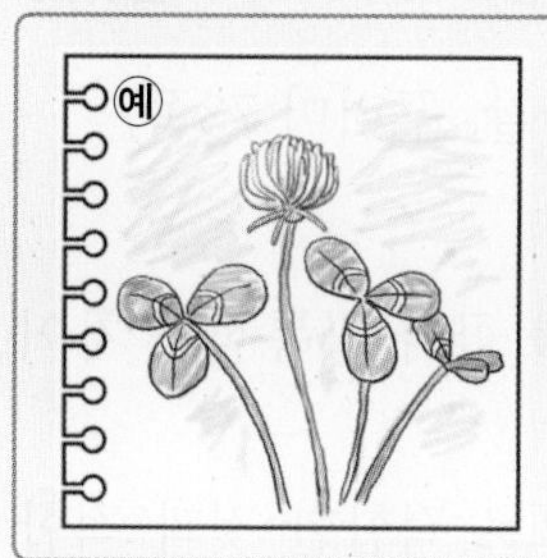

- 식물 이름: 토끼풀 (또는 식물 ①)
- 특징: 꽃은 흰색, 키는 10 cm 정도, 잎은 달걀 모양이고 줄기에 털이 있음.

도움 ③ 잎을 자를 때 위치

잎을 자를 때 잎과 줄기가 연결된 부분(잎자루)을 자릅니다.

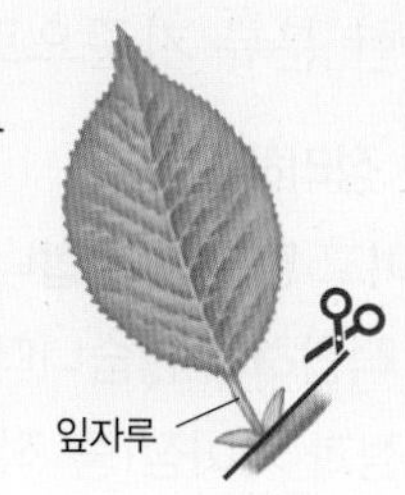

도움 ④ 채집한 뒤 잎의 보관 방법

채집한 잎에 붙임쪽지를 붙여 식물 이름이나 숫자를 씁니다. 채집한 식물 잎은 지퍼 백에 넣어 냉장실에 넣어 두었다가 잎의 분류 활동에 사용합니다.

스스로 확인해요

- **학교 안에 살고 있는 식물을 관찰하고 잎을 채집했어요.**
  도움말 식물의 꽃, 잎, 줄기 등의 특징을 관찰합니다.
- **학교 안에 살고 있는 식물에 흥미와 호기심을 가져요.**
  도움말 우리 주변에 사는 여러 가지 식물에 관심을 가지고 주의 깊게 살펴봅니다.

정답과 해설 2쪽

교과서 개념 확인 문제

1 **학교 안 식물을 관찰하면서 채집할 때 필요한 준비물을 보기 에서 모두 골라 기호를 써 봅시다.**

보기

㉠ 가위	㉡ 풀
㉢ 돋보기	㉣ 물
㉤ 사진기	㉥ 바구니
㉦ 안전 장갑	㉧ 식물 카드

( )

2 **식물 잎을 채집할 때 주의할 점에 ○표시를, 주의할 점이 아닌 것에 ×표시를 해 봅시다.**

(1) 다치지 않도록 주의합니다. ( )
(2) 땅에 떨어진 잎을 채집하는 것이 좋습니다. ( )
(3) 잎을 직접 따야 할 때는 가능하면 많은 양을 채집합니다. ( )
(4) 안전 장갑을 끼고 채집합니다. ( )

3 **다음 중 학교 안 식물을 관찰하고 채집하는 방법으로 옳지 않은 것은 어느 것입니까? ( )**

① 잎의 생김새와 색깔을 관찰합니다.
② 잎이 줄기에 붙어 있는 모양을 관찰합니다.
③ 식물 카드에 없는 식물은 사진을 찍습니다.
④ 식물 카드에 있는 식물은 잎을 채집하지 않습니다.
⑤ 잎을 자를 때 잎과 줄기가 연결된 부분을 자릅니다.

2 비슷한 잎끼리 분류해 볼까요?

과학 14~15쪽

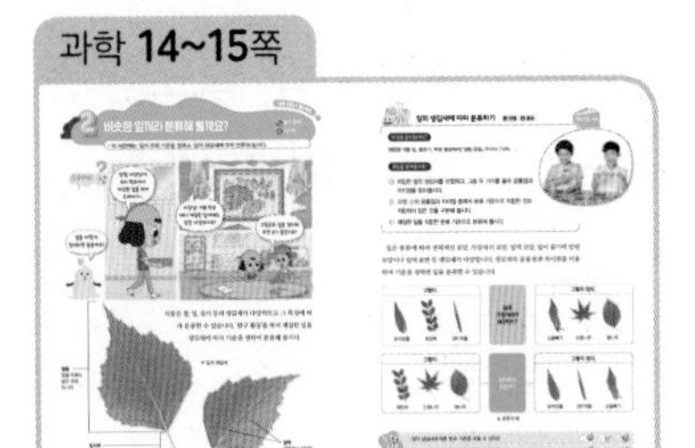

➲ 잎의 올바른 분류 방법

궁금해요

사물함이나 책상 서랍을 어떻게 정리하는지 떠올리며, 잎은 어떻게 정리하면 좋을지 생각해 봅시다.

질문 잎을 어떻게 정리하면 좋을까요?

예시 답안
- 잎의 전체적인 모양이 비슷한 것끼리 모읍니다.
- 잎의 가장자리 모양이 비슷한 것끼리 모읍니다.

탐구 활동 잎의 생김새에 따라 분류하기

자세한 해설은 14~15쪽에 있어요.

● **무엇을 준비할까요?**

채집한 식물 잎, 돋보기, 투명 붙임딱지(『실험 관찰』 꾸러미 73쪽)

● **과정을 알아볼까요?**

❶ 채집한 잎의 생김새를 관찰하고, 그중 두 가지를 골라 공통점과 차이점을 찾아봅시다. 도움①

❷ 과정 ❶의 공통점과 차이점 중에서 분류 기준으로 적합한 것과 적합하지 않은 것을 구분해 봅시다.

❸ 채집한 잎을 적합한 분류 기준으로 분류해 봅시다. 도움②

● **관찰 내용 및 결과를 정리해요**

➲ 분류 기준은 객관적이고 명확해야 합니다. 사람마다 기준이 다르거나 감정을 쓴 것은 분류 기준으로 적합하지 않습니다.

➲ 잎의 생김새의 공통점과 차이점 중 적합한 것을 기준으로 정하면 잎을 분류할 수 있습니다.

➲ 분류의 예: 잎자루가 있는가?

그렇다.	그렇지 않다.
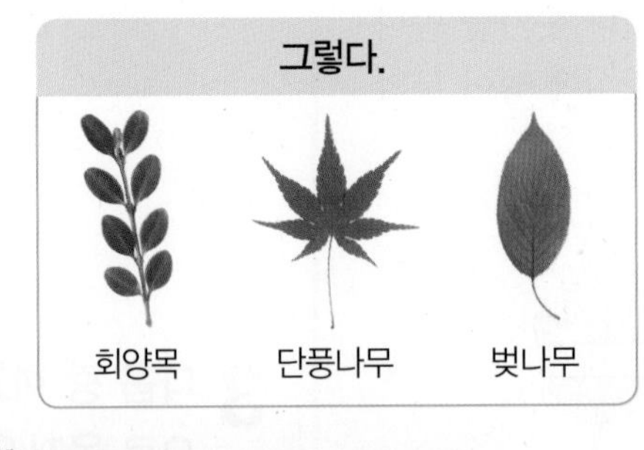	
회양목, 단풍나무, 벚나무	닭의장풀, 강아지풀, 고들빼기

교과서 속 핵심 개념

● **잎의 생김새**
- 잎몸: 잎을 이루는 넓은 부분
- 잎자루: 잎몸과 줄기 사이에 있는 부분
- 잎맥: 잎몸에서 선처럼 보이는 것

● **잎의 생김새에 따른 분류** 잎은 종류에 따라 전체적인 모양, 가장자리 모양, 잎맥 모양, 잎이 줄기에 달린 모양이나 잎의 표면 등 생김새가 다양하므로 생김새의 공통점과 차이점을 이용하여 분류 기준을 정해 잎을 분류함.

도움 ① 잎의 생김새

도움 ② 식물 잎을 이용한 식물 분류 기준의 예

• 잎의 가장자리 모양: 매끈한 모양과 톱니 모양으로 분류할 수 있습니다.

매끈한 모양	톱니 모양

▲ 닭의장풀　▲ 벚나무

• 잎맥의 모양: 잎맥은 대체로 나란한 모양과 그물 모양으로 구분합니다.

나란한 모양	그물 모양

▲ 조릿대　▲ 느티나무

스스로 확인해요

● **잎의 생김새에 따른 분류 기준을 세울 수 있어요.**
도움말 생김새를 관찰하여 적합한 분류 기준을 세웁니다.

● **분류 기준에 따라 식물의 잎을 분류할 수 있어요.**
도움말 분류 기준에 따라 식물의 잎을 옳게 분류합니다.

정답과 해설 2쪽

교과서 개념 확인 문제

1 다음 잎의 생김새에서 각 부분의 이름을 써 봅시다.

㉠ (　　　) ㉡ (　　　) ㉢ (　　　)

2 다음 두 식물 잎의 생김새를 관찰한 결과 중 공통점으로 옳은 것은 어느 것입니까? (　　　)

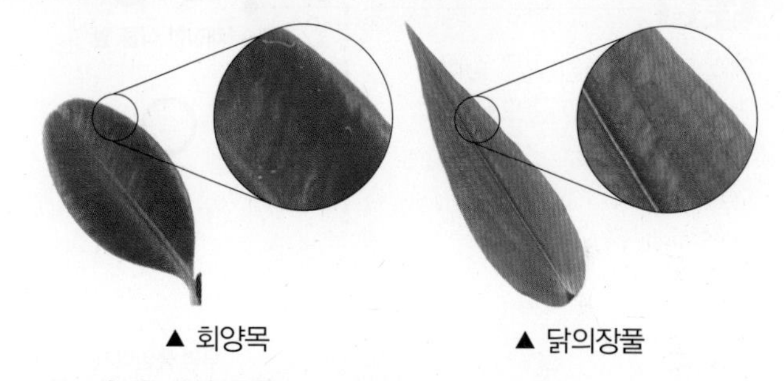

▲ 회양목　▲ 닭의장풀

① 잎자루가 없습니다.
② 잎맥이 그물 모양입니다.
③ 잎 표면에 광택이 납니다.
④ 잎의 길이가 긴 편입니다.
⑤ 잎의 가장자리가 매끈합니다.

3 잎의 분류 기준으로 적합한 것에 ○표시를 해 봅시다.

(1) 잎맥이 나란한가? (　　　)
(2) 잎의 가장자리가 매끈한가? (　　　)
(3) 잎자루가 있는가? (　　　)
(4) 잎의 길이가 짧은가? (　　　)

실험 관찰

관찰 분류

실험 관찰 8~9쪽

2 비슷한 잎끼리 분류해 볼까요?

탐구 활동 잎의 생김새에 따라 분류하기

탐구 활동 도움말

이 탐구 활동은 채집한 여러 가지 잎을 관찰하고, 분류 기준을 정하여 잎의 생김새에 따라 분류하는 활동입니다.

도움말

이 단원에서 잎맥은 나란한 모양과 그물 모양 두 가지로 분류합니다.

도움말

여러 가지 종류의 잎을 준비하면 다양한 분류 기준으로 분류할 수 있습니다.

보충해설

분류 기준으로 적합한 것은 기준이 객관적이고 명확해야 합니다. 사람마다 기준이 다른 것은 분류 기준으로 적합하지 않습니다.

『실험 관찰』 꾸러미 69쪽 붙임딱지를 붙여요.

식물을 소중히 하는 마음을 가져요.

무엇을 준비할까요?

준비물에 ◯ 표시를 하면서 확인해 봅시다.

채집한 식물 잎

돋보기

투명 붙임딱지 (『실험 관찰』 꾸러미 73쪽)

1 채집한 잎의 생김새를 관찰하고, 그중 두 가지를 골라 공통점과 차이점을 찾아봅시다.

잎의 전체적인 모양, 잎의 가장자리 모양, 잎맥의 모양 등 관찰한 내용을 써 보세요.

예시 답안

식물 이름: 회양목		식물 이름: 닭의장풀
차이점	공통점	차이점
• 잎자루가 있습니다. • 잎맥이 그물 모양입니다. • 잎 표면이 매끄럽습니다. • 내가 좋아하는 모양입니다. • 잎의 길이가 짧은 편입니다.	• 잎의 가장자리가 매끈합니다. • 잎의 모양이 예쁩니다.	• 잎자루가 없습니다. • 잎맥이 나란한 모양입니다. • 잎의 길이가 긴 편입니다.

2 과정 1의 공통점과 차이점 중에서 분류 기준으로 적합한 것과 적합하지 않은 것을 구분해 봅시다.

사람마다 기준이 다르거나 감정을 쓴 것은 분류 기준으로 적합하지 않아요.

예시 답안

적합한 것	적합하지 않은 것
예 잎자루가 있습니다. • 잎맥이 그물 모양입니다. • 잎 표면이 매끄럽습니다. • 잎의 가장자리가 매끈합니다. • 잎자루가 없습니다. • 잎맥이 나란합니다.	잎의 모양이 예쁩니다. • 내가 좋아하는 모양입니다. • 잎의 길이가 짧은 편입니다. • 잎의 길이가 긴 편입니다.

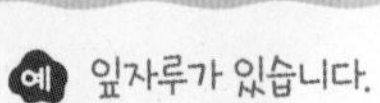

3 채집한 잎을 적합한 분류 기준으로 분류해 봅시다.

- 분류 기준 중 한 가지를 선택하여 쓰고, 분류 기준에 해당하는 잎을 한 가지씩 골라 빈칸에 붙여 봅시다.

도움말

과정 2에서 적합한 것으로 구분한 기준 중 한 가지를 쓰고, 채집한 식물의 잎을 기준에 맞추어 분류합니다.

예시 답안

분류 기준: 잎의 가장자리가 매끈한가?

그렇다.

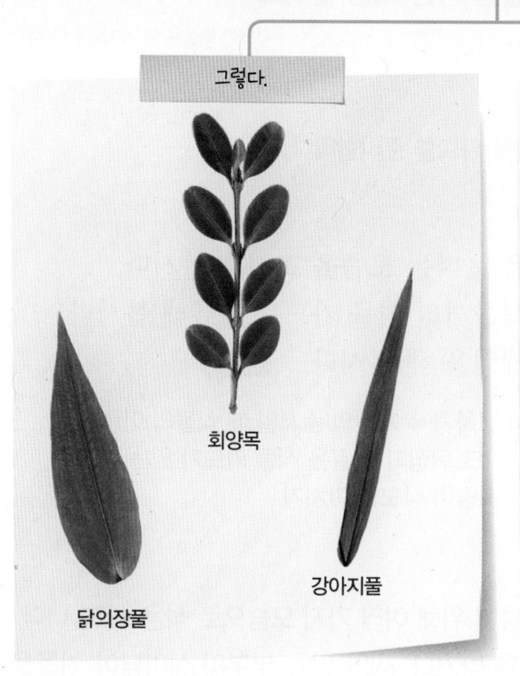

그렇지 않다.

보충해설

선택한 기준에 따라 식물 잎을 분류한 뒤 그중, '그렇다.'와 '그렇지 않다.'에 해당하는 잎을 한 가지씩 고릅니다. 『실험 관찰』 꾸러미 73쪽 투명 붙임 딱지를 이용하여 빈칸에 고른 잎을 붙입니다.

이렇게 ○○ 정리해요

식물의 잎을 분류하는 기준을 한 가지 써 봅시다.

예시 답안

- 잎의 전체적인 모양이 손 모양인가? / 잎의 전체적인 모양이 심장 모양인가?
- 잎의 가장자리가 톱니 모양인가? / 잎의 가장자리가 매끈한가?
- 잎맥이 그물 모양인가? / 잎맥이 나란한 모양인가?
- 잎 표면에 털이 있는가? / 잎 표면이 매끄러운가?
- 잎자루가 있는가? / 잎자루가 없는가?
- 줄기에 잎이 마주 보고 달려 있는가? / 줄기에 잎이 어긋나게 달려 있는가?

도움말

잎의 분류 활동은 식물의 특징을 이해하는 데 도움이 됩니다.

3 우리 주변 식물은 어떻게 겨울을 보낼까요?

과학 16~17쪽

궁금해요

우리 주변에 사는 나무가 봄, 여름, 가을, 겨울에 어떤 모습을 하고 있는지 떠올려 보며, 식물이 살아가기 어려운 계절은 언제일지 생각해 봅니다.

질문 우리나라와 같이 사계절이 구분되는 지역에서 식물이 살아가기 가장 어려운 계절은 언제일까요? 도움①

예시 답안 춥고 눈이 내리는 겨울입니다.

도움말 식물은 35℃ 이상의 높은 온도나 영하의 낮은 온도에서 살기 어렵습니다. 우리나라 평균 기온은 가장 무더운 달인 8월은 23℃~26℃이고, 가장 추운 달인 1월은 -6℃~3℃이므로 식물이 살아가기 가장 어려운 계절은 겨울입니다.

➲ 식물이 겨울을 나는 모습

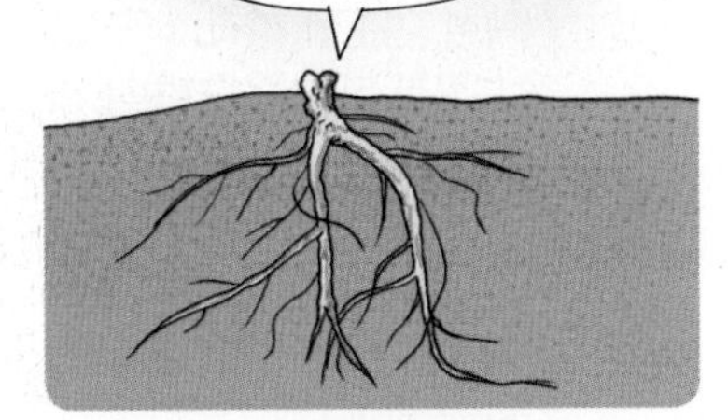

탐구 활동 식물이 겨울을 나는 모습 알아보기

자세한 해설은 18~19쪽에 있어요.

- **무엇을 준비할까요?**

식물 카드

도움말 과학 놀이터에서 사용한 식물 카드를 준비합니다.

- **과정을 알아볼까요?**

① 식물 카드에 있는 식물이 겨울을 나는 모습을 조사해 봅시다.
② 같은 모습으로 겨울을 나는 식물끼리 식물 카드를 분류해 봅시다.
③ 식물 카드를 이용하여 빙고 게임을 해 봅시다. 도움②

식물 카드로 빙고 판 만들기 ➡ 순서 정하기 ➡ 자신의 순서일 때 식물의 이름과 그 식물이 겨울을 나는 모습을 말하고, 카드 뒤집기 ➡ 같은 식물 카드가 있는 사람은 카드 뒤집기 ➡ 두 줄을 먼저 뒤집는 사람이 나오면 마치기

- **관찰 내용 및 결과를 정리해요**

➲ 우리 주변의 식물은 추운 겨울을 나기 위해 여러 가지 모습으로 적응하였습니다.
➲ 우리 주변의 식물은 씨로만 겨울을 나거나, 씨와 땅속 부분이 살아남아 겨울을 나거나, 씨, 땅속 부분, 땅 위 부분으로 겨울을 납니다.

교과서 속 핵심 개념

- **적응** 생물이 오랜 기간에 걸쳐 자신이 살고 있는 곳의 환경에 살기 알맞게 변하는 것 도움③
- **우리 주변의 식물이 겨울을 나는 방법**
  - 나무: 대부분 가을에 잎을 떨어뜨리고 땅속의 뿌리와 땅 위의 줄기가 살아남아 겨울을 남. 예 무궁화, 사과나무, 소나무, 동백나무 등
  - 여러해살이풀: 씨와 땅속 부분이 살아남아 겨울을 남. 예 갈대, 고들빼기, 괭이밥 등
  - 한해살이풀: 씨로만 겨울을 남. 예 강낭콩, 나팔꽃, 봉선화 등

도움 ① 식물의 사계절

우리 주변에 사는 식물은 사계절의 모습이 다릅니다. 대부분의 나무는 추운 겨울에 살아남기 위해 가을에 잎을 모두 떨어뜨리고 가지만 남은 상태로 추운 겨울을 납니다. 날씨가 따뜻해지면 가지에서 새잎이 나고 자라 여름에 잎이 무성해집니다.

▲ 봄

▲ 여름

▲ 가을

▲ 겨울

도움 ② 식물 이름을 이용한 기억력 놀이

이 놀이는 시작하는 사람이 '시장에 가면' 놀이의 운율에 맞춰 조건을 말하고 식물의 이름을 한 가지 말합니다.

예 씨로만 나요－나팔꽃

두 번째 사람부터는 조건에 맞는 식물 이름을 덧붙여 말하면서 가장 많은 식물 이름을 말한 모둠이 이깁니다.

예 씨로만 나요－나팔꽃 → 나팔꽃, 강아지풀 → 나팔꽃, 강아지풀, 닭의장풀 → …

도움 ③ 식물의 적응

식물의 크기, 잎의 모양, 꽃의 색깔과 모양 등은 매우 다양하지만, 이는 모두 식물이 환경에 적응한 것입니다. 기온이 낮은 곳, 바람이 많이 부는 곳, 메마른 모래땅, 해가 잘 들지 않는 곳 등 사는 곳에 따라 살아남기 위해 식물이 변화하였습니다. 계속해서 변화하는 환경에 적응하여 식물도 변화하고 있습니다.

스스로 확인해요

- **우리 주변에 사는 식물이 겨울을 나는 방법을 설명할 수 있어요.**

  도움말 식물이 겨울을 나는 방법을 씨, 땅속 부분, 땅 위 부분 등으로 구분하여 식물이 적응하는 모습을 설명합니다.

- **우리 주변에 사는 식물이 겨울을 나는 방법을 조사했어요.**

  도움말 살아남는 부분(씨, 땅속 부분, 땅 위 부분)을 기준으로 구분하거나, 식물의 한살이(한해살이풀, 여러해살이풀, 나무)를 기준으로 구분하여 조사합니다.

정답과 해설 2쪽

교과서 개념 확인 문제

1 **다음 빈칸에 들어갈 알맞은 말을 써 봅시다.**

> 생물이 오랜 기간에 걸쳐 자신이 살고 있는 곳의 환경에 살기 알맞게 변하는 것을 (　　　　) (이)라고 합니다.

(　　　　　　　　)

2 **다음의 각 식물과 그 식물이 겨울을 나는 방법을 선으로 연결해 봅시다.**

(1) 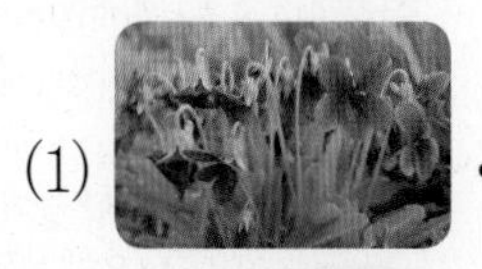
▲ 제비꽃

(2) 
▲ 해바라기

(3) 
▲ 진달래

• ㉠  씨

• ㉡ 씨, 땅속 부분

• ㉢ 씨, 땅속 부분, 땅위 줄기

3 **식물이 겨울을 나는 방법으로 옳은 것은 ○표시를, 옳지 않은 것은 ×표시를 해 봅시다.**

(1) 나무는 대부분 가을에 잎을 떨어뜨리고 씨와 함께 땅속의 뿌리와 땅 위의 줄기가 살아남아 겨울을 납니다. (　　　)

(2) 여러해살이풀은 씨와 땅속 부분이 살아남아 겨울을 납니다. (　　　)

(3) 한해살이풀은 땅 위의 줄기가 살아남아 겨울을 납니다. (　　　)

실험 관찰

관찰 분류

실험 관찰 10~11쪽

3 우리 주변 식물은 어떻게 겨울을 보낼까요?

탐구 활동 식물이 겨울을 나는 모습 알아보기

탐구 활동 도움말

이 탐구 활동은 식물 카드에 있는 식물이 겨울을 나는 모습을 조사하고, 식물의 생활 방식이 환경과 관련되어 있음을 알아보는 활동입니다.

보충해설

식물 카드에 써 있는 각 식물의 '겨울나기'를 확인합니다.

『실험 관찰』 꾸러미 69쪽 붙임딱지를 붙여요.

놀이할 때 규칙을 잘 지켜요.

무엇을 준비할까요?

준비물에 ○ 표시를 하면서 확인해 봅시다.

과학 놀이터에서 사용한 식물 카드를 준비해요.

식물 카드

1 식물 카드에 있는 식물이 겨울을 나는 모습을 조사해 봅시다.

- 각 식물이 겨울을 나는 모습에 해당하는 칸에 모두 ○표시를 해 봅시다.

식물 이름	씨	땅속 부분	땅 위 부분	식물 이름	씨	땅속 부분	땅 위 부분
예 갈대	○	○		봉선화	○		
강아지풀	○			사철나무	○	○	○
개나리	○	○	○	서양민들레	○	○	
고들빼기	○	○		소나무	○	○	○
괭이밥	○	○		수련	○	○	
나팔꽃	○			애기똥풀	○	○	
냉이	○	○		애기부들	○	○	
느티나무	○	○	○	은행나무	○	○	○
단풍나무	○	○	○	제비꽃	○	○	
닭의장풀	○			주목	○	○	○
동백나무	○	○	○	진달래	○	○	○
명아주	○			해바라기	○		
무궁화	○	○	○	회양목	○	○	○
벚나무	○	○	○				

2 같은 모습으로 겨울을 나는 식물끼리 식물 카드를 분류해 봅시다.

예시 답안

씨로만 겨울을 나는 식물	씨와 땅속 부분으로 겨울을 나는 식물	씨, 땅속 부분, 땅 위 부분으로 겨울을 나는 식물
강아지풀, 나팔꽃, 닭의장풀, 명아주, 봉선화, 해바라기	갈대, 고들빼기, 괭이밥, 냉이, 서양민들레, 수련, 애기똥풀, 애기부들, 제비꽃	개나리, 느티나무, 단풍나무, 동백나무, 무궁화, 벚나무, 사철나무, 소나무, 은행나무, 주목, 진달래, 회양목

3 식물 카드를 이용하여 빙고 게임을 해 봅시다.

❶ 그림과 같이 식물의 이름이 보이도록 식물 카드를 놓아 빙고 판을 만듭니다.

❷ 가위바위보 등으로 순서를 정합니다.

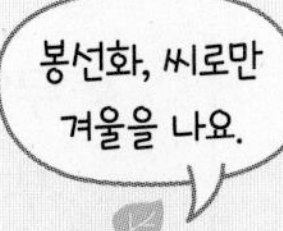

❸ 자신의 순서일 때 식물의 이름과 그 식물이 겨울을 나는 모습을 말하고, 해당하는 식물 카드를 뒤집습니다.

❹ 나머지 사람은 자신의 빙고 판에 같은 식물 카드가 있으면 그 카드를 뒤집습니다.

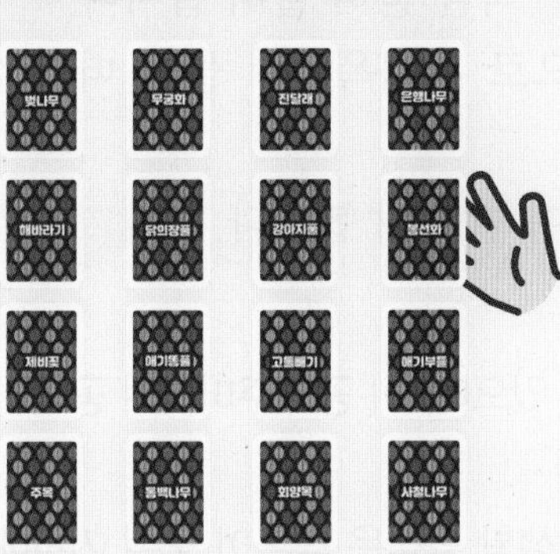

❺ 두 줄을 먼저 뒤집는 사람이 나오면 마칩니다.

이렇게 OO 정리해요

우리 주변의 식물이 겨울을 나는 모습에 해당하는 것에 모두 ○표시를 해 봅시다.

소나무는 (씨, 땅속 부분, 땅 위 부분)(으)로 겨울을 나고, 괭이밥은 (씨, 땅속 부분, 땅 위 부분)(으)로 겨울을 납니다. 봉선화는 (씨, 땅속 부분, 땅 위 부분)(으)로 겨울을 납니다.

보충해설

빙고 게임 규칙 정하기 예

① 게임 시작 전에 모둠별로 빙고 판에 놓는 카드의 수, 게임이 끝났음을 알리는 구호('빙고'나 '겨울나기' 등)를 정합니다.
② 빙고 판에 놓는 카드의 수(3×3, 4×4 등)도 정할 수 있습니다.
③ 조건을 제시한 사람이 말한 식물 이름과 그 식물의 겨울나기 방법이 틀렸을 경우 카드를 뒤집지 못하고 다음 사람에게 순서가 넘어갑니다.
④ 겨울을 나는 방법이 같더라도 식물의 이름이 같은 경우에만 카드를 뒤집을 수 있습니다.

도움말

[조건 예시]

- 민들레, 씨와 땅속 부분으로 겨울을 납니다.
- 개나리, 씨, 땅속 부분, 땅 위 부분으로 겨울을 납니다.

4 연못이나 강에 사는 식물은?

과학 18~19쪽

궁금해요

연못이나 강에서 본 식물은 어떤 것이 있는지 떠올려 보며, 연못이나 강에 사는 식물의 생김새와 생활 방식을 알아봅시다.

질문 물에 사는 식물은 모두 물에 떠서 살까요?

예시 답안 검정말처럼 물속에 잠겨서 사는 식물도 있고, 연꽃처럼 잎이나 꽃이 물 위로 높이 자라는 식물도 있습니다.

탐구 활동 물에서 사는 식물의 특징 알아보기

자세한 해설은 22~23쪽에 있어요.

- **무엇을 준비할까요?**

부레옥잠, 수조, 물, 칼, 나무판, 안전 장갑, 넓은 그릇, 비눗방울 액, 실험용 장갑, 실험복, 스마트 기기

- **과정을 알아볼까요?**

❶ 부레옥잠의 겉모양과 물에 떠 있는 모습을 관찰해 봅시다. 도움①
❷ 부레옥잠의 잎자루를 반으로 잘라 속 모양을 관찰해 봅시다.
❸ 자른 부레옥잠 잎자루에 비눗방울 액을 묻혀 눌러 봅시다.
❹ 부레옥잠을 관찰한 결과를 바탕으로 부레옥잠이 물에 떠서 살 수 있는 까닭을 토의해 봅시다.
❺ 물에 사는 식물의 특징을 조사하여 발표해 봅시다.

- **관찰 내용 및 결과를 정리해요**

➲ 부레옥잠의 잎자루에는 공기주머니가 있으며, 이 공기주머니에 공기가 들어 있어 물에 떠서 살 수 있습니다.

➲ 연못이나 강에 사는 식물의 생김새와 생활 방식은 식물이 오랜 기간에 걸쳐 물이 많은 환경에 적응한 것입니다.

교과서 속 핵심 개념

- **연못이나 강가에 사는 식물의 특징과 종류** 도움②

구분	생김새 및 생활 방식	종류
잎이 물 위로 높이 자라는 식물	물속이나 물가의 땅에 뿌리를 내리고, 잎과 꽃이 물 위로 높이 자람.	갈대, 애기부들, 연꽃 등
잎이 물에 떠 있는 식물	물속 땅에 뿌리를 내리고 잎과 꽃이 물에 떠 있음.	가래, 수련, 마름 등
물속에 잠겨서 사는 식물	물속 땅에 뿌리를 내리고, 줄기와 잎이 물의 흐름에 따라 잘 휨.	검정말, 붕어마름, 나사말 등
물에 떠서 사는 식물	수염처럼 생긴 뿌리가 물속으로 뻗어 있음.	개구리밥, 부레옥잠, 생이가래 등

➲ 부레옥잠을 자를 때 주의할 점

➲ 물에 사는 식물의 특징

정답과 해설 2쪽

도움 ① 부레옥잠의 생김새

- 전체적으로 초록색입니다.
- 잎의 전체 모양은 둥글넓적하고 매끈하며 광택이 납니다.
- 잎자루가 풍선처럼 부풀어 있습니다.
- 뿌리는 수염처럼 생겼습니다.
- 잎자루를 자른 면에서 공기주머니가 보입니다.

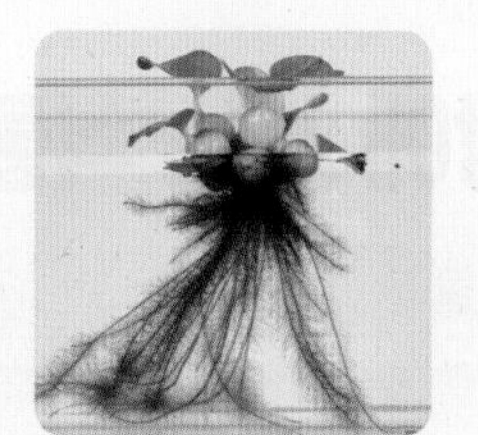
▲ 부레옥잠이 물에 떠 있는 모습

▲ 잎자루를 세로로 자른 모습

▲ 잎자루를 가로로 자른 모습

도움 ② 물에 사는 식물

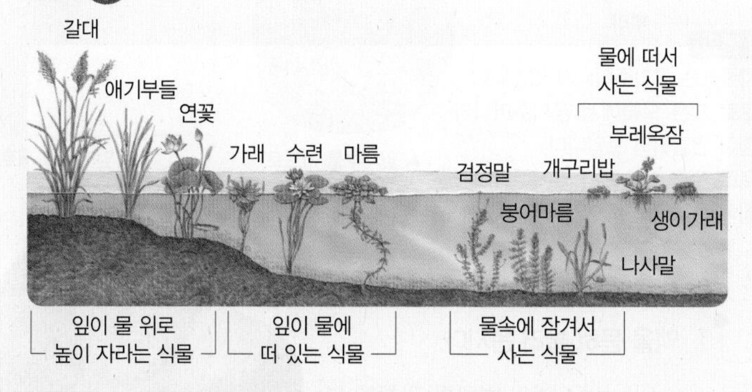

스스로 확인해요

- **연못이나 강에 사는 식물의 특징을 설명할 수 있어요.**
  도움말 연못이나 강에 사는 식물의 특징을 각 식물이 환경에 적응한 모습과 관련지어 설명합니다.
- **연못이나 강에 사는 식물의 종류를 조사했어요.**
  도움말 연못이나 강에 사는 식물을 사는 모습에 따라 구분하여 식물의 종류를 조사합니다.

교과서 개념 확인 문제

1 물에 사는 식물의 특징을 알아보기 위해 부레옥잠을 관찰할 때 주의할 점으로 옳은 것에 ○표시를 해 봅시다.

(1) 칼에 다치지 않도록 조심합니다. ( )
(2) 잎자루를 자를 때 손을 보호하기 위해 안전장갑을 낍니다. ( )
(3) 생명을 소중히 여기는 마음을 가집니다. ( )
(4) 부레옥잠은 실험용이니 마구 잘라도 됩니다. ( )

2 다음은 부레옥잠을 세로로 자른 면입니다. ㉠, ㉡, ㉢의 이름을 각각 쓰시오.

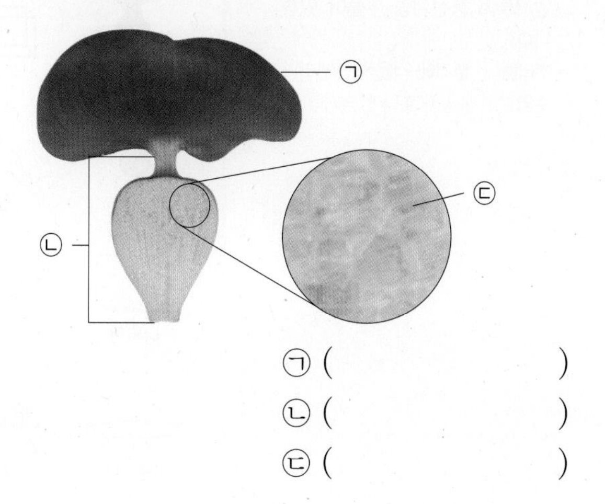

㉠ ( )
㉡ ( )
㉢ ( )

3 다음 빈칸에 들어갈 알맞은 말을 써 봅시다.

갈대와 같이 잎이 물 위로 높이 자라는 식물은 대부분 키가 크고, 물속이나 물가의 땅에 뿌리를 내리며, ( )이/가 단단합니다.

▲ 갈대

( )

실험 관찰

관찰 의사소통

실험 관찰 12~13쪽

4 연못이나 강에 사는 식물은?

탐구 활동 물에 사는 식물의 특징 알아보기

탐구 활동 도움말

이 탐구 활동은 부레옥잠의 겉모양과 속 모양을 관찰하고, 물에 사는 식물의 특징을 알아보는 활동입니다.

예시 답안

- 뿌리는 물속에 있고, 잎은 물 위에서 위쪽을 향하고 있으며, 여러 개의 잎이 뭉쳐 있습니다.
- 전체적으로 잎은 초록색이고, 매끈하며 광택이 있습니다.
- 잎의 전체 모양은 둥글넓적하고, 잎자루가 풍선처럼 부풀어 있습니다.
- 뿌리는 긴 뿌리에 검은색 잔뿌리가 수염같이 촘촘하게 나 있습니다.

보충해설

처음 누를 때는 공기주머니가 터지면서 비눗방울이 크게 생기지만, 다음에 누를 때는 비눗방울이 크게 생기지 않습니다.

『실험 관찰』 꾸러미 69쪽 붙임딱지를 붙여요.

칼에 다치지 않도록 조심해요.

무엇을 준비할까요?

준비물에 ◯ 표시를 하면서 확인해 봅시다.

부레옥잠

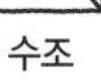
수조

물

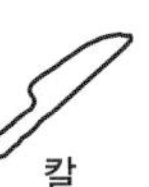
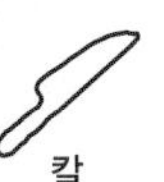

칼

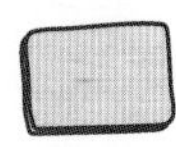
나무판

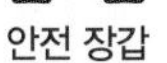
안전 장갑

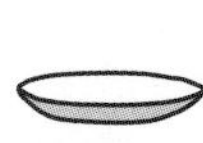
넓은 그릇

비눗방울 액

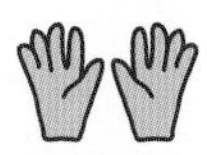
실험용 장갑

실험복

스마트 기기

꽃

줄기

뿌리

1 부레옥잠의 겉모양과 물에 떠 있는 모습을 관찰해 봅시다.

주의! 부레옥잠을 다룰 때 생명을 소중히 여기는 마음을 가져요.

2 부레옥잠의 잎자루를 반으로 잘라 속 모양을 관찰해 봅시다.

잎몸

잎

잎자루

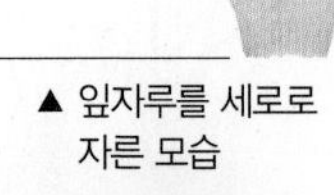

▲ 잎자루를 가로로 자른 모습

▲ 잎자루를 세로로 자른 모습

예시 답안

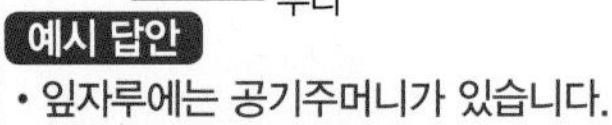

- 잎자루에는 공기주머니가 있습니다.
- 세로로 자른 모습에서 공기주머니가 줄줄이 연결되어 보입니다.
- 가로로 자른 모습에서 공기주머니가 벌집처럼 빽빽하게 보입니다.

3 자른 부레옥잠 잎자루에 비눗방울 액을 묻혀 눌러 봅시다.

- 비눗방울 액의 변화를 관찰해 봅시다.

예시 답안

부레옥잠 잎자루에 비눗방울 액을 묻히고 누르면 비눗방울이 생깁니다. 이것은 잎자루에 있는 공기주머니 속 공기가 비눗방울 액으로 이동하여 비눗방울을 만든 것입니다.

4 부레옥잠을 관찰한 결과를 바탕으로 부레옥잠이 물에 떠서 살 수 있는 까닭을 토의해 봅시다.

예시 답안

- 튜브에 공기를 넣으면 물에 뜨는 것처럼 부레옥잠 잎자루 속 공기주머니에 공기가 들어 있어 부레옥잠이 물에 떠서 살 수 있습니다.
- 긴 뿌리에 수염 같은 작은 뿌리가 빽빽하게 나 있어 물에 떠 있는 몸을 지탱해 주는 역할을 합니다.

보충해설

부레옥잠 잎자루에서 관찰한 공기주머니는 식물이 물에 뜰 수 있게 하는 역할도 하지만, 식물 내에서 공기가 순환할 수 있는 통로 역할도 합니다. 물에 떠서 사는 식물 외에도 물에 사는 식물은 대부분 이와 비슷한 구조가 있습니다.

5 물에 사는 식물의 특징을 조사하여 발표해 봅시다.

예시 답안

물에 떠서 사는 식물
- 잎에 공기주머니가 있거나 잎이 넓습니다.
- 수염처럼 생긴 뿌리를 물속으로 뻗습니다.
- 식물의 종류: 부레옥잠, 개구리밥, 생이가래, 물상추 등

물속에 잠겨서 사는 식물
- 줄기와 잎이 좁고 긴 모양이며, 물의 흐름에 따라 잘 휘어집니다.
- 식물의 종류: 붕어마름, 나사말, 물수세미, 물질경이, 통발 등

잎이 물에 떠 있는 식물
- 뿌리가 물속의 땅에 있습니다.
- 잎과 꽃은 물 위에 떠 있습니다.
- 식물의 종류: 가래, 수련, 마름, 가시연꽃, 물양귀비 등

잎이 물 위로 높이 자라는 식물
- 대부분 키가 큽니다.
- 뿌리가 물속이나 물가의 땅에 있습니다.
- 줄기가 단단합니다.
- 식물의 종류: 갈대, 애기부들, 부들, 연꽃, 줄 등

이렇게 ○○ 정리해요

부레옥잠이 물에 떠서 살기에 알맞은 특징을 이야기해 봅시다.

부레옥잠은 잎자루에 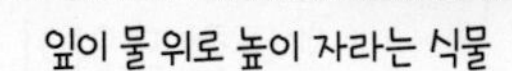 공기 이/가 들어 있는 부분이 있어서 물에 뜰 수 있습니다.

5 덥고 비가 많이 오는 곳에 사는 식물은?

과학 20~21쪽

궁금해요

식물이 잘 자라는 데 필요한 조건을 떠올려 보며, 가장 다양한 종류의 식물이 살고 있는 곳을 생각해 봅시다.

질문 가장 다양한 종류의 식물이 살고 있는 곳은 어디일까요?

예시 답안 아마존강 지역입니다. 아마존강 지역은 일 년 내내 덥고 비가 많이 오며 햇빛이 강하게 비치는 곳입니다.

➲ 덥고 비가 많이 오는 곳의 식물

◀ 바나나

▲ 야자나무

탐구 활동 덥고 비가 많이 오는 곳에 사는 식물의 특징 알아보기

자세한 해설은 26~27쪽에 있어요.

- **무엇을 준비할까요?**

스마트 기기, 식물 붙임딱지(『실험 관찰』 꾸러미 74쪽)

- **과정을 알아볼까요?**

❶ 덥고 비가 많이 오는 곳에 사는 식물을 조사하여 사진을 모아 봅시다. 도움①

❷ 조사한 식물의 생김새와 여러 종류의 식물이 함께 살아가는 모습을 이야기해 봅시다. 도움②

❸ 덥고 비가 많이 오는 곳에 사는 여러 종류의 식물이 햇빛을 많이 받을 수 있도록 식물 붙임딱지를 붙여 봅시다.

❹ 식물 붙임딱지를 과정 ❸과 같이 붙인 까닭을 이야기해 봅시다.

- **관찰 내용 및 결과를 정리해요**

➲ 덥고 비가 많이 오는 곳에 사는 식물은 일 년 내내 잎이 푸르며, 잎이 길고 끝이 뾰족한 모양이 많으며, 매우 크게 자랍니다.

➲ 큰 나무 아래에 햇빛을 받을 수 있는 위치에 따라 다양한 식물이 여러 층을 이루고 있습니다.

교과서 속 핵심 개념

- **덥고 비가 많이 오는 곳에 사는 식물의 특징**
  - 식물의 잎이 일 년 내내 푸름.
  - 잎이 길고 끝이 뾰족한 모양이 많으며, 잘 휘어져서 빗방울을 쉽게 흘려보냄.
  - 햇빛이 강하고 비가 많이 와서 매우 크게 자라는 나무가 많음.
  - 여러 종류의 식물이 햇빛을 많이 받기 위해 층을 이루며 살아감.

도움 ① 덥고 비가 많이 오는 곳

지구의 적도에서 조금 떨어져 있는 지역으로, 일 년 내내 기온이 높아 연평균 기온이 25℃ 이상입니다. 또한 강우량이 많아 연간 강우량은 2,000 mm 이상입니다.

도움 ② 덥고 비가 많이 오는 곳에 사는 식물

식물	특징
야자나무	• 여러해살이풀로, 키가 크고 곧게 자라며 꼭대기 부분에만 가지가 발달하여 잎이 남. • 종류별로 높이는 다양하며 60 m 정도까지 자랄 수 있음.  ▲ 코코야자  ▲ 대추야자
고사리	• 나무 아래 그늘지고 물기가 많은 곳에서 잘 자람. • 여러해살이풀  ▲ 고사리  ▲ 둥지고사리  ▲ 나무고사리
바나나	• 여러해살이풀로, 2 m~10 m까지 자람. • 줄기는 초록색의 원기둥 모양 • 잎은 긴 타원형으로 길이가 2.5 m, 너비는 60 cm 정도이고, 가운데에 굵은 잎맥이 있음.  ▲ 바나나  ▲ 바나나 꽃  ▲ 바나나 열매

스스로 확인해요

- **덥고 비가 많이 오는 곳에 사는 식물의 생김새와 생활 방식을 설명할 수 있어요.**
  도움말 잎의 색깔, 생김새, 식물의 크기 등의 특징을 환경과 연관 지어 설명합니다.
- **덥고 비가 많이 오는 곳에 사는 식물의 생김새와 생활 방식을 조사했어요.**
  도움말 조사 자료에 덥고 비가 많이 오는 곳에 사는 식물의 특징이 잘 드러나야 합니다.

정답과 해설 2쪽

교과서 개념 확인 문제

1 다음과 같은 특징을 가지는 식물이 사는 곳으로 알맞은 곳은 어느 것입니까? (   )

- 일 년 내내 잎이 푸릅니다.
- 여러 종류의 식물이 빽빽하게 살고 있습니다.
- 같은 종류라도 이곳에 사는 식물이 더 크게 자랍니다.

① 사계절이 구분되는 곳
② 덥고 비가 많이 오는 곳
③ 비가 아주 적게 오는 곳
④ 낮과 밤의 온도 차이가 큰 곳
⑤ 땅속이 일 년 내내 얼어 있는 곳

2 다음 설명에 해당하는 식물을 보기에서 골라 기호를 각각 써 봅시다.

보기

㉠ ▲ 야자나무 ㉡ ▲ 바나나 ㉢ ▲ 몬스테라 ㉣ ▲ 고사리

(1) 잎이 크고 넓으며 잘 휘어져서 물을 쉽게 흘려보낼 수 있습니다. (   )
(2) 키가 크고 곧게 자라며 꼭대기 부분에만 잎이 납니다. (   )
(3) 나무 아래 그늘지고 물기가 많은 곳에서 잘 자랍니다. (   )

실험 관찰

관찰 실험 관찰 14~15쪽

5 덥고 비가 많이 오는 곳에 사는 식물은?

탐구 활동 덥고 비가 많이 오는 곳에 사는 식물의 특징 알아보기

탐구 활동 도움말

이 탐구 활동은 덥고 비가 많이 오는 곳에 사는 식물의 생김새와 특징을 조사하는 활동입니다. 또한, 이러한 환경에서 여러 종류의 식물이 각각 햇빛을 많이 받기 위해 여러 층을 이루며 살아가는 모습을 이해하고, 식물 붙임딱지를 붙이며 이러한 모습을 표현해 봅니다.

『실험 관찰』 꾸러미 69쪽 붙임딱지를 붙여요.

조사 활동에 적극적으로 참여해요.

무엇을 준비할까요?

준비물에 ◯ 표시를 하면서 확인해 봅시다.

스마트 기기

식물 붙임딱지 (『실험 관찰』 꾸러미 74쪽)

1 덥고 비가 많이 오는 곳에 사는 식물을 조사하여 사진을 모아 봅시다.

▲ 야자나무 ▲ 바나나 ▲ 몬스테라 ▲ 고사리

2 조사한 식물의 생김새와 여러 종류의 식물이 함께 살아가는 모습을 이야기해 봅시다.

예 야자나무는 키가 크며, 잎이 길고 끝이 뾰족합니다.

예시 답안

- 일 년 내내 잎이 푸르며, 키가 매우 큰 식물이 많습니다.
- 같은 종류라도 덥고 비가 많이 오는 곳에 사는 식물이 더 크게 자랍니다.
- 바나나는 잎이 크고 넓으며, 잘 휘어집니다.
- 고사리는 빛이 약하게 비치는 그늘지고 습한 곳에서 잘 자랍니다.
- 코코야자는 하나의 줄기가 곧게 자라며 줄기의 끝부분에 가지와 잎이 우산처럼 펼쳐진 모양으로 자랍니다.
- 여러 종류의 식물이 빽빽하게 살고 있으므로 식물마다 햇빛을 최대한 많이 받기 위해 여러 층을 이루며 살고 있습니다.

3 덥고 비가 많이 오는 곳에 사는 여러 종류의 식물이 햇빛을 많이 받을 수 있도록 식물 붙임딱지를 붙여 봅시다.

작품 예시

예시 답안
키가 작은 식물이 키가 큰 나무 아래에서도 햇빛을 잘 받을 수 있도록 붙였습니다.

4 식물 붙임딱지를 과정 3과 같이 붙인 까닭을 이야기해 봅시다.

- 『과학』 20~21쪽 그림과 비교하여 비슷한 점과 다른 점을 이야기해 봅시다.

예시 답안
- 비슷한 점: 식물이 층을 이루어 분포하는 모습이 비슷합니다. 아래층으로 갈수록 햇빛이 적게 들기 때문에 햇빛이 적어도 살 수 있는 식물이 살고 있습니다.
- 다른 점: 키가 가장 큰 나무 사이의 거리가 『과학』 20~21쪽 나무들보다 가깝게 보입니다.

이렇게 ○○ 정리해요

덥고 비가 많이 오는 곳에 사는 식물의 특징을 한 가지 써 봅시다.

예시 답안
- 일 년 내내 잎이 푸르며, 잎이 크고 넓습니다.
- 키가 매우 큰 식물이 많습니다.
- 잎이 길고 끝이 뾰족한 모양이거나, 잎몸이 손바닥 모양처럼 갈라진 식물이 많습니다.

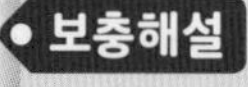

보충해설
식물 붙임딱지를 붙일 때는 키가 큰 나무의 위치를 먼저 정하고 그 사이에 키가 작은 식물이 최대한 햇빛을 많이 받을 수 있는 곳에 배치합니다.

보충해설
붙임딱지에서 가장 큰 나무는 케이폭나무입니다. 케이폭나무는 아마존강 지역에서 가장 키가 크게 자라는 나무로 최대 60 m까지 자라며, 1년에 4 m씩 자라기도 합니다.

도움말
조사한 식물을 추가로 그려 볼 수도 있습니다.

6 이런 곳에서도 식물이 살아요

과학 22~25쪽

➲ 선인장

➲ 극지방의 식물

▲ 남극개미자리

▲ 북극종꽃나무

궁금해요

뜨겁고 건조한 곳에서 식물은 어떻게 살아가는지 생각해 봅시다.

질문 사막에 사는 식물은 물을 어디에 저장할까요?

예시 답안 줄기나 잎에 물을 저장합니다.

해 보기 사막에 사는 식물의 생김새 알아보기

- **무엇을 준비할까요?** 알로에, 나무판, 플라스틱 칼, 안전 장갑, 실험복
- **과정을 알아볼까요?**

❶ 알로에의 겉모양을 관찰해 봅시다.

➲ 잎이 크고 길며 통통하고, 가장자리에 가시가 있습니다.

❷ 알로에 잎을 잘라서 관찰하고, 그 특징을 이야기해 봅시다.

➲ 껍질이 두껍고, 껍질 안쪽은 투명한 젤리 형태입니다.

❸ 알로에가 사막에 살 수 있는 까닭을 이야기해 봅시다.

➲ 잎의 껍질이 두껍고 매끈해서 물이 마르는 것을 막을 수 있습니다.

➲ 잎에 물을 많이 저장할 수 있습니다.

❹ 사막에 사는 식물의 종류와 특징을 더 조사해 봅시다. 도움①

➲ 종류: 선인장, 아데니움, 알로에, 용설란 등이 있습니다.

➲ 특징: 잎이나 줄기에 많은 물을 저장할 수 있습니다. 잎의 껍질이 두껍거나 잎이 가시 형태로 변해 있어 물이 증발하는 것을 막습니다. 비가 내리면 물을 빠르게 흡수할 수 있도록 뿌리가 얕고 넓게 퍼져 있거나, 땅속 깊은 곳에 있는 물을 흡수할 수 있도록 뿌리가 땅속 깊게 뻗어 있습니다.

잠깐 퀴즈!

➲ 극지방에 사는 식물의 공통점에 해당하는 말에 ✔ 표시를 해 보세요. 도움②

• 키가 (☐ 커요, ☑ 작아요). • 뿌리를 (☑ 얕게, ☐ 깊게) 내려요.

• 주로 (☑ 풀이, ☐ 나무가) 많아요.

더 알아보기

극지방에 사는 식물이 뭉쳐 사는 까닭은 무엇일까요?

예시 답안 뭉쳐서 살면 추위와 차고 강한 바람을 견디는 데 유리합니다.

교과서 속 핵심 개념

사막에 사는 식물의 생김새와 생활 방식	극지방에 사는 식물의 생김새와 생활 방식
• 잎이나 줄기가 두꺼워 물을 잘 저장할 수 있음. • 적게 내리는 비를 빠르게 흡수하거나, 깊은 땅속에 있는 물을 흡수할 수 있음.	• 키가 작고 뭉쳐 살아서 낮은 기온과 차고 강한 바람을 견딜 수 있음. • 깊은 땅속은 일 년 내내 얼어 있기 때문에 땅속 깊이 뿌리를 내리지 않음.

도움 ① 사막에 사는 식물

식물	특징
선인장	• 줄기에 대부분의 물을 저장함. • 물의 증발을 막기 위해 잎이 가시로 변했는데, 이것은 동물이 먹지 못하게 하는 역할도 함.
용설란	• 잎은 1 m 이상 자라며 크고 두꺼워 물을 저장할 수 있음. • 가장자리에는 날카로운 가시가 있음.
아데니움	• 꽃병처럼 생긴 줄기가 굵고 불룩하여 물을 저장하기 좋음. • 잎의 표면이 가죽과 비슷함.

도움 ② 극지방에 사는 식물

• 남극에 사는 식물: 남극 세종 기지 주변에 사는 꽃이 피는 식물은 남극개미자리와 남극좀새풀 2종류가 알려져 있습니다. 남극개미자리는 맨눈으로 찾기 어려울 정도로 아주 작고, 2월 중순 쯤에 흰색의 꽃이 피는데 확대경이 없이는 관찰하기 힘듭니다.

• 북극에 사는 식물: 북극 지방은 여름인 7월~8월에도 기온이 10℃를 넘지 않지만 대부분 지역에서 눈과 얼음이 녹는 따뜻한 기간이 있어 남극 지방과 비교하여 식물이 살기 나은 환경이므로 남극 지방보다 다양한 식물이 살고 있습니다.

▲ 양털송이풀

▲ 북극다람쥐꼬리

▲ 다발범의귀

▲ 북극점도나물

▲ 북극종꽃나무

▲ 북극풍선장구채

스스로 확인해요

● **사막에 사는 식물의 특징을 조사할 수 있어요.**

도움말 사막에 사는 식물이 덥고 건조한 환경에 적응을 한 모습을 포함하여 조사합니다.

● **극지방에 사는 식물의 특징을 설명할 수 있어요.**

도움말 극지방에 사는 식물이 춥고 바람이 많이 부는 환경에 적응을 한 모습을 포함하여 조사합니다.

정답과 해설 2쪽

교과서 개념 확인 문제

1~2 **다음 식물을 보고, 물음에 답해 봅시다.**

▲ 선인장

▲ 용설란

▲ 아데니움

1 **위 식물이 사는 곳은 어디인지 써 봅시다.**

( )

2 **위와 같은 식물이 살고 있는 환경에 적응한 특징으로 옳은 것에 ○표시를 해 봅시다.**

(1) 잎이나 줄기가 두꺼워 물을 잘 저장할 수 있습니다. ( )

(2) 바람에 잘 견딜 수 있도록 뭉쳐서 자랍니다. ( )

(3) 적게 내리는 비를 빠르게 흡수하거나, 깊은 땅속에 있는 물을 흡수합니다. ( )

3 **다음과 같은 식물이 극지방에 살 수 있는 까닭을 설명한 것입니다. 빈칸에 들어갈 알맞은 말을 써 봅시다.**

▲ 남극좀새풀

▲ 북극이끼장구채

낮은 기온과 차고 강한 바람을 견디기 위해 뭉쳐서 살며, ( )이/가 작습니다.

( )

7 식물에게 배워요

과학 26~27쪽

궁금해요

식물의 특징을 모방하여 일상생활에서 활용하는 사례로는 무엇이 있는지 생각해 봅시다.

질문 물에 뜨는 국자는 우리가 관찰했던 식물 중 한 식물의 생김새에서 아이디어를 얻은 것이라고 해요. 이 식물은 무엇일까요?

예시 답안 부레옥잠입니다. 도움①

탐구 활동 식물의 특징을 활용한 사례 조사하기

자세한 해설은 32~33쪽에 있어요.

● **무엇을 준비할까요?**

스마트 기기, 도화지, 그림 도구, 풀, 가위

● **과정을 알아볼까요?**

① 생활 속에서 식물의 특징을 활용하는 예를 조사해 봅시다.
② 우리가 사용하는 물건 중 식물의 특징을 활용한 예를 찾아봅시다.
③ 식물의 특징을 활용한 사례를 소개하는 발표 자료를 만들어 봅시다.
④ 완성한 자료를 발표해 봅시다.

● **관찰 내용 및 결과를 정리해요**

➲ 식물의 특징을 모방하여 생활 속에서 다양하게 활용합니다. 예 우엉 열매의 생김새를 활용한 찍찍이, 연꽃 잎의 특징을 활용한 물에 스며들지 않는 천 등

➲ **우엉 열매의 활용**

교과서 속 핵심 개념

● **식물의 특징을 활용한 사례**

식물	활용한 식물의 특징	식물의 특징을 활용한 예	
우엉 열매	열매 끝에 갈고리 모양의 가시가 있어 여러 가지 물체에 달라붙기 좋음.	찍찍이	
연꽃 잎	잎 표면에 있는 돌기들은 연꽃의 잎에 물방울이 떨어지면 잎이 젖지 않고 굴러 떨어지게 함.	물이 스며들지 않는 천	
선인장	줄기에 물을 많이 저장하고, 줄기 속의 물이 밖으로 빠져나가지 않도록 함.	선인장의 생김새를 활용한 건축물 도움②	
단풍나무 열매	열매에 날개가 있어 높은 곳에서 떨어질 때 뱅글뱅글 돌면서 천천히 떨어짐.	헬리콥터의 회전 날개	

도움 ① 부레옥잠의 물에 뜨는 특징을 활용한 주방용품

부레옥잠이 물에 떠서 사는 모습을 보고 부레옥잠 잎자루의 생김새를 모방하여 물에 뜨는 국자와 숟가락, 포크, 나이프를 발명하였습니다.

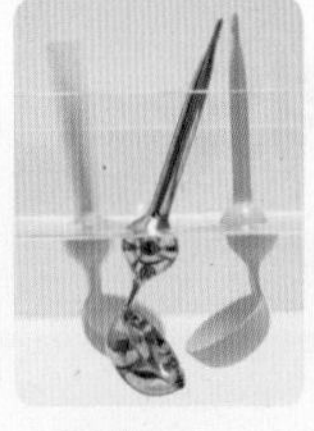

▲ 물에 뜨는 국자

도움 ② 식물의 특징을 활용한 건축물

- 연꽃 사원: 인도의 수도에 있는 건축물로, 연꽃의 꽃 모양을 모방하여 건물의 외관을 설계하였으며, 바하이교 신도들의 예배 장소로 사용되고 있습니다.

▲ 연꽃의 꽃

▲ 연꽃 사원

- 타이베이101: 대만의 수도에 있는 건축물로, 대나무의 생김새를 모방하여 건물의 겉모습을 설계하였습니다.

▲ 대나무

▲ 타이베이101

스스로 확인해요

- **식물의 특징을 모방하여 생활 속에서 활용하는 사례를 말할 수 있어요.**

  도움말 활용한 식물의 특징과 식물의 특징을 활용한 물건을 이용할 때의 좋은 점을 함께 말하면 좋습니다.

- **식물의 특징을 모방한 사례 발표를 위한 자료 만들기 활동에 적극적으로 참여했어요.**

  도움말 자료를 조사할 때 내용과 관계된 그림이나 사진을 함께 조사합니다.

정답과 해설 2쪽

교과서 개념 확인 문제

1 다음 사례들은 어떤 식물의 특징을 모방하여 활용한 것인지 보기 에서 골라 기호를 각각 써 봅시다.

보기

㉠ 선인장	㉡ 연꽃의 잎
㉢ 단풍나무의 열매	㉣ 부레옥잠의 잎자루

(1)	헬리콥터의 회전 날개	
(2)	사막 지역의 기후에 적합한 건물	
(3)	물에 뜨는 국자	
(4)	물이 스며들지 않는 천	

2 다음 중 우리 생활에서 그림과 같은 찍찍이를 만드는 데 활용한 식물은 어느 것입니까?

( )

▲ 찍찍이

① 우엉 열매 ② 민들레 씨
③ 소나무 열매 ④ 은행나무 잎
⑤ 생이가래 잎

실험 관찰

관찰 의사소통

실험 관찰 16~17쪽

7 식물에게 배워요

탐구 활동 식물의 특징을 활용한 사례 조사하기

탐구 활동 도움말

이 탐구 활동은 생활 속에서 식물의 특징을 활용하는 예를 찾고, 그 식물의 특징과 생김새를 자세히 조사해 보는 활동입니다.

「실험 관찰」 꾸러미 69쪽 붙임딱지를 붙여요.

친구가 발표할 때 주의 깊게 들어요.

무엇을 준비할까요?

준비물에  표시를 하면서 확인해 봅시다.

스마트 기기

도화지

그림 도구

풀

가위

1 생활 속에서 식물의 특징을 활용하는 예를 조사해 봅시다.

예

활용한 식물의 특징	 우엉 열매 열매 끝에 갈고리 모양의 가시가 있어 여러 가지 물체에 달라붙기 좋습니다.
식물의 특징을 활용한 예	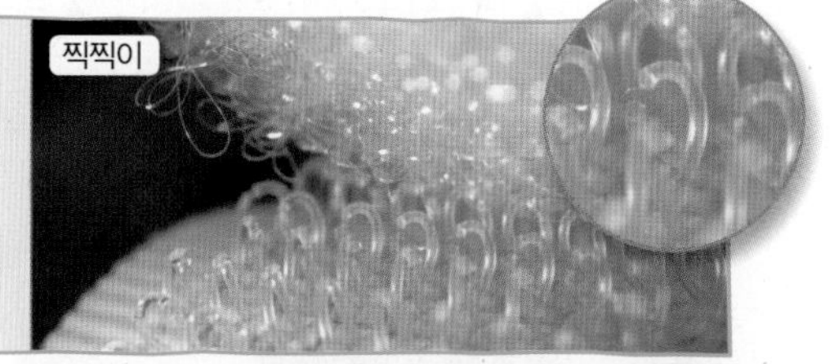 찍찍이

보충해설

한쪽에 갈고리가 있고, 다른 한쪽에 걸림 고리가 있어 두 폭을 한데 떼었다 붙였다 할 수 있어 단추나 끈과 같은 역할을 합니다.

예시 답안

활용한 식물의 특징	 연꽃의 잎 연꽃의 잎에는 작고 둥근 돌기가 많이 나 있어 물이 스며들지 않습니다.
식물의 특징을 활용한 예	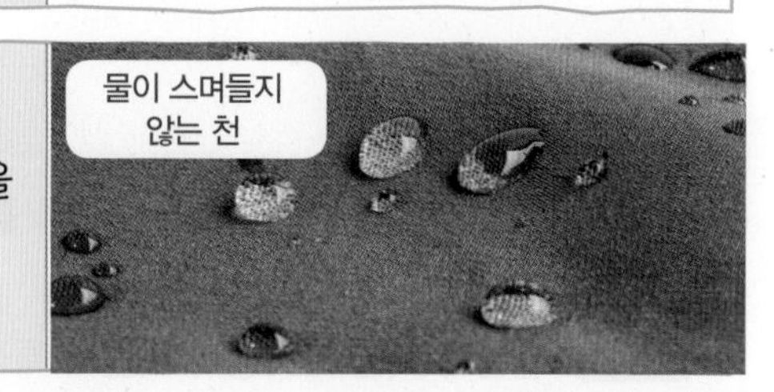 물이 스며들지 않는 천

보충해설

이 천을 이용하여 물에 젖지 않는 옷, 가방, 신발, 텐트 등 여러 가지 물건을 만들어 사용하고 있습니다.

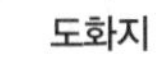

활용한 식물의 특징	식물의 특징을 활용한 예
부레옥잠의 잎자루: 잎자루에 공기주머니가 있어서 물에 뜰 수 있습니다.	물에 뜨는 국자, 물에 뜨는 붓
선인장: 줄기에 물을 많이 저장하고, 줄기 속의 물이 선인장 밖으로 빠져나가지 않도록 합니다.	사막 지역의 기후에 적합한 선인장 모양 건물
단풍나무 열매: 열매가 높은 곳에서 떨어질 때 뱅글뱅글 돌면서 천천히 떨어집니다.	헬리콥터의 회전 날개
덩굴장미 가시: 줄기에 가시가 많아 사람이나 동물이 접근하기 어렵습니다.	사람이나 동물의 접근을 막아 주는 가시철조망

2 우리가 사용하는 물건 중 식물의 특징을 활용한 예를 찾아봅시다.

예 내 물건 중 겉옷에 찍찍이를 사용하고 있습니다.

예시 답안
- 내 물건 중 공을 던져서 받는 장난감은 찍찍이를 사용하고 있습니다.
- 내 물건 중 가방의 주머니는 찍찍이가 있어 쉽게 여닫을 수 있습니다.
- 내 물건 중 겉옷에 물이 스며들지 않는 천을 사용하고 있습니다.
- 내 물건 중 헬리콥터 장난감에 회전 날개가 있습니다.

3 식물의 특징을 활용한 사례를 소개하는 발표 자료를 만들어 봅시다.

도움말
발표 자료에는 활용한 식물의 특징, 활용한 물건과 이용할 때의 편리한 점이 들어가면 좋습니다.

4 완성한 자료를 발표해 봅시다.

- 다른 모둠의 발표를 보고 새롭게 알게 된 점을 이야기해 봅시다.

예시 답안
- 단풍나무 열매의 모양을 활용하여 선풍기 날개를 만든 것을 새롭게 알았습니다.
- 물에 떠서 사는 식물의 특징을 활용한 조리 도구가 있다는 것을 알게 되었습니다.

이렇게 ㅇㅇ 정리해요

식물의 특징을 모방하여 생활 속에서 활용하고 있는 사례를 써 봅시다.

예시 답안

찍찍이 은/는 우엉 열매 의 생김새를 모방하여 생활 속에서 활용하고 있는 것입니다.

과학 28~29쪽

식물을 사랑한 화가들

화가들 중에는 식물을 그린 사람이 많이 있어요. 하나의 식물로 여러 장면을 표현하기도 하고, 여러 종류의 식물을 주변의 환경과 함께 작품에 표현하기도 하였답니다.

주변의 식물을 자세히 관찰하고, 다양한 방법으로 식물을 그려 보아요.

신사임당(1504~1551)

조선 시대 화가인 신사임당은 주변에서 쉽게 볼 수 있는 풀과 벌레, 꽃과 새 등을 그린 작품을 많이 남겼어요. 어느 여름날, 그림에 햇볕을 쬐기 위해 마당 한가운데 풀벌레 그림을 내놓았더니, 그림을 본 닭이 진짜 벌레인 줄 알고 쪼아 종이에 구멍이 뚫렸다는 이야기가 전해오고 있어요. 신사임당은 닭이 착각할 정도로 식물과 곤충을 자세하고 생생하게 표현하였답니다.

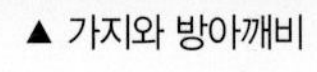

▲ 가지와 방아깨비

▲ 수박과 여치

▲ 맨드라미와 개구리

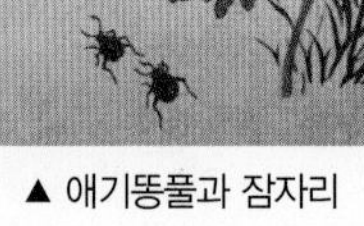

▲ 애기똥풀과 잠자리

과학 더하기 도움말

과학 더하기는 과학자적 시각으로 식물을 자세히 관찰하고 분석하며 예술적 감각으로 표현하여 그림을 그리는 화가들과 화가의 작품을 소개하는 내용입니다.

과학 더하기 해설

- **신사임당**(1504~1551): 조선 시대 중기의 문인이자 유학자, 화가, 작가, 시인입니다. 율곡 이이와 화가 이매창의 어머니이며, 사임당은 그의 당호입니다. 산수도, 초충도와 6폭 초서병풍 등이 대표적이며 그림, 서예작, 수자수 등의 많은 작품을 남겼습니다. 그중 초충도는 풀과 작은 동물을 대상으로 사실적으로 묘사하여 사진처럼 자세하고 생생하게 그린 작품이며, 『과학』 28쪽에서 여러 종류의 초충도 중 일부를 보여 주고 있습니다.

모네(1840~1926)

프랑스 화가인 모네는 식물을 무척 좋아해서 정원에 예쁘고 귀한 식물을 많이 심고 가꾸었어요. 그리고 정원에 멋진 연못도 꾸몄지요. 여러 가지 꽃이 활짝 필 때면 많은 사람이 구경올 만큼 아름다웠다고 해요.

모네는 이 아름다운 정원을 그리는 것을 좋아했어요. 특히 수련을 좋아해서 자주 그렸답니다. 수련 꽃과 함께 물에 비친 하늘의 구름과 주변의 나무 그림자까지, 연못 위에 펼쳐지는 다양한 색깔을 멋지게 표현하였답니다.

학교, 집 등 생활 속에서 식물을 주제로 그린 그림이 있는지 찾아볼까요?

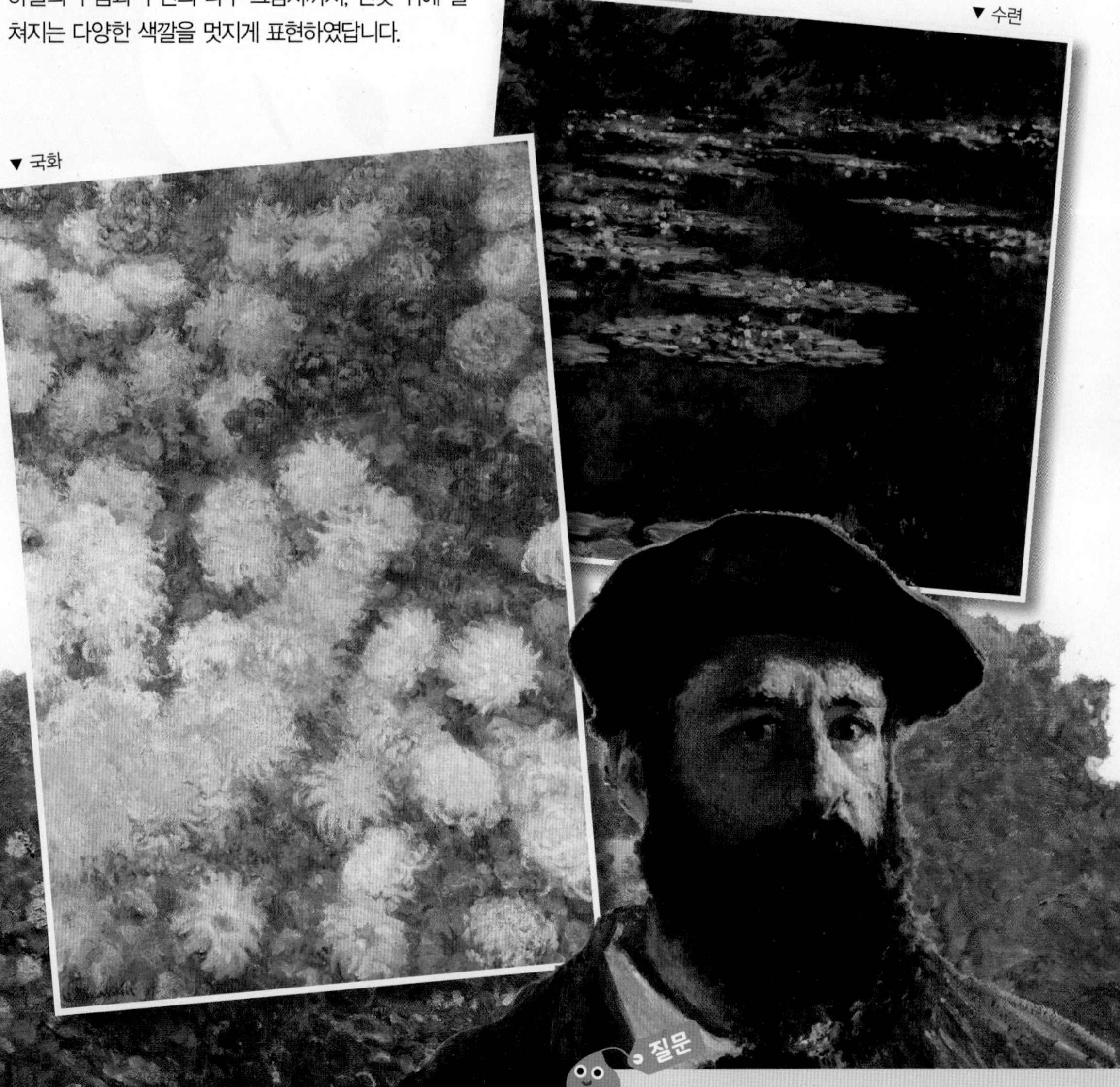

▼ 수련

▼ 국화

모네의 정원

질문

- 학교, 집 등 생활 속에서 식물을 주제로 그린 그림이 있는지 찾아볼까요?

▶ 복도에 친구가 그린 해바라기 그림이 있습니다.

▶ 거실에 소나무가 있는 풍경 그림이 있습니다.

- **정선**(1676~1759): 자연의 특성을 자세히 관찰하고 사실적으로 표현하여 당시 우리나라의 풍경을 사진을 찍은 것처럼 사실적으로 그렸습니다. 풍경과 함께 여러 식물을 그리거나, 식물을 주제로 한 세밀화인 초충도 등도 그렸습니다.

- **모네**(Monet, O. C., 1840~1926): 프랑스의 화가로, 빛과 함께 시시각각으로 움직이는 색채의 변화 속에서 자연을 그림으로 표현하였습니다. 눈에 보이는 모습을 정확하게 그리려고 하였으며, 그 대상으로 자신의 정원을 많이 그렸습니다. 그중 수련을 좋아하여 수련을 주제로 한 여러 작품을 남겼습니다.

단원 매듭 짓기

과학 30~31쪽

그림으로 정리하기 해설

❶, ❷ 잎의 전체적인 모양, 가장자리 모양, 잎맥 모양, 잎의 촉감, 잎이 줄기에 달린 모양 등을 기준으로 잎을 분류할 수 있습니다.

❸ 식물은 종류에 따라 겨울을 나는 형태가 다릅니다.
- 씨로만 겨울을 나는 식물: 한해살이풀
  예 강낭콩, 나팔꽃, 봉선화 등
- 씨와 땅속 부분으로 겨울을 나는 식물: 여러해살이풀
  예 비비추, 갈대, 연꽃 등
- 씨, 땅속 부분, 땅 위 부분으로 겨울을 나는 식물: 나무
  예 무궁화, 사과나무, 진달래, 소나무, 동백나무 등

❹ 물에 사는 식물은 물이 많은 환경에 살 수 있도록 잎이나 뿌리, 줄기에 공기가 들어 있는 부분이 있습니다.

❺ 덥고 비가 많이 오는 곳에 사는 식물의 잎은 길이가 길고 끝이 뾰족한 모양이 많으며, 잘 휘어져 빗방울을 쉽게 흘려보낼 수 있습니다. 또한 잎의 크기가 크고 일 년 내내 푸르며, 키가 큰 식물이 많습니다.

❻ 사막에 사는 식물은 잎이나 줄기에 물을 많이 저장할 수 있어 오랫동안 비가 오지 않아도 살 수 있습니다.

❼ 일 년 내내 기온이 낮으며, 차고 강한 바람이 부는 극

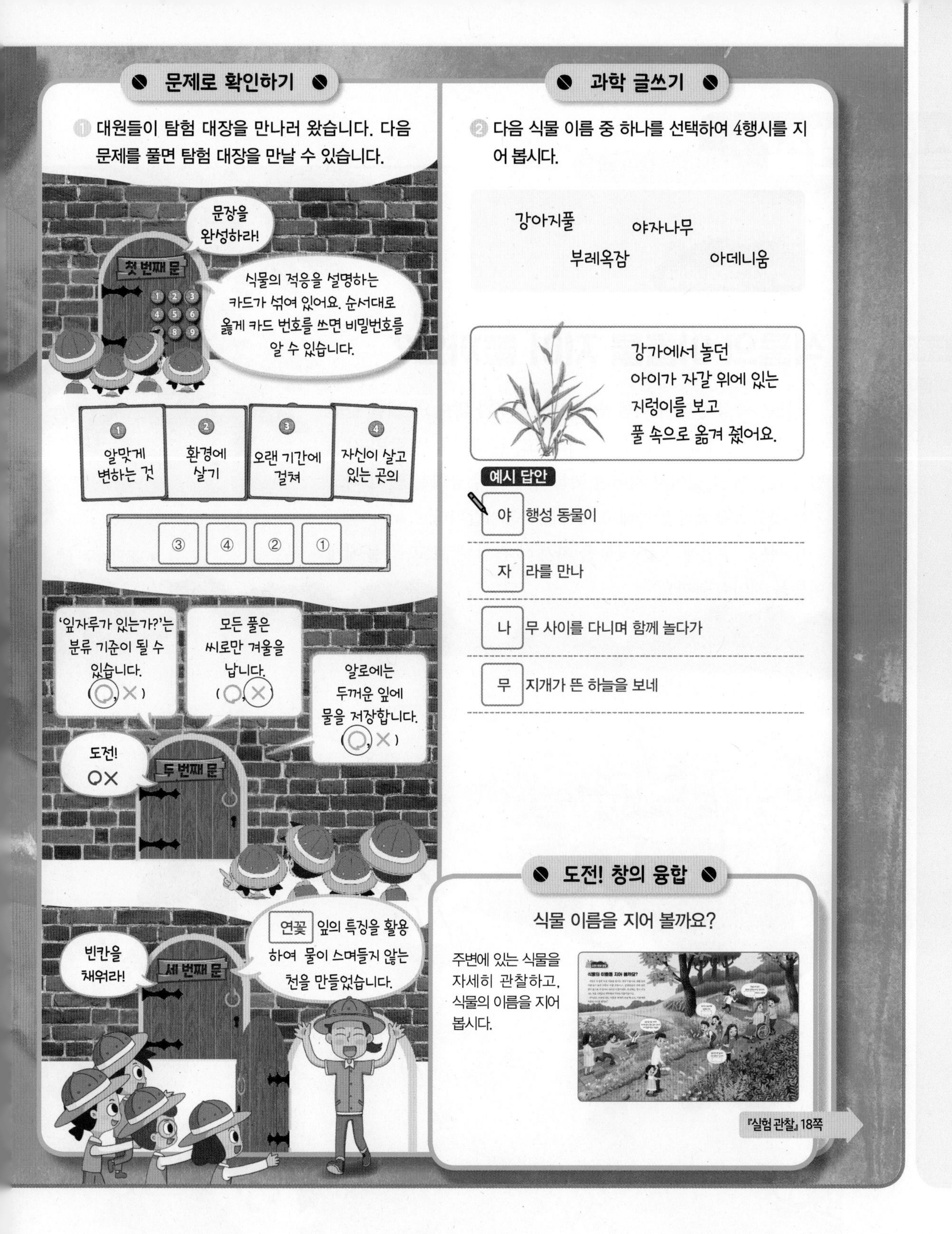

지방에 사는 식물은 키가 작고 뿌리를 얕게 내리며, 서로 뭉쳐서 사는 방법으로 추운 곳에서 살 수 있게 적응하였습니다.

❽ 식물의 생김새와 특징을 모방하여 생활 속에서 다양하게 활용하며, 생활에 필요한 물건을 만들거나 건물을 짓습니다.

문제로 확인하기 해설

[첫 번째 문] 적응이란 오랜 기간에 걸쳐(❸) 자신이 살고 있는 곳의(❹) 환경에 살기(❷) 알맞게 변하는 것(❶)입니다.

[두 번째 문] 풀 중에서 한해살이풀은 씨로만 겨울을 나지만, 여러해살이풀은 씨와 땅속 부분으로 겨울을 납니다.

[세 번째 문] 연꽃의 잎에는 작은 돌기가 많이 나 있어 물이 스며들지 않는 것을 활용하여 물이 스며들지 않는 천을 만들었습니다.

과학 글쓰기 해설

- 본문에 제시한 예시 답안 외에도 다른 식물을 이용하여 4행시를 지어 답을 쓸 수도 있습니다.
- 예 **부**산에서 / **레**몬을 사서 / **옥**천에 계신 할머니께 보냈더니 / **잠**자기 전에 먹는 차를 만들어 주셨어.

도전! 창의 융합

도전! 창의 융합 도움말

기존에 있는 식물 이름이 아닌 식물의 특징과 생김새를 통해 창의적으로 이름을 지어 보는 것이 중점인 활동입니다.

식물의 이름을 지어 볼까요?

식물은 특징에 따라 이름을 붙이는 경우가 많아요. 예를 들면 나팔꽃은 꽃의 모양이 나팔 모양이고, 갈퀴덩굴은 갈퀴 같은 털이 줄기에 나 있어서 지어진 이름이에요. 무궁화는 꽃이 피고 지는 것을 오랫동안 반복해서 지어진 이름이랍니다.

여러분도 주변에 있는 식물을 자세히 관찰해 보고, 식물에게 이름을 지어줘 볼까요?

▲ 아까시나무

도움말

강아지풀은 들판, 길 가, 화단 등에서 흔히 자라는 벼과 한해살이풀로, 7월에 꽃이 핍니다. 이삭이 강아지 꼬리를 닮아서 강아지풀이라고 부릅니다.

도움말

애기똥풀은 우리 주변에서 흔히 볼 수 있는 두해살이풀로, 5월~8월까지 꽃이 핍니다. 줄기와 잎에 흰 털이 드문드문 나고, 뜯으면 노란색의 즙이 나옵니다. 이 노란 즙이 아기 똥 같다고 하여 애기똥풀이라고 부릅니다.

도움말

바늘꽃은 산이나 들, 물가나 습지 등에 자라는 여러해살이풀로, 7월~9월에 연한 홍자색 꽃이 핍니다. 꽃받침잎과 열매가 가늘고 길며 끝이 뾰족하고 중간쯤부터 아래쪽이 약간 볼록한 모양입니다.

도움말

오이풀은 산기슭이나 풀숲에 자라는 여러해살이풀입니다. 7월~9월에 꽃이 피고, 풀잎에서 오이 냄새가 나서 오이풀이라고 부릅니다.

교과서 평가 문제

1 **다음 중 식물의 잎을 채집할 때 주의할 점과 관찰하는 방법으로 옳지 <u>않은</u> 것은 어느 것입니까? (　　　　)**

① 잎은 필요한 만큼만 채집합니다.
② 열매나 잎을 따서 직접 맛을 봅니다.
③ 최대한 땅에 떨어진 잎을 채집합니다.
④ 돋보기를 사용하여 자세히 관찰합니다.
⑤ 식물 카드에 없는 식물은 사진을 찍습니다.

2~3 **다음 식물의 잎을 보고, 물음에 답하시오.**

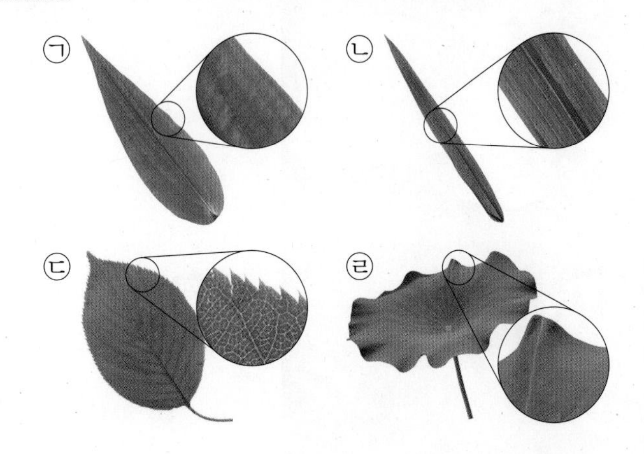

2 **위 잎 중 다음 설명에 해당하는 잎의 기호를 쓰시오.**

> 잎맥이 그물 모양이며, 잎의 가장자리가 톱니 모양입니다.

(　　　　　　　　)

중요

3 **위 잎을 다음과 같이 잎의 끝 모양에 따라 분류하여 기호를 쓰시오.**

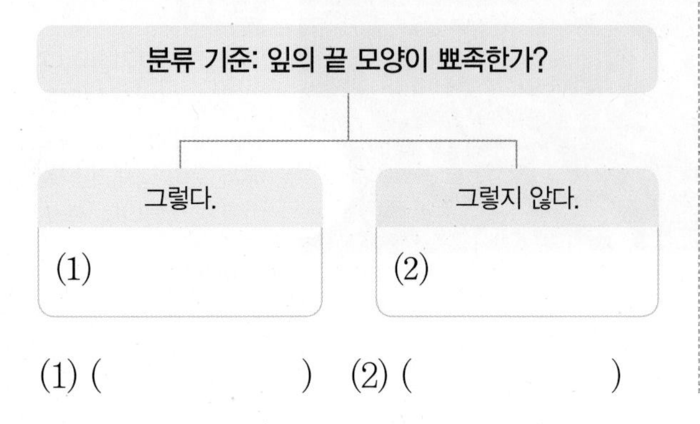

(1) (　　　　　　) (2) (　　　　　　)

4 **다음 중 씨, 땅속 부분, 땅 위 부분으로 겨울을 나는 식물을 골라 기호를 쓰시오.**

▲ 서양민들레　▲ 갈대　▲ 수련　▲ 단풍나무

(　　　　　　　　)

중요

5 **다음 중 부레옥잠이 물에 떠서 살 수 있는 까닭으로 옳은 것은 어느 것입니까? (　　　　)**

① 줄기가 가늘기 때문입니다.
② 뿌리에 잎자루가 붙어 있기 때문입니다.
③ 잎이 매끈하고 광택이 있기 때문입니다.
④ 잎자루에 공기주머니가 있기 때문입니다.
⑤ 잎이 한 곳에서 여러 개가 뭉쳐나기 때문입니다.

6 **다음 식물과 같이 물속에 잠겨서 사는 식물의 특징으로 옳은 것을 2가지 고르시오. (　　,　　)**

① 줄기가 단단합니다.
② 대부분 키가 큽니다.
③ 줄기와 잎이 좁고 긴 모양입니다.
④ 줄기가 물의 흐름에 따라 잘 휘어집니다.
⑤ 수염처럼 생긴 뿌리가 물속으로 뻗어 있습니다.

7 다음과 같은 환경에서 살아가기 알맞게 적응한 식물은 어느 것입니까? (　　　)

- 일 년 내내 기온이 높습니다.
- 햇빛이 강하고 비가 많이 옵니다.

① 소나무　② 명아주
③ 검정말　④ 선인장
⑤ 야자나무

중요

8 덥고 비가 많이 오는 곳에 사는 식물의 특징으로 옳은 것에 ○표시를 해 봅시다.

(1) 계절에 따라 잎의 색깔이 변하는 식물이 많습니다. (　　)
(2) 잎이 길고 뾰족한 모양이 많으며, 잘 휘어져서 빗방울을 쉽게 흘려보냅니다. (　　)
(3) 매우 크게 자라는 식물이 많습니다. (　　)
(4) 매우 다양한 식물이 살고 있습니다. (　　)

중요

9 다음 중 알로에가 사막에서 살 수 있는 까닭으로 옳은 것을 2가지 고르시오. (　　,　　)

① 크고 예쁜 꽃이 자주 핍니다.
② 크고 굵은 잎에 물을 저장합니다.
③ 굵은 줄기에 대부분의 물을 저장합니다.
④ 줄기가 가시 모양이어서 물을 잘 빼앗기지 않습니다.
⑤ 잎의 껍질이 두꺼워서 물이 마르는 것을 막을 수 있습니다.

10 다음 빈칸에 들어갈 알맞은 말을 쓰시오.

(　　)에 사는 식물은 낮은 기온과 차고 강한 바람을 견딜 수 있게 키가 작으며, 땅속 깊이 뿌리를 내리지 않습니다.

(　　　　　　　　)

서술형 문제

11 다음 두 식물이 사막 환경에서 살 수 있도록 적응한 공통점을 1가지 쓰시오.

▲ 선인장

▲ 아데니움

서술형 문제

12 다음은 연꽃 잎의 어떤 특징을 모방하여 우리 생활에 활용하고 있는지 쓰시오.

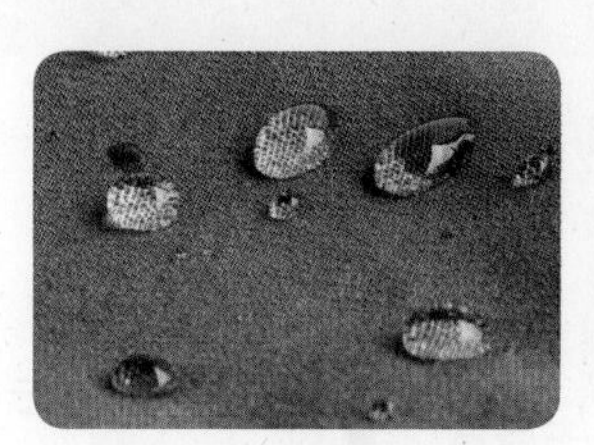
▲ 물이 스며들지 않는 옷

▲ 자동차 코팅제

이 단원에서 공부할 내용

2 물의 상태 변화

운동을 했더니 덥고 갈증이 나요. 냉동실에서 얼음을 꺼내 물에 띄워 마시니 몸속부터 시원해요. 엄마는 따뜻한 차를 준비하시네요. 주전자에서 끓고 있는 물이 보글보글 소리를 내더니 하얀 김이 나와요. 우리 생활에서 꼭 필요한 물에 대해 알아볼까요?

단원 그림 도움말

단원 그림은 운동을 하고 온 어린이가 얼음물을 마시고 있고, 엄마는 차를 마시려고 주전자에 물을 끓이고 있는 모습입니다. 그림을 보면서 우리 주변에서 물이 어떤 상태로 존재하고 있는지 떠올려 보고 앞으로 배울 내용에 대해 생각해 봅시다.

좀 더 설명할게요

스웨덴, 캐나다, 핀란드 등에는 얼음으로 만든 호텔이 있습니다. 스웨덴 키루나에 있는 얼음 호텔은 건축가, 조각가들의 아이디어를 모아 얼음을 조각하여 객실을 꾸몄습니다. 캐나다 퀘백에 있는 호텔 드 글라스는 1만 5천 톤의 눈과 50만 톤의 얼음으로 만들어졌습니다.

▲ 호텔 드 글라스

질문과 답

주변에서 물, 얼음, 수증기를 찾아볼까요?

우리 주변에서 컵에 담긴 물, 냉동실 속 얼음, 주전자에서 나오는 수증기 등을 찾아볼 수 있습니다.

과학 놀이터

과학 34~35쪽

알록달록 얼음 물감으로 그림을 그려 보아요!

여러 가지 색깔의 얼음 물감을 만들어
미술 작품을 만들어 보아요.

이렇게 해요

무엇을 준비할까요?

물감, 물,
얼음 틀, 막대,
연필, 도화지

주의! 얼음 물감을 먹지 않도록 주의해요.

① 물감을 푼 물을 얼음 틀에 넣고 막대를 꽂아 얼려 얼음 물감을 만듭니다.

② 도화지에 밑그림을 그리고 얼음 물감을 꺼내 색칠할 준비를 합니다.

과학 놀이터 도움말

여러 가지 색깔의 얼음 물감으로 그림을 그리면서 물의 상태 변화를 이해할 수 있습니다.

이렇게 해요

준비물 도움말

- 물감을 푼 물을 얼음 틀에 넣고 미리 얼려서 준비해 둡니다. 얼음 물감을 만들 때 물감의 양을 조절하여 색깔이 선명하게 나타나도록 합니다.

활동 도움말

① 물감을 푼 물을 얼음 틀에 넣고 막대를 꽂아 얼려 얼음 물감을 만듭니다.

도움말 수성 물감(일반 수채화 물감)을 사용합니다.

② 도화지에 밑그림을 그리고 얼음 물감을 꺼내 색칠할 준비를 합니다.

도움말 예시 그림을 보고 그리거나 다양한 모양이 인쇄된 도화지를 활용하면 쉽게 색칠할 수 있습니다.

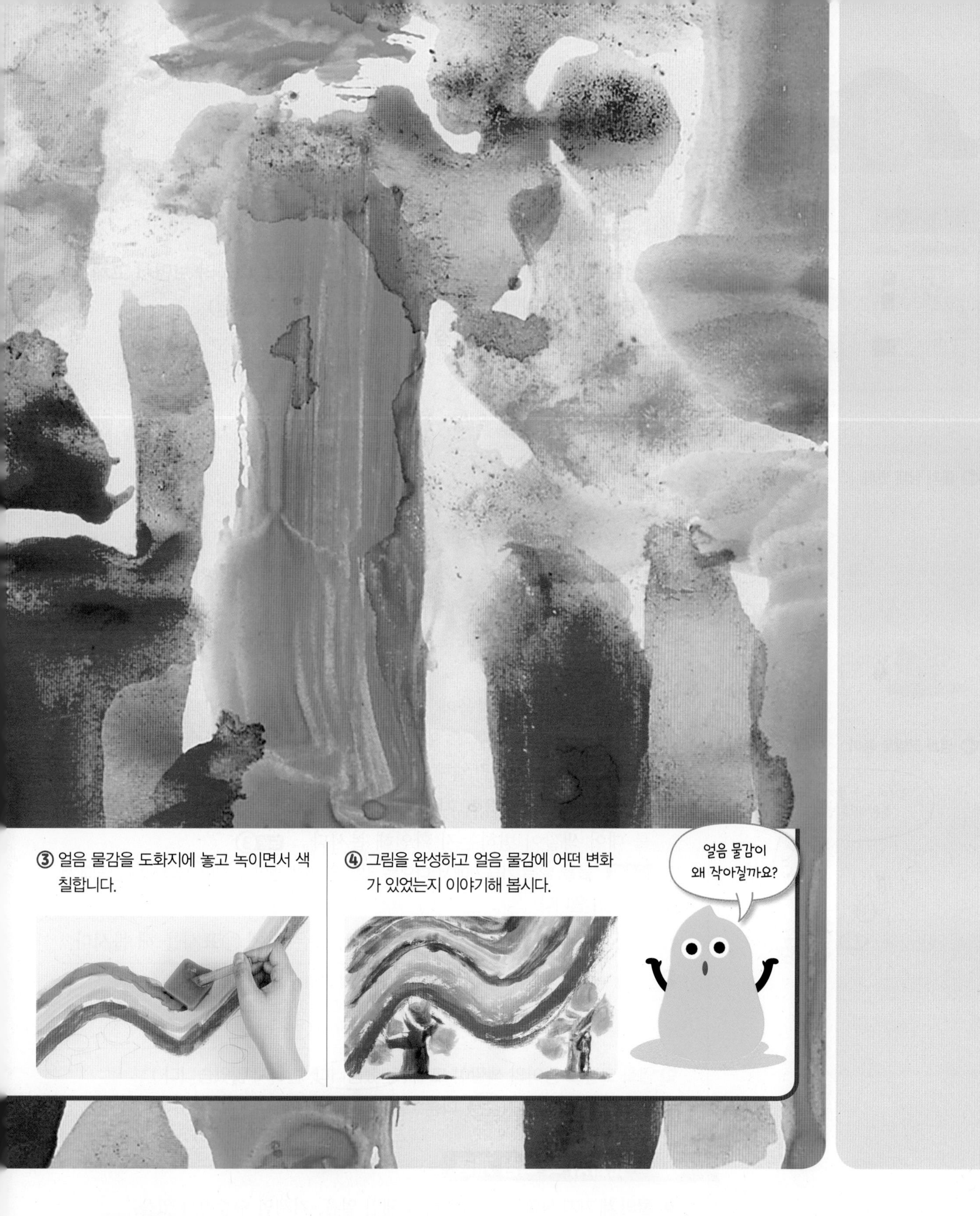

③ 얼음 물감을 도화지에 놓고 녹이면서 색칠합니다.

도움말 색칠하는 데 시간이 오래 걸리면 얼음이 녹아 흘러내릴 수 있으므로 얼음이 녹는 속도에 맞춰 붓질하듯이 칠하도록 합니다.

④ 그림을 완성하고 얼음 물감에 어떤 변화가 있었는지 이야기해 봅시다.

도움말 얼음 물감이 녹으면서 도화지에 색칠할 수 있게 되고, 물감이 묻은 도화지에서 물이 마르면서 그림이 완성되는 것을 이야기하도록 합니다. 또 물감의 물이 증발하면서 그림이 완성되는 과정에서 얼음이 물로 변하고 물이 수증기로 변하는 상태 변화가 일어나는 것을 관찰해 봅니다.

질문

- 얼음 물감이 왜 작아질까요?

나의 답 그림을 그리며 색칠할 때 얼음 물감이 녹으면서 물이 되기 때문입니다.

1 물은 모습이 변해요

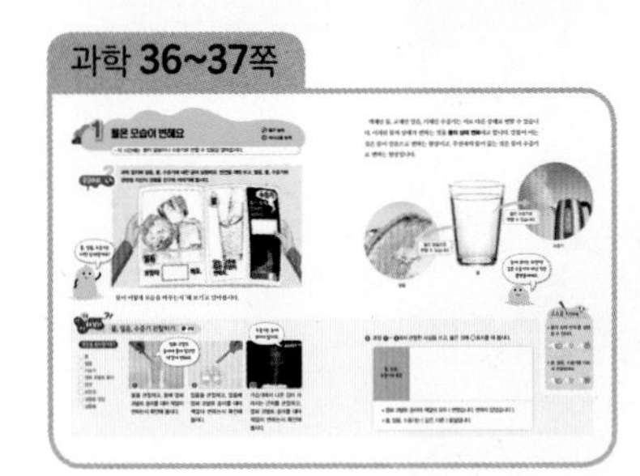

궁금해요

일상생활 속에서 물, 얼음, 수증기를 접했던 경험을 떠올려 보면서 고체, 액체, 기체 중 각각 어떤 상태였는지 생각해 봅시다. 도움①

질문 물, 얼음, 수증기는 어떤 상태일까요?

예시 답안 물은 액체, 얼음은 고체, 수증기는 기체입니다.

해 보기 물, 얼음, 수증기 관찰하기

- **무엇을 준비할까요?**

물, 얼음, 가습기, 염화 코발트 종이, 핀셋, 보안경, 실험용 장갑, 실험복

- **과정을 알아볼까요?**

1. 물을 관찰하고 물에 염화 코발트 종이를 대어 색깔이 변하는지 확인해 봅시다. 도움②

도움말 염화 코발트 종이는 물이 묻으면 붉은색으로 변하기 때문에 물을 확인할 때 사용합니다.

2. 얼음을 관찰하고, 얼음에 염화 코발트 종이를 대어 색깔이 변하는지 확인해 봅시다.

도움말 얼음이 녹아 생긴 액체는 물입니다.

3. 가습기에서 나온 김이 사라지는 근처를 관찰하고, 염화 코발트 종이를 대어 색깔이 변하는지 확인해 봅시다. 도움③

도움말 물을 넣은 가습기에서 나오는 김은 액체인 물이고 김이 사라지는 근처에서 수증기가 됩니다.

4. 과정 1~3에서 관찰한 사실을 쓰고, 옳은 것에 ○표시를 해 봅시다.

물, 얼음, 수증기의 특징	• 물은 담는 그릇에 따라 모양이 변합니다. • 얼음은 단단하고 모양이 일정합니다. • 수증기는 눈에 보이지 않습니다.

➡ 염화 코발트 종이의 색깔이 모두 (변했습니다, 변하지 않았습니다).

➡ 물, 얼음, 수증기는 (같은, 다른) 물질입니다.

➡ **물의 상태 변화**

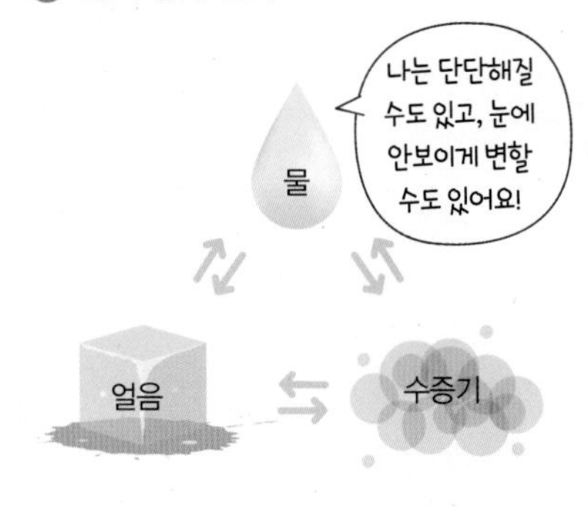

➡ **염화 코발트 종이**

교과서 속 핵심 개념

- **물의 세 가지 상태** 액체인 물, 고체인 얼음, 기체인 수증기가 있음.

구분	물	얼음	수증기
특징	담는 그릇에 따라 모양이 변함.	모양이 일정함.	공기 중에 있지만 보이지 않음.

- **염화 코발트 종이의 색깔 변화** 물이 묻으면 푸른색에서 붉은색으로 변함.
- **물의 상태 변화** 액체인 물, 고체인 얼음, 기체인 수증기가 서로 다른 상태로 변하는 것

정답과 해설 2쪽

교과서 개념 확인 문제

도움 ① 물의 상태 변화

물은 고체 상태인 얼음, 액체 상태인 물, 기체 상태인 수증기로 존재하며, 물, 얼음, 수증기가 서로 다른 상태로 변하는 것을 물의 상태 변화라고 합니다. 융해, 응고, 기화, 액화, 승화는 모두 상태 변화의 과정입니다.

융해	고체가 액체로 변하는 현상	응고	액체가 고체로 변하는 현상
기화	액체가 기체로 변하는 현상	액화	기체가 액체로 변하는 현상
승화	기체가 고체로 변하거나 고체가 기체로 변하는 현상		

도움 ② 염화 코발트 종이

염화 코발트 종이의 색깔 변화를 통해 물(수분)을 확인할 수 있습니다. 염화 코발트 종이는 마른 상태에서는 푸른색이고 물에 젖으면 붉은색으로 변합니다.

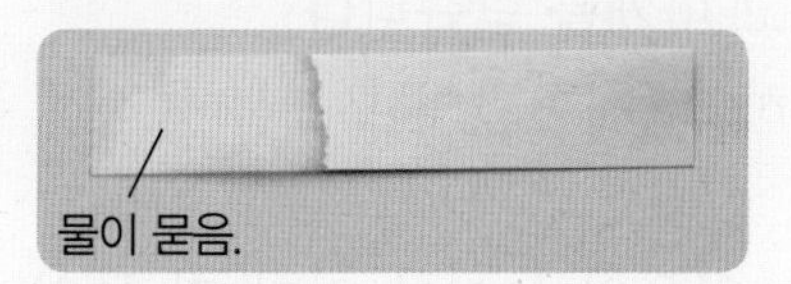

도움 ③ 수증기와 김의 차이

수증기를 포함한 대부분의 기체는 색깔과 냄새가 없어서 기체의 존재를 알기 쉽지 않습니다. 물이 끓을 때 발생하는 '김'은 수증기가 공기 중에서 냉각되어 작은 물방울로 변한 것입니다. 작은 물방울인 '김'은 우리 눈으로 볼 수 있습니다. 주전자에 물을 넣고 끓일 때 주전자의 입구 부분과 김이 생기는 부분 사이에 공간이 생기는데, 이 공간에 수증기가 있습니다.

스스로 확인해요

- **물의 상태 변화를 설명할 수 있어요.**
  도움말 물의 세 가지 상태를 이해하고 서로 변할 수 있음을 설명합니다.
- **물, 얼음, 수증기를 바르게 관찰했어요.**
  도움말 물, 얼음, 수증기를 액체, 고체, 기체와 연관 짓고, 염화 코발트 종이로 같은 물질임을 확인합니다.

1 **고체, 액체 기체에 해당하는 물의 세 가지 상태를 선으로 연결해 봅시다.**

(1) 고체 • • ㉠

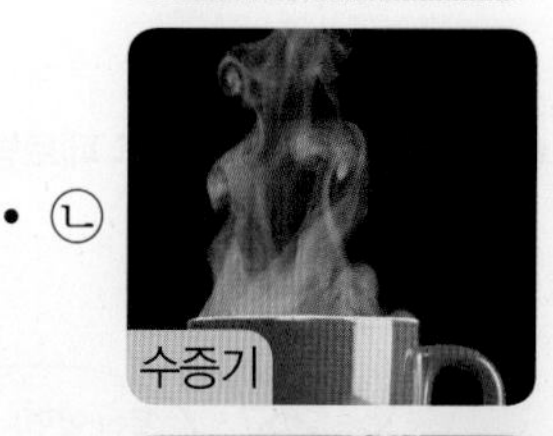

(2) 액체 • • ㉡

(3) 기체 • • ㉢

물

2 **다음 ( ) 안에 들어갈 알맞은 말에 ○표시를 해 봅시다.**

(1) 액체인 물, 고체인 얼음, 기체인 수증기가 서로 (같은 , 다른) 상태로 변하는 것을 물의 상태 변화라고 합니다.

(2) 염화 코발트 종이에 물이 닿으면 색깔이 ㉠ (붉은색 , 푸른색)에서 ㉡ (붉은색 , 푸른색)으로 변합니다.

3 **다음 각 현상에서 물의 상태 변화를 알맞게 써 봅시다.**

(1) 얼음이 녹았습니다.
고체 → (   )

(2) 물이 끓어 수증기로 변했습니다.
(   ) → 기체

(3) 냉동실에 넣어 둔 물이 얼었습니다.
액체 → (   )

2 물이 얼면 부피가 변해요

과학 38~39쪽

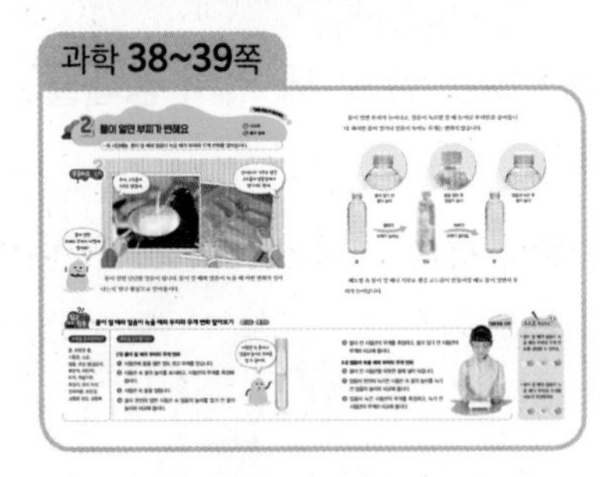

➡ 물을 얼렸다 녹인 후 페트병의 변화

➡ 물을 얼렸을 때의 부피 변화

궁금해요

특별한 조건에서 고드름이 거꾸로 생기는 경우가 있습니다. 거꾸로 자란 고드름 사진을 보면서 물이 얼 때의 변화를 알아봅시다. 도움①

질문 물이 얼면 부피와 무게가 어떻게 될까요?

예시 답안 부피가 늘어납니다. 무게는 변하지 않습니다.

탐구 활동 물이 얼 때와 얼음이 녹을 때의 부피와 무게 변화 알아보기

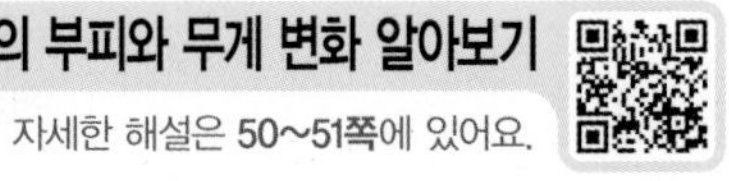

자세한 해설은 50~51쪽에 있어요.

- **무엇을 준비할까요?**

물, 따뜻한 물, 시험관, 소금, 얼음, 유성 펜(검은색, 붉은색, 파란색), 비커, 약숟가락, 화장지, 유리 막대, 전자저울, 보안경, 실험용 장갑, 실험복

- **과정을 알아볼까요?**

(가) 물이 얼 때의 부피와 무게 변화

① 시험관에 물을 절반 정도 붓고 마개를 닫습니다.
② 시험관 속 물의 높이를 표시하고, 시험관의 무게를 측정해 봅시다.
③ 시험관 속 물을 얼립니다.
④ 물이 완전히 얼면 시험관 속 얼음의 높이를 얼기 전 물의 높이와 비교해 봅시다. 도움② 도움③
⑤ 물이 언 시험관의 무게를 측정하고, 물이 얼기 전 시험관의 무게와 비교해 봅시다.

(나) 얼음이 녹을 때의 부피와 무게 변화

⑥ 물이 언 시험관을 따뜻한 물에 넣어 녹입니다.
⑦ 얼음이 완전히 녹으면 시험관 속 물의 높이를 녹기 전 얼음의 높이와 비교해 봅시다.
⑧ 얼음이 녹은 시험관의 무게를 측정하고, 녹기 전 시험관의 무게와 비교해 봅시다.

- **관찰 내용 및 결과를 정리해요**

➡ 물이 얼 때 부피가 늘어나고 무게는 변화가 없습니다. 얼음이 녹을 때 부피가 줄어들고 무게는 변화가 없습니다.

➡ 물이 얼음으로 상태가 변하거나 얼음이 물로 상태가 변할 때, 무게는 변하지 않고, 부피는 변합니다.

교과서 속 핵심 개념

- **물이 얼 때의 변화** 부피가 늘어나고, 무게는 변하지 않음.
- **얼음이 녹을 때의 변화** 부피가 줄어들고, 무게는 변하지 않음.

정답과 해설 3쪽

교과서 개념 확인 문제

도움 ① 거꾸로 자라는 고드름

고드름은 높은 곳에 있던 눈이나 얼음이 녹아 흘러 내려오면서 다시 얼어 아래로 길게 자라는 막대 모양의 얼음입니다. 거꾸로 자라는 고드름(역고드름)은 물이 아래로 떨어지면서 석순처럼 바닥에서부터 얼어서 생기기도 하고, 고여 있는 물이 얼면서 생기기도 합니다. 동굴과 같은 장소에서는 물이 위쪽에서 바닥으로 계속 떨어지면서 바닥에서부터 만들어지기도 합니다.

도움 ② 물을 가득 담아 얼린 페트병

물을 가득 담은 페트병을 얼리면 안에 있는 물이 얼면서 부피가 늘어나 페트병이 부풀어서 변형됩니다. 변형된 페트병은 물이 녹아도 원래대로 돌아가지 않고 부풀어 있습니다.

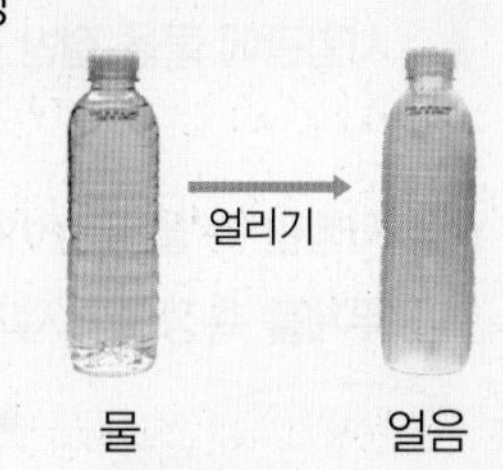

도움 ③ 얼음이 물보다 부피가 커서 나타나는 현상

- 얼음이 물 위에 뜹니다. 이 현상으로 겨울에 호수가 얼어도 물고기가 얼음 밑에 있는 물에서 살 수 있습니다.
- 물이 든 페트병을 얼릴 때, 물을 가득 채워서 얼리면 페트병이 불룩하게 변형됩니다.
- 한겨울에 수도관 속 물이 얼면 수도관이 터집니다.

스스로 확인해요

- **물이 얼 때와 얼음이 녹을 때의 부피와 무게 변화를 설명할 수 있어요.**

  도움말 탐구 활동으로 확인한 사실을 통해 물이 얼 때와 얼음이 녹을 때 부피가 변하지만 무게는 변하지 않았음을 설명합니다.

- **물이 얼 때와 얼음이 녹을 때의 부피와 무게를 바르게 측정했어요.**

  도움말 시험관 속 물이나 얼음의 높이로 물이나 얼음의 부피를 알 수 있고, 전자저울을 이용해 무게를 측정할 수 있습니다.

1 다음 (　　) 안에 들어갈 알맞은 말에 ○표시를 해 봅시다.

(1) 물이 얼 때 부피가 (늘어남 , 줄어듦).
(2) 물이 얼 때 무게가 (변함 , 변하지 않음).
(3) 얼음이 녹을 때 부피가 (늘어남 , 줄어듦).
(4) 얼음이 녹을 때 무게가 (변함 , 변하지 않음).

2 물이 얼기 전과 언 후의 부피와 무게를 비교해 빈칸에 >, =, < 중 알맞은 것을 골라 써 봅시다.

(1)	물이 얼기 전의 부피	□	물이 언 후의 부피
(2)	물이 얼기 전의 무게	□	물이 언 후의 무게

3 다음 시험관의 물이 얼었을 때 얼음의 높이로 알맞은 것의 기호를 써 봅시다.

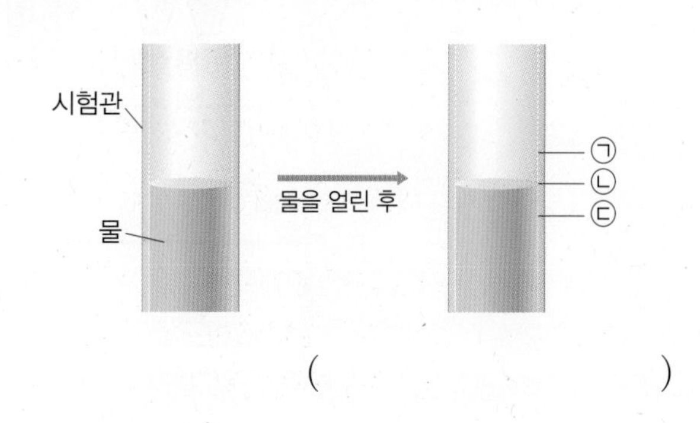

(　　　　　　　　　　)

실험 관찰

관찰 측정

실험 관찰 22~23쪽

2 물이 얼면 부피가 변해요

탐구 활동 물이 얼 때와 얼음이 녹을 때의 부피와 무게 변화 알아보기

탐구 활동 도움말

이 탐구 활동은 시험관의 물을 얼려 관찰하고 측정하는 활동을 통해 물이 얼 때와 얼음이 녹을 때의 부피와 무게 변화를 알아볼 수 있는 활동입니다.

도움말

시험관은 마개가 있는 것을 준비합니다.

도움말

얼음은 작은 것을 사용하는 것이 효과적입니다.

보충해설

영하 20℃ 정도에서 10 mL의 물이 완전히 얼 때까지 5~6분 정도의 시간이 걸립니다.

「실험 관찰」 꾸러미 69쪽 붙임딱지를 붙여요.

전자저울을 조심히 다뤄요.

무엇을 준비할까요?

준비물에 ○ 표시를 하면서 확인해 봅시다.

물

따뜻한 물

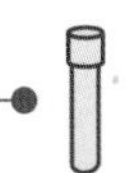
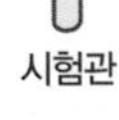
시험관

소금

얼음

유성 펜(검은색, 붉은색, 파란색)

비커

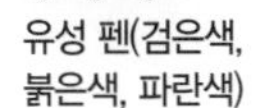
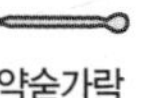
약숟가락

화장지

유리 막대

전자저울

보안경

실험용 장갑 실험복

(가) 물이 얼 때의 부피와 무게 변화

- 물이 얼 때의 부피와 무게 변화를 예상해서 ✓ 표시를 해 봅시다.

▶ 부피는 (☑ 늘어날, ☐ 변하지 않을, ☐ 줄어들) 것이고, 무게는 (☐ 늘어날, ☑ 변하지 않을, ☐ 줄어들) 것입니다.

1 시험관에 물을 절반 정도 붓고 마개를 닫습니다.

2 시험관 속 물의 높이를 표시하고, 시험관의 무게를 측정해 봅시다.

- 검은색 유성 펜으로 물의 높이를 표시하고, 전자저울로 시험관의 무게를 측정합니다.

물이 담긴 시험관의 무게: 20 g

물의 높이를 표시할 때는 가운데 오목한 부분에 표시해요.

3 시험관 속 물을 얼립니다.

- 비커에 잘게 부순 얼음과 소금을 3 : 1 비율로 넣고 유리 막대로 잘 섞은 뒤 비커의 가운데에 시험관을 꽂아 둡니다.

4 물이 완전히 얼면 시험관 속 얼음의 높이를 얼기 전 물의 높이와 비교해 봅시다.

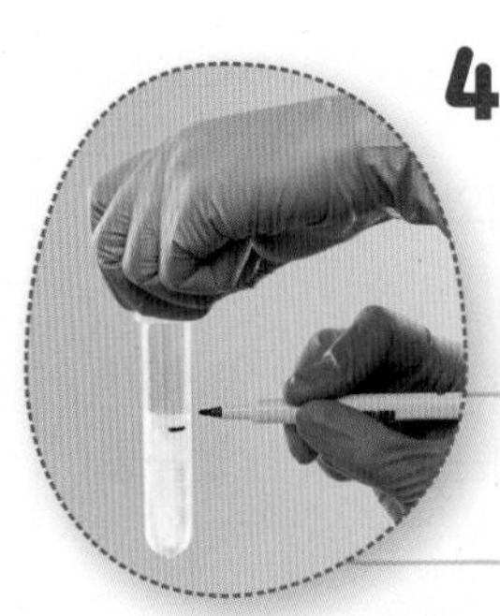

- 붉은색 유성 펜으로 얼음의 높이를 표시하여 비교합니다.

예시 답안 얼기 전 물의 높이보다 시험관 속 얼음의 높이가 높아졌습니다.

5 물이 언 시험관의 무게를 측정하고, 물이 얼기 전 시험관의 무게와 비교해 봅시다.

- 시험관의 표면을 화장지로 닦은 뒤 전자저울로 시험관의 무게를 측정합니다.

보충해설 시험관 바깥쪽에 물방울이 있으면 화장지로 물기를 닦은 후 무게를 잽니다.

얼음이 담긴 시험관의 무게: **예시 답안** 20 g
얼기 전 시험관의 무게와 같습니다.

(나) 얼음이 녹을 때의 부피와 무게 변화

- 얼음이 녹을 때의 부피와 무게 변화를 예상해서 ✓ 표시를 해 봅시다.

▶ 부피는 (☐ 늘어날, ☐ 변하지 않을, ☑ 줄어들) 것이고,
무게는 (☐ 늘어날, ☑ 변하지 않을, ☐ 줄어들) 것입니다.

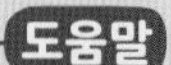

도움말 물을 얼리거나 녹일 때 시험관이 기울어지지 않도록 주의합니다.

6 물이 언 시험관을 따뜻한 물에 넣어 녹입니다.

- 비커에 따뜻한 물을 붓고, 시험관을 넣어 둡니다.

7 얼음이 완전히 녹으면 시험관 속 물의 높이를 녹기 전 얼음의 높이와 비교해 봅시다.

- 시험관 속 물의 높이를 파란색 유성 펜으로 표시하여 비교합니다.

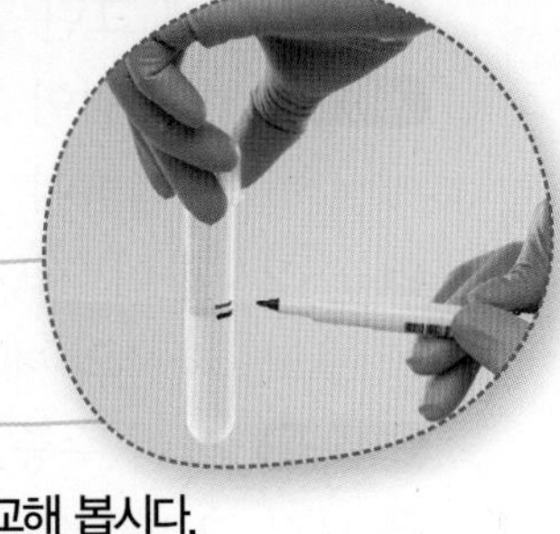

예시 답안 녹기 전 얼음의 높이보다 물의 높이가 낮아졌습니다.

8 얼음이 녹은 시험관의 무게를 측정하고, 녹기 전 시험관의 무게와 비교해 봅시다.

- 시험관의 표면을 화장지로 닦은 뒤 전자저울로 시험관의 무게를 측정합니다.

보충해설 시험관 바깥쪽에 물방울이 있으면 화장지로 물기를 닦은 후 무게를 잽니다.

물이 담긴 시험관의 무게: **예시 답안** 20 g
녹기 전 시험관의 무게와 같습니다.

이렇게 ㅇㅇ 정리해요

물이 얼 때와 얼음이 녹을 때 일어나는 변화를 설명해 봅시다.

물이 얼 때와 얼음이 녹을 때 무게는 [변하지 않고], 부피는 [변합니다].

3 물이 사라졌어요

과학 40~41쪽

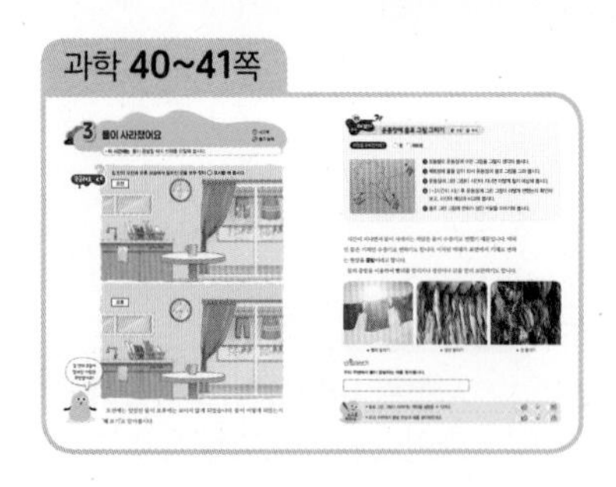

➲ 젖은 머리카락이 마르는 까닭

➲ 시간이 지나면 사라지는 물

궁금해요

증발은 우리 주변에서 늘 일어나는 현상입니다. 그림을 보고 집 안의 오전과 오후 모습에서 달라진 점을 찾고, 왜 달라졌는지 생각해 봅시다.

질문 집 안의 모습이 달라진 까닭은 무엇일까요?

예시 답안
- 물이 말랐기 때문입니다.
- 물이 수증기가 되었기 때문입니다.

해 보기 운동장에 물로 그림 그리기

- **무엇을 준비할까요?**

물, 페트병

- **과정을 알아볼까요?**

❶ 모둠별로 운동장에 어떤 그림을 그릴지 생각해 봅시다.

❷ 페트병에 물을 담아 와서 운동장에 물로 그림을 그려 봅시다.

❸ 운동장에 그린 그림이 시간이 지나면 어떻게 될지 예상해 봅시다.

예시 답안
- 그림이 흐려질 것 같습니다.
- 그림이 사라질 것 같습니다.

❹ 1~2시간이 지난 후 운동장에 그린 그림이 어떻게 변했는지 확인해 보고, 자신의 예상과 비교해 봅시다.

예시 답안 물이 수증기로 변해 그림이 사라집니다. 예상과 같습니다.

❺ 물로 그린 그림에 변화가 생긴 까닭을 이야기해 봅시다. 도움①

예시 답안
- 물이 말랐기 때문입니다.
- 액체가 표면에서 기체로 변하는 증발 현상이 나타났기 때문입니다.

더 알아보기

우리 주변에서 물이 증발하는 예를 찾아봅시다. 도움②

예시 답안
- 젖은 머리카락을 말릴 때 머리카락에서 물이 증발합니다.
- 감을 말릴 때 감에서 물이 증발합니다.
- 바닷물에서 물을 증발시켜 소금을 얻습니다.

교과서 속 핵심 개념

- **시간이 지나면서 물이 사라지는 까닭** 물이 수증기로 변했기 때문
- **증발** 액체가 표면에서 기체로 변하는 현상
- **증발의 예** 빨래 말리기, 생선 말리기, 감 말리기, 머리 말리기 등

도움 ① 증발

증발이란 끓는점보다 낮은 온도에서 액체가 기체로 변하는 현상입니다. 생활 속에서 마른다는 표현을 하는 경우가 증발과 관련이 있습니다. 햇빛에 젖은 빨래나 생선 등을 말리는 것은 모두 물이 증발하는 현상입니다.

▲ 빨래 말리기

도움 ② 식품의 저장

물의 상태 변화를 이용하여 생선, 감, 채소 등에서 물을 제거하면 식품을 오랫동안 상하지 않게 보관할 수 있습니다.

▲ 생선 말리기

▲ 감 말리기

햇볕이 잘 들고 통풍이 잘 되는 그늘에서 식품을 말리는 천연 건조 방법은 감, 생선, 산나물 등을 건조하는 데 이용합니다. 또 기계로 뜨거운 바람이나 열을 만들어서 식품을 말리는 인공 건조 방법은 즉석커피, 분유 등을 만들 때 주로 이용합니다.

스스로 확인해요

- **물로 그린 그림이 사라지는 까닭을 설명할 수 있어요.**
  도움말 물이 마르는 것을 증발로 설명합니다.
- **우리 주변에서 증발 현상의 예를 찾아보았어요.**
  도움말 머리 말리기, 빨래 말리기 등 주변에서 쉽게 접할 수 있는 예를 찾아 설명합니다.

정답과 해설 3쪽

교과서 개념 확인 문제

1 **다음 ( ) 안에 들어갈 알맞은 말에 ○표시를 해 봅시다.**

(1) 운동장에 물로 그린 그림은 시간이 지나면 (그대로 있습니다 , 사라집니다).

(2) 액체가 표면에서 (고체 , 기체)로 변하는 현상을 증발이라고 합니다.

2 **다음 빈칸에 들어갈 알맞은 말을 각각 써 봅시다.**

운동장에 물로 그린 그림은 시간이 지나면 사라집니다. 이는 물이 (㉠)(으)로 변해 공기 중으로 흩어져 눈에 보이지 않게 된 것입니다. 이러한 현상을 (㉡)(이)라고 합니다.

㉠ (　　　　)
㉡ (　　　　)

3 **우리 주변에서 증발의 예를 2가지 찾아 써 봅시다.**

4 물을 끓여 보아요

과학 42~43쪽

➲ 수증기는 흐를 수 있나요?

➲ 물의 끓음

궁금해요

달걀을 삶을 때 물이 줄어든 까닭을 이야기해 봅시다. 도움①

질문 줄어든 물은 어디로 갔을까요?

예시 답안
- 공기 중으로 흩어졌습니다.
- 증발하여 수증기가 되었습니다.
- 날아갔습니다.
- 수증기가 되어 공기에 섞여 있습니다.

탐구 활동 물이 끓을 때 일어나는 변화 관찰하기

자세한 해설은 56~57쪽에 있어요.

무엇을 준비할까요?

전열 기구, 물, 비커(250 mL), 유성 펜, 스마트 기기, 보안경, 안전 장갑, 실험복

과정을 알아볼까요?

1. 비커에 물을 절반 정도 붓고 유성 펜으로 물의 높이를 표시합니다.
2. 물이 든 비커를 전열 기구 위에 놓고 가열하면서 시간 간격을 두고 사진을 찍습니다.
3. 물이 끓기 시작한 후 2~3분이 지날 때까지 계속 가열하면서 변화를 관찰해 봅시다. 도움②
4. 전열 기구를 끄고 물의 높이를 처음과 비교해 봅시다.
5. 실험이 끝나면 찍은 사진을 연결하여 물이 끓기 전과 후의 모습을 비교해 봅시다.
6. 증발과 끓음의 공통점과 차이점을 정리해 봅시다. 도움③

관찰 내용 및 결과를 정리해요

➲ 물을 가열하면 액체인 물이 기체인 수증기로 변하여 공기 중으로 흩어지므로 비커에 담긴 물의 높이가 낮아집니다.

➲ 증발과 끓음의 공통점은 액체인 물이 기체인 수증기로 변한다는 것입니다.

➲ 증발과 끓음의 차이점은 증발은 물이 수증기로 변하는 상태 변화가 표면에서만 일어나고, 끓음은 표면과 물속에서 상태 변화가 일어난다는 것입니다.

교과서 속 핵심 개념

● 끓음
- 액체가 표면과 속에서 기체로 변하는 현상
- 옥수수를 삶을 때나 차를 끓일 때 물이 끓는 모습을 볼 수 있음.

● 물의 끓음과 증발의 차이점
- 물의 증발은 표면에서만 물이 수증기로 상태가 변하는 현상이지만, 물의 끓음은 표면과 물속에서 물이 수증기로 상태가 변하는 현상임.
- 증발할 때보다 끓을 때 물이 더 빠르게 줄어듦.

정답과 해설 3쪽

교과서 개념 확인 문제

도움 ① 물의 끓음을 볼 수 있는 예

달걀, 옥수수, 감자 등을 삶을 때 물이 끓는 현상을 볼 수 있습니다. 물의 끓음이 나타날 때는 물이 표면과 물속에서 수증기로 상태가 변합니다. 이때 물속에 있는 달걀, 옥수수, 감자 등이 삶아집니다.

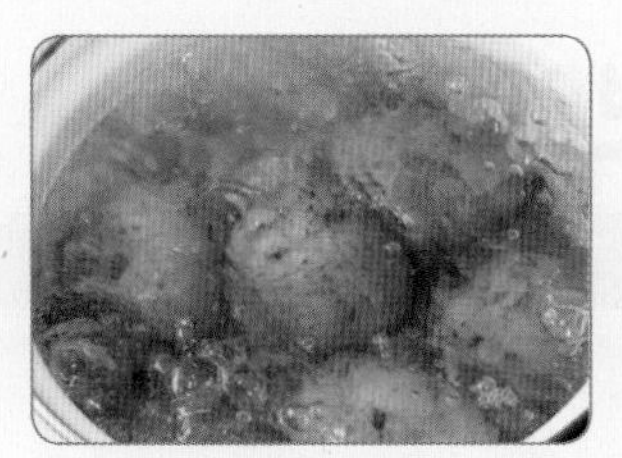
▲ 감자 삶기

도움 ② 공기의 압력과 물이 끓는 온도

공기의 압력이 1기압일 때 물은 100 ℃에서 끓기 시작합니다. 하지만 압력 밥솥은 밥솥 안 공기의 압력을 높여 물이 100 ℃보다 높은 온도에서 끓게 만들어 밥이 더 빨리 되도록 합니다. 반대로 산처럼 높은 곳에 올라가 밥을 하게 되면 공기의 압력이 낮아 물이 100 ℃보다 낮은 온도에서 끓게 되어 밥이 설익게 됩니다.

도움 ③ 끓음

증발과 끓음으로 물이 수증기가 됩니다. 증발은 물의 표면에서만 물이 수증기가 되는 현상이고, 끓음은 물의 표면과 물속에서 물이 수증기가 되는 현상입니다. 물의 온도가 100 ℃가 되어 끓기 시작하면 물속에서 물이 수증기로 상태가 변합니다. 이 수증기가 모여 기포를 만들어서 물이 끓을 때 물의 표면과 물속에서 기포가 발생하는 것을 볼 수 있습니다.

스스로 확인해요

- **끓음을 이해하고 증발과 비교하여 설명할 수 있어요.**
  도움말 물을 가열할 때 물이 표면과 물속에서 수증기로 변하는 현상이 끓음임을 알고 증발과 비교하여 설명합니다.
- **물이 끓을 때 일어나는 변화를 관찰했어요.**
  도움말 물이 끓을 때 시간 흐름에 따라 나타나는 변화를 설명합니다.

1 다음 (   ) 안에 들어갈 알맞은 말에 ○표시를 해 봅시다.

(1) 전열 기구로 물을 가열하면 물이 끓은 후 물의 높이가 (높아 , 낮아)집니다.

(2) 액체가 표면과 속에서 기체로 변하는 현상을 (증발 , 끓음)이라고 합니다.

2 물의 증발과 끓음에 대한 설명으로 옳은 것은 ○표시를, 옳지 않은 것은 ×표시를 해 봅시다.

(1) 물의 증발과 끓음 모두 표면에서만 물이 수증기로 상태가 변하는 현상입니다. (   )

(2) 물이 끓을 때보다 증발할 때 물이 더 빠르게 줄어듭니다. (   )

(3) 옥수수를 삶을 때 물이 끓는 모습을 볼 수 있습니다. (   )

3 다음 빈칸에 들어갈 알맞은 말을 각각 써 봅시다.

(가): 표면에서만 물이 수증기로 변하여 (㉠) 합니다.

(나): 표면과 물속에서 모두 (㉡)이/가 (㉢)(으)로 변합니다.

㉠ (   )
㉡ (   )
㉢ (   )

실험 관찰

관찰 추리

실험 관찰 24~25쪽

4 물을 끓여 보아요

탐구 활동 물이 끓을 때 일어나는 변화 관찰하기

탐구 활동 도움말

이 탐구 활동은 물이 끓을 때 일어나는 변화를 관찰하고 이러한 변화가 나타나는 까닭과, 증발과 끓음의 공통점과 차이점을 알아보는 활동입니다.

『실험 관찰』 꾸러미 69쪽 붙임딱지를 붙여요.

전열 기구를 함부로 만지지 않아요.

무엇을 준비할까요?

준비물에 ○ 표시를 하면서 확인해 봅시다.

전열 기구

물

비커(250 mL)

유성 펜

스마트 기기

보안경

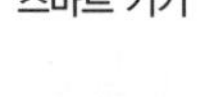

안전 장갑

실험복

1 비커에 물을 절반 정도 붓고 유성 펜으로 물의 높이를 표시합니다.

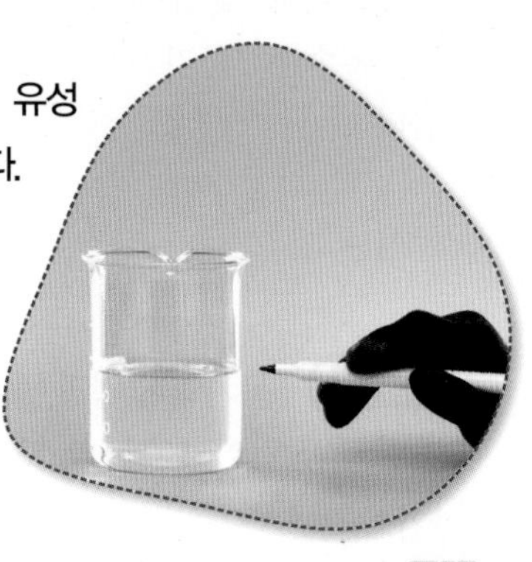

2 물이 든 비커를 전열 기구 위에 놓고 가열하면서 시간 간격을 두고 사진을 찍습니다.

주의! 화상을 입지 않도록 조심해요.

보충해설

스마트 기기로 시간을 확인하면서 시간 간격을 두고 사진을 찍습니다.

3 물이 끓기 시작한 후 2~3분이 지날 때까지 계속 가열하면서 변화를 관찰해 봅시다.

- 물이 든 비커에서 어떤 변화가 일어나는지 이야기해 봅시다.

4 전열 기구를 끄고 물의 높이를 처음과 비교해 봅시다. **예시 답안**

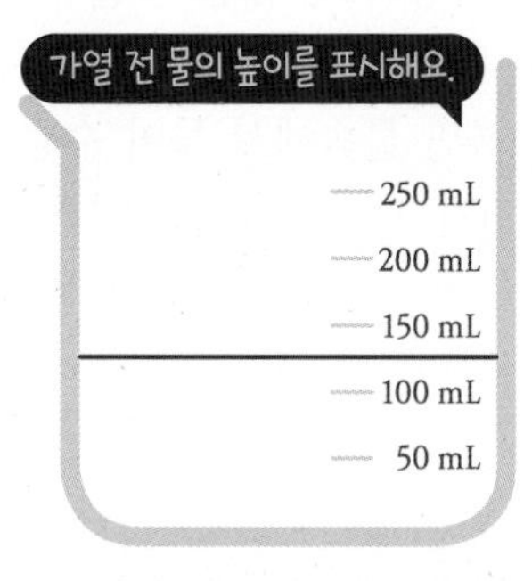

- 가열 전과 끓은 후 중에 물의 높이가 더 낮은 것은 어느 때인가요?

예시 답안 물이 끓은 후입니다.

도움말

전열 기구를 사용할 때는 안전 장갑을 착용하고, 안전에 주의합니다.

보충해설

물의 높이 변화는 정확한 수치를 측정하기보다는 끓은 후에 물의 높이가 달라진다는 결과를 확인하는 것이 중요합니다.

5 실험이 끝나면 찍은 사진을 연결하여 물이 끓기 전과 후의 모습을 비교해 봅시다.

- 찍은 사진을 보면서 그림으로 그려 봅시다.

보충해설

사진에서 물의 표면과 물속 기포 변화 차이를 잘 관찰하여 그림을 그립니다.

예시 답안

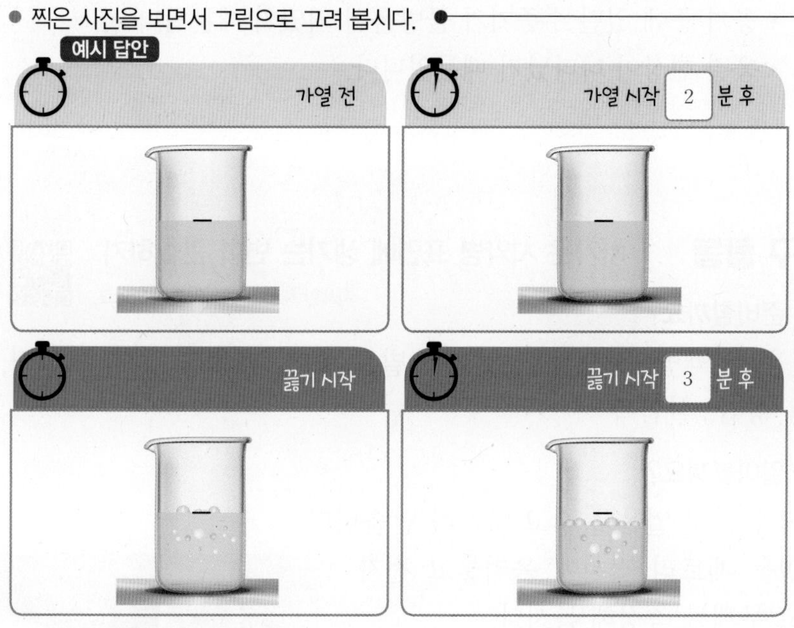

6 증발과 끓음의 공통점과 차이점을 정리해 봅시다.

구분		증발	끓음
공통점		물이 (얼음, ✓수증기)(으)로 상태가 변합니다.	
차이점	변화가 일어나는 곳	(✓물 표면, 물속)	(✓물 표면, ✓물속)
	물이 줄어드는 빠르기	끓음보다 (✓느림, 빠름).	증발보다 (느림, ✓빠름).

이렇게 OO 정리해요

물이 끓기 전과 후에 비커에 담긴 물의 높이가 변한 까닭을 설명해 봅시다.

물을 가열하면 액체인 물이 [기체] 인 [수증기] (으)로 변하여 공기 중으로 흩어지므로 비커에 담긴 물의 높이가 [낮아] 집니다.

5 물이 나타났어요

과학 44~45쪽

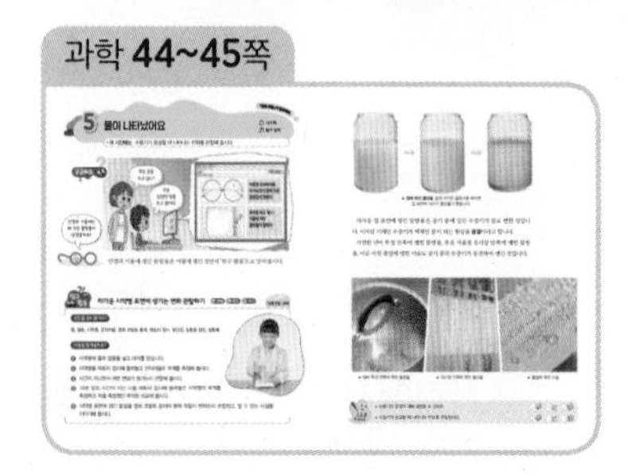

궁금해요

안경이나 거울에 작은 물방울이 맺힌 것을 본 경험을 생각해 봅시다. 도움①

질문 안경과 거울에는 왜 작은 물방울이 생겼을까요?

예시 답안
- 공기 중에 있던 수증기가 물방울이 되었기 때문입니다.
- 응결 현상이 나타났기 때문입니다.

탐구 활동 차가운 시약병 표면에 생기는 변화 관찰하기

자세한 해설은 60~61쪽에 있어요.

무엇을 준비할까요?

물, 얼음, 시약병, 전자저울, 염화 코발트 종이, 페트리 접시, 보안경, 실험용 장갑, 실험복

과정을 알아볼까요?

① 시약병에 물과 얼음을 넣고 마개를 닫습니다.

② 시약병을 페트리 접시에 올려놓고 전자 저울로 무게를 측정해 봅시다.

③ 시간이 지나면서 어떤 변화가 생기는지 관찰해 봅시다.

④ 10분 정도 시간이 지난 다음 페트리 접시에 올려놓은 시약병의 무게를 측정하고 처음 측정했던 무게와 비교해 봅시다.

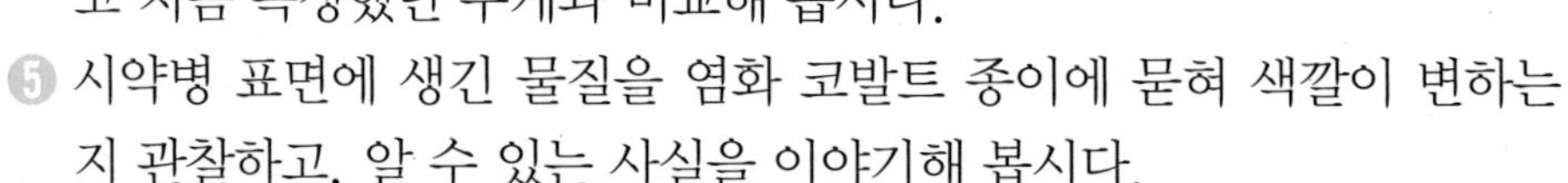

⑤ 시약병 표면에 생긴 물질을 염화 코발트 종이에 묻혀 색깔이 변하는지 관찰하고, 알 수 있는 사실을 이야기해 봅시다.

관찰 내용 및 결과를 정리해요

- 시약병 표면에 작은 물방울 같은 물질이 생겼고, 시약병의 무게가 무거워졌습니다.
- 시약병 표면에 생긴 물질에 염화 코발트 종이를 대었을 때 염화 코발트 종이의 색깔이 붉은색으로 변했으므로 그 물질이 물이라는 것을 알 수 있습니다.
- 차가운 시약병 표면에 생긴 물방울은 공기 중에 있는 수증기가 물로 변한 것입니다.

구름은 기체일까요?

차가운 시약병의 무게 변화

교과서 속 핵심 개념

- **응결** 기체인 수증기가 액체인 물이 되는 현상
- **수증기가 응결하는 예** 풀잎에 맺힌 이슬, 유리창 안쪽에 맺힌 물방울, 냄비 뚜껑 안쪽에 맺힌 물방울 등 도움②

도움 ① 안개, 이슬, 구름, 안경에 생긴 물방울의 공통점

▲ 안개

▲ 이슬

▲ 구름

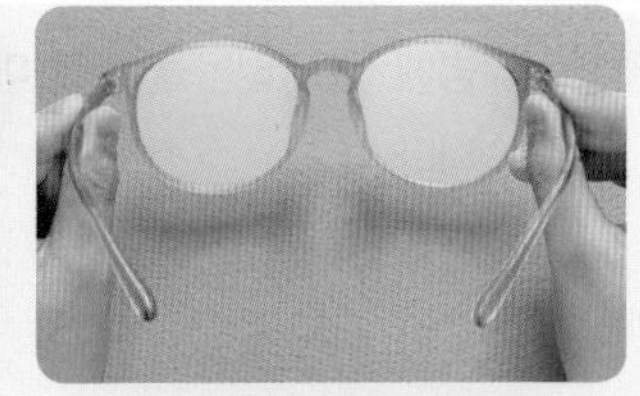
▲ 안경에 생긴 물방울

안개, 이슬, 구름, 안경에 생긴 물방울의 공통점은 모두 작은 물방울이 있다는 점입니다. 이 물방울은 수증기가 응결하여 맺힌 것입니다.

도움 ② 수증기가 응결하는 예

- 차가운 컵에 맺힌 물방울: 냉장고에 있던 차가운 물을 컵에 부으면 컵 표면에 작은 물방울이 맺히는 것을 볼 수 있습니다. 이것은 공기 중에 있던 수증기가 컵 표면에서 응결하여 작은 물방울로 맺힌 것입니다.
- 풀잎에 맺힌 이슬: 공기 중에 있던 수증기가 기온이 내려가면서 응결하여 풀잎에 맺힌 것입니다.
- 유리창 안쪽에 맺힌 물방울: 추운 날 실내 공기와 실외 공기의 온도 차가 큰 경우, 실내의 따뜻한 공기가 차가운 유리창에 닿아 응결하여 물방울이 맺힙니다.
- 냄비 뚜껑 안쪽에 맺힌 물방울: 수분이 있는 음식 재료나 물을 냄비에 넣고 가열하면 냄비 뚜껑 안쪽에 물방울이 맺히는 것을 볼 수 있습니다. 이는 냄비 안에 있던 물이 수증기로 변했다가 뚜껑에 닿아 응결한 것입니다.

스스로 확인해요

- **수증기의 응결에 대해 설명할 수 있어요.**
  도움말 차가운 물체 표면에 생긴 물질이 물임을 확인하고, 수증기가 물이 되는 현상인 응결을 설명합니다.
- **수증기가 응결할 때 나타나는 변화를 관찰했어요.**
  도움말 차가운 시약병 표면에 생긴 물질을 관찰하고, 시약병의 무게를 측정하여 변화를 설명합니다.

정답과 해설 3쪽

교과서 개념 확인 문제

1 다음 ( ) 안에 들어갈 알맞은 말에 ○표시를 해 봅시다.

> 시약병에 물과 얼음을 넣고 마개를 닫은 후 시약병의 무게를 잿습니다. 10분 정도 시간이 지난 다음 시약병의 무게를 다시 재었더니 처음 측정했던 무게보다 (가벼워 , 무거워)졌습니다.

2 다음 빈칸에 들어갈 알맞은 말을 각각 써 봅시다.

> • 기체인 수증기가 액체인 물이 되는 현상을 (㉠)(이)라고 합니다.
> • 차가운 물체 표면에 생긴 물방울은 공기 중에 있던 (㉡)이/가 (㉠)하여 물로 변한 것입니다.

㉠ (　　　　　　)
㉡ (　　　　　　)

3 다음 중 응결의 예에 해당하는 것에 모두 ○표시를 해 봅시다.

(1) 차가운 컵을 실온에 꺼내 두면 컵 표면에 작은 물방울이 맺힙니다. (　　)
(2) 욕실에서 뜨거운 물을 틀면 거울에 작은 물방울이 맺힙니다. (　　)
(3) 바나나를 말리면 딱딱해집니다. (　　)

실험 관찰

실험 관찰 26~27쪽

관찰 측정 추리

5 물이 나타났어요

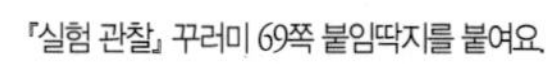

탐구 활동 차가운 시약병 표면에 생기는 변화 관찰하기

탐구 활동 도움말

이 활동은 차가운 시약병 표면에 생기는 변화를 관찰하고, 전자저울과 염화 코발트 종이를 이용하여 시약병 표면에 생긴 물질이 무엇인지 추리해 보는 활동입니다.

『실험 관찰』 꾸러미 69쪽 붙임딱지를 붙여요.

얼음으로 장난치지 않아요.

보충해설

물이 새지 않도록 마개를 잘 닫습니다.

무엇을 준비할까요?

준비물에 ○ 표시를 하면서 확인해 봅시다.

물

얼음

시약병

전자저울

염화 코발트 종이

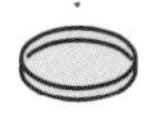
페트리 접시

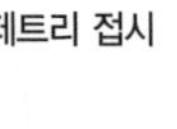
보안경

실험용 장갑

실험복

도움말

전자저울은 평평한 곳에 놓고 영점을 맞춘 뒤 사용합니다.

보충해설

시약병에 물과 얼음을 넣은 후 시약병 표면을 잘 닦지 않으면 정확한 무게 측정이 어렵습니다.

1 시약병에 물과 얼음을 넣고 마개를 닫습니다.

2 시약병을 페트리 접시에 올려놓고 전자저울로 무게를 측정해 봅시다.

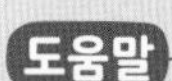

시약병의 무게: **예시 답안** 247.5 g

3 시간이 지나면서 어떤 변화가 생기는지 관찰해 봅시다.

- 시약병의 어느 부분에서 어떤 변화가 일어나는지 써 봅시다.

예시 답안
시약병 표면에 작은 물방울 같은 물질이 생깁니다.

4 10분 정도 시간이 지난 다음 페트리 접시에 올려놓은 시약병의 무게를 측정하고 처음 측정했던 무게와 비교해 봅시다.

시약병의 무게: **예시 답안** 250.5 g

- 10분이 지났을 때 시약병의 무게는 처음 측정했던 무게와 비교해서 어떻게 변했나요?

시약병의 무게는 처음보다 (☐ 가벼워졌습니다, ☑ 무거워졌습니다).

5 시약병 표면에 생긴 물질을 염화 코발트 종이에 묻혀 색깔이 변하는지 관찰하고, 알 수 있는 사실을 이야기해 봅시다.

예시 답안
염화 코발트 종이의 색깔이 푸른색에서 붉은색으로 변합니다.
시약병 표면에 생긴 물질이 물이라는 사실을 알 수 있습니다.

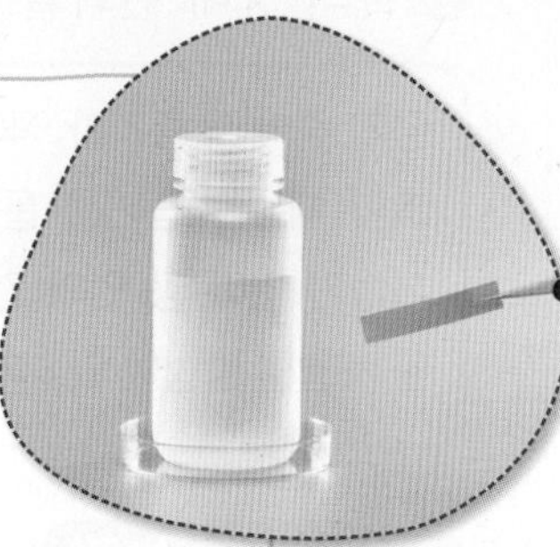

보충해설
염화 코발트 종이가 푸른색인지 확인하고, 습기에 노출되어 붉은색으로 변한 염화 코발트 종이가 있으면 머리 말리개로 말려 사용합니다.

이렇게 ○○ 정리해요

차가운 시약병 표면에 생긴 변화를 설명해 봅시다.

차가운 시약병 표면에 생긴 [물방울(물)] 은/는 공기 중의 [수증기] 이/가 응결하여 생긴 것입니다.

6 물의 상태 변화를 활용해요

과학 46~47쪽

궁금해요

구멍이 있는 양초를 만드는 방법을 살펴보면서 양초 만드는 과정에서 얼음이 어떻게 되는지 알아봅시다. 도움①

질문 얼음은 어떤 역할을 했을까요?

예시 답안
- 양초가 굳을 때 얼음이 구멍을 남기고 녹아서 물이 됩니다.
- 얼음이 양초에 구멍을 만들어 줍니다.

해 보기 물의 상태 변화 활용하기

● 과정을 알아볼까요?

① 스팀 청소기와 슬러시 기계는 물의 상태 변화를 활용한 예입니다. 물의 어떤 상태 변화를 활용한 것인지 이야기해 봅시다.

예시 답안
- 스팀 청소기는 물이 수증기로 변하는 상태 변화를 활용한 것입니다.
- 슬러시 기계는 물이 얼음으로 변하는 상태 변화를 활용한 것입니다.

② 물의 상태 변화를 활용해 문제를 해결해 봅시다. 도움②

공기 중에 수증기가 적어 건조할 때는 가습기를 틉니다. 가습기 없이 방 안의 건조함을 해결할 방법이 있을까요?

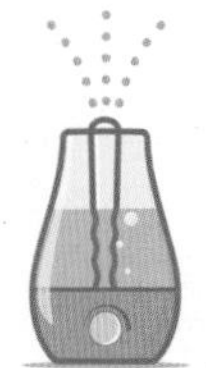

해결 방법
- 수건을 물에 적셔서 널어 놓습니다.
- 컵에 물을 담아 놓아둡니다.

더 알아보기

물의 상태 변화를 활용하는 예를 더 찾아보고, 어떤 상태 변화가 일어난 것인지 이야기해 봅시다.

예시 답안
- 스팀다리미, 물이 수증기로 상태 변화합니다.
- 스케이트장, 물이 얼음으로 상태 변화합니다.
- 슬러시 기계, 물이 얼음으로 상태 변화합니다.
- 스팀 청소기, 물이 수증기로 상태 변화합니다.
- 만두 찌기, 물이 수증기로 상태 변화합니다.

생활 속에서 물의 상태 변화를 활용한 예

이글루 안의 온도 조절

교과서 속 핵심 개념

- **물의 상태 변화의 활용** 우리 생활에서 물의 상태 변화를 다양하게 활용함. 눈을 만들어 눈썰매를 타기도 하고, 수증기로 구겨진 옷을 펴기도 함.
- **물의 상태 변화를 활용한 예** 물이 수증기로 상태 변화하여 만두를 익히는 만두 찌기, 물이 얼음으로 상태 변화하여 눈을 만드는 기계, 물이 수증기로 상태 변화하여 구겨진 옷을 다리는 스팀다리미 등

정답과 해설 3쪽

교과서 개념 확인 문제

도움 ① 구멍이 있는 양초

종이컵에 심지를 넣고 얼음 조각을 채운 다음 양초를 녹여서 부으면 얼음 모양의 구멍이 생긴 양초가 만들어집니다. 이때 얼음은 양초의 온도에 의해 서서히 녹아 물이 됩니다. 양초를 종이컵에서 꺼내면 얼음이 녹아 생긴 물은 빠져나가고 구멍이 있는 독특한 모양의 양초만 남게 됩니다.

▲ 구멍이 있는 양초

도움 ② 응결을 이용한 물 부족 해결

아프리카와 같이 물이 부족한 곳에서는 물을 얻기 위해 여러 가지 방법을 찾고 있습니다. 이탈리아의 한 디자이너는 물의 상태 변화를 활용해서 물 부족을 해결할 방법을 생각해 냈습니다. 낮과 밤의 온도 차가 큰 아프리카 기후를 고려하여 공기 중에 있는 수증기를 이슬로 응결시켜 먹을 물로 이용할 수 있도록 '와카워터(Warka Water)'라는 탑을 만들었습니다. 와카워터는 뼈대에 그물망을 둘러 만든 약 9 m 높이의 탑으로 그물에 맺힌 이슬이 모이게 설계되었습니다.

▲ 와카워터(Warka Water)

스스로 확인해요

- **우리 주변에서 일어나는 물의 상태 변화를 찾을 수 있어요.**
  도움말 우리 주변에서 볼 수 있는 다양한 물의 상태 변화의 예를 조사합니다.
- **물의 상태 변화를 활용해 문제를 해결했어요.**
  도움말 문제를 해결하기 위해 물의 상태 변화를 어떻게 활용할 수 있는지 생각해 봅니다.

1 **다음을 읽고 옳은 것은 ○표시를, 옳지 않은 것은 ×표시를 해 봅시다.**

(1) 만두 찌기는 물이 수증기로 상태가 변하는 것을 활용합니다. (　　)

(2) 스팀 청소기는 물이 얼음으로 상태가 변하는 것을 활용합니다. (　　)

(3) 오징어 말리기는 얼음이 물로 상태가 변하는 것을 활용합니다. (　　)

2 **다음 (　　) 안에 들어갈 알맞은 말에 ○표시를 해 봅시다.**

(1) 물이 (얼음 , 수증기)(으)로 변하는 상태 변화를 활용해 음식을 찝니다.

(2) 인공 눈을 만드는 기계는 물이 ㉠ (얼음 , 수증기)(으)로 변하는 상태 변화를 활용하고, 스팀다리미로 옷을 펼 때는 물이 ㉡ (얼음 , 수증기)(으)로 변하는 상태 변화를 활용합니다.

3 **다음 중 물이 얼음으로 상태가 변하는 경우는 어느 것입니까? (　　　)**

① 음식을 찔 때
② 빨래를 말릴 때
③ 스케이트장을 만들 때
④ 가습기를 이용할 때
⑤ 스팀 청소기로 청소할 때

과학 48~49쪽

컬링에서 얼음판에 솔질을 하는 까닭은?

컬링은 두 명 또는 네 명의 선수가 한 팀을 이루어 얼음판 위에서 펼치는 경기예요. 얼음판에서 무거운 스톤을 미끄러지게 하여 원 모양 목표 지점인 하우스에 들어가게 해야 점수를 얻을 수 있어요. 네 명이 하는 경기에서는 한 선수가 스톤을 밀면, 다른 두 선수들이 얼음판에 브룸으로 솔질을 하는 스위핑을 해요. 스위핑을 하는 까닭은 울퉁불퉁한 얼음판 표면을 녹여 스톤이 더 잘 미끄러지게 하기 위해서예요.

과학 더하기 도움말

얼음판에서 물의 상태 변화를 이용하여 경기를 하는 컬링에 대한 내용입니다.

과학 더하기 해설

- 컬링은 각각 4명으로 구성된 두 팀이 빙판에서 둥글고 납작한 돌(스톤)을 미끄러뜨려 '하우스'라고 하는 과녁 안에 넣으면 득점을 하는 경기입니다. 컬링은 스코틀랜드에서 유래하였으며, 1998년 제18회 동계 올림픽 경기에서 정식 종목으로 채택되었습니다.
- 컬링에서 사용하는 돌을 '스톤'이라고 하는데, 스톤의 무게는 약 20 kg입니다. 스톤을 원하는 곳으로 보내려면 '브룸'이라고 하는 솔로 얼음판을 닦아 내는 솔질을 해야 합니다. 브룸으로 하는 솔질을 '스위핑'이라고 하

는데, 스위핑을 잘해야 스톤을 원하는 곳으로 보낼 수 있습니다. 얼음판에 스위핑을 하면 울퉁불퉁한 얼음 표면이 녹아서 물이 생기고, 이 물은 스톤의 속도를 빠르게 해 줍니다.

- 컬링 경기장을 만들 때는 얼음 위에 물을 뿌려 표면에 미세한 얼음 알갱이를 만듭니다. 이렇게 울퉁불퉁해진 얼음판을 스위핑하면 얼음 표면이 녹아 물이 생깁니다. 얼음이 미끄러운 까닭은 얼음 위에 살짝 녹아 있는 물 때문입니다.
- 스케이트장에서 스케이트가 잘 미끄러지는 것은 스케이트 날이 얼음판을 누를 때 얼음이 녹아 물이 생기기 때문입니다. 이렇게 얼음판에서 하는 스포츠 경기는 대부분 얼음이 녹으면서 물이 생겨 잘 미끄러지게 되는 물의 상태 변화를 활용하고 있습니다.

단원 매듭 짓기

과학 50~51쪽

그림으로 정리하기

붙임딱지로 빈칸을 채우며 배운 내용을 정리해 봅시다.

그림으로 정리하기 해설

❶ 수증기의 응결은 수증기가 물이 되는 현상입니다. 기온이 높은 날 차가운 물을 컵에 따르면 공기 중에 있던 수증기가 응결하여 컵 표면에 물방울이 생깁니다. 뜨거운 음료를 마실 때 안경에 물방울이 맺히는 것도 응결 현상입니다.

❷ 증발은 물이 표면에서 수증기로 변하는 현상입니다. 물의 증발 현상을 이용해 고추, 오징어 등 식품을 건조시켜 보관합니다.

❸ 물의 표면과 물속에서 물이 수증기로 변하는 현상을 끓음이라고 합니다. 달걀을 삶을 때 물의 끓음 현상이 나타나 물의 양이 줄어듭니다. 옥수수를 삶거나 차를 끓일 때도 물이 표면에서 증발하다가 차츰 물속에서 기포가 생겨 올라오는 것을 볼 수 있습니다.

❹ 물이 얼 때 부피가 늘어나고 무게는 변하지 않습니다.

❺ 얼음이 녹아 물이 될 때 부피가 줄어들고 무게는 변하지 않습니다.

- 물은 고체 상태인 얼음, 액체 상태인 물, 기체 상태인 수증기로 존재합니다. 물, 얼음, 수증기가 서로 다른 상태로 변하는 것을 물의 상태 변화라고 합니다.

문제로 확인하기

❶ 풀잎에 맺힌 이슬은 물의 어떤 상태 변화가 일어난 것인지 빈칸에 알맞은 말을 써넣어 봅시다.

풀잎에 맺힌 이슬은 공기 중에 있던 [수증기] 이/가 물로 변한 것입니다.

❷ 끓음에 대한 설명으로 옳은 것은 ○ 표시를, 옳지 않은 것은 × 표시를 해 봅시다.

(1) 물이 표면에서만 수증기로 변하는 현상입니다. (×)

(2) 물이 표면과 물속에서 수증기로 변하는 현상입니다. (○)

❸ 물의 상태 변화와 활용 예를 알맞게 선으로 연결해 봅시다.

(1) 물이 수증기로 변하는 상태 변화 — ㉠ 생선을 말림. / ㉢ 만두를 찜.

(2) 물이 얼음으로 변하는 상태 변화 — ㉡ 얼음과자를 만듦. / ㉣ 스케이트장을 만듦.

과학 글쓰기

❹ 추운 북극에 사는 북극곰이 따뜻한 남쪽 나라에 사는 노랑딱새에게 예쁜 얼음집을 만들어 보내려고 합니다. 얼음집을 따뜻한 남쪽 나라로 옮길 때 어떤 일이 생길지 예상해서 북극곰에게 안내 편지를 써 봅시다.

예시 답안

예쁜 얼음집을 따뜻한 남쪽 나라로 옮길 때 얼음이 녹을 수도 있습니다. 얼음집이 녹지 않도록 온도를 맞춰 줄 수 있는 방법을 생각해야 합니다.

도움말

따뜻한 곳에서는 얼음이 녹을 수 있음을 생각하고 써야 합니다.

도전! 창의 융합

손대지 않고 작은 컵에 물 옮기기

물의 상태 변화를 이용해서 손대지 않고 물을 옮기는 방법을 찾아봅시다.

『실험 관찰』 28쪽

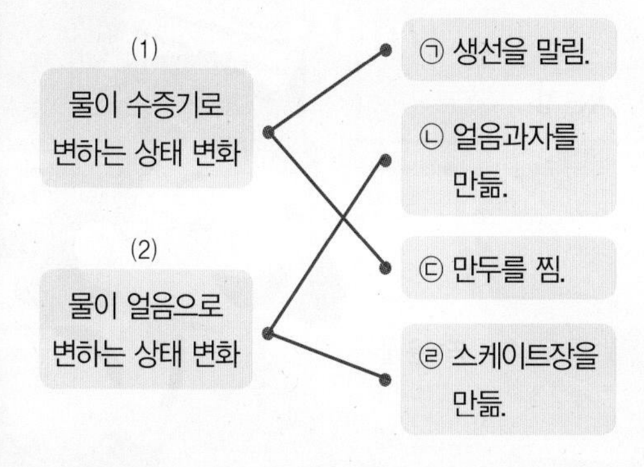

문제로 확인하기 해설

❶ 물의 어떤 상태 변화가 일어나 이슬이 되는지 확인하는 문제입니다.
- 풀잎에 맺힌 이슬은 공기 중에 있던 수증기가 물로 변한 것입니다.

❷ 끓음이 무엇인지 확인하는 문제입니다.
- 물을 끓일 때 물의 표면과 물속에서 물이 수증기로 변하는 현상은 끓음이라 하고, 물의 표면에서만 물이 수증기로 변하는 현상은 증발이라고 합니다.

❸ 물의 상태 변화와 관련된 활용 예를 찾는 문제입니다.
- 생선을 말릴 때와 만두를 찔 때는 물이 수증기로 변하는 상태 변화를 활용합니다. 얼음과자를 만들 때와 스케이트장을 만들 때는 물이 얼음으로 변하는 상태 변화를 활용합니다.

과학 글쓰기 해설

- 따뜻한 곳에서는 얼음이 녹을 수 있습니다. 얼음집이 녹지 않게 할 수 있는 방법을 생각해 봅니다.

도전! 창의 융합 도움말

물의 상태 변화를 이용하여 뜨거운 물을 작은 컵에 옮기는 방법은 목욕탕의 천장에서 물방울이 떨어지는 현상을 떠올리면 쉽게 생각할 수 있습니다. 큰 그릇에 담긴 물이 증발하여 수증기가 되어 차가운 비닐 랩에 닿으면 액체인 물이 됩니다. 이때 비닐 랩은 목욕탕의 천장과 같은 역할을 합니다. 얼음으로 비닐 랩에 경사를 만들어 물이 가운데로 모일 수 있도록 합니다.

손대지 않고 작은 컵에 물 옮기기

물의 상태 변화를 이용해 재미있는 놀이를 해 볼까요?

큰 그릇에 뜨거운 물이 담겨 있어요. 큰 그릇에 담겨 있는 뜨거운 물을 작은 컵에 옮기는 놀이에요.

그런데 조건이 하나 있어요. 손이나 도구로 물을 떠서 옮기는 것은 안 돼요.

준비물을 잘 살펴보고, 창의적인 방법을 생각해 보세요.

예시 답안

큰 그릇에 비닐 랩을 씌우고 비닐 랩 가운데 위쪽에 얼음을 올립니다. 그러면 뜨거운 물에서 증발한 수증기가 차가운 비닐 랩에 닿아 응결하게 되고, 응결한 물이 비닐 랩을 따라 가운데로 이동하여 작은 컵에 모이게 됩니다.

도움말

- 샤워기의 뜨거운 물이 증발하여 수증기가 되었다가 거울에 닿아 응결하여 김이 서린 현상을 떠올려 봅니다.
- 수증기의 응결은 기체인 수증기가 액체인 물이 되는 현상입니다.

교과서 평가 문제

1 다음 설명 중 옳은 것은 어느 것입니까? (　　　)

① 수증기는 고체입니다.
② 물은 얼음으로 변할 수 없습니다.
③ 얼음은 눈에 보이지 않습니다.
④ 물은 담는 그릇에 따라 모양이 변합니다.
⑤ 물, 얼음, 수증기는 모두 다른 물질입니다.

중요

2 물, 얼음, 수증기 중 다음과 같은 특징이 있는 것은 무엇인지 쓰시오.

• 기체 상태입니다.
• 공기 중에 있지만 보이지 않습니다.

(　　　　　　　　)

3 다음 중 강물이 어는 현상을 물의 상태 변화로 옳게 나타낸 것은 어느 것입니까? (　　　)

① 고체 → 액체
② 고체 → 기체
③ 액체 → 고체
④ 기체 → 고체
⑤ 기체 → 액체

중요

4 다음 중 얼음이 녹을 때의 부피와 무게 변화에 대한 설명으로 옳은 것은 어느 것입니까? (　　　)

① 부피가 줄어들고 무게는 늘어납니다.
② 부피가 줄어들고 무게는 변하지 않습니다.
③ 부피가 늘어나고 무게는 줄어듭니다.
④ 부피가 늘어나고 무게는 변하지 않습니다.
⑤ 부피와 무게 모두 변하지 않습니다.

5 다음 중 물의 증발과 관련된 현상이 아닌 것은 어느 것입니까? (　　　)

① 눈이 녹습니다.
② 땀이 마릅니다.
③ 빨래를 말립니다.
④ 감을 말려 보관합니다.
⑤ 젖은 머리카락을 말립니다.

6 다음 (가)~(다)는 물이 끓을 때 일어나는 변화를 순서 없이 나열한 것입니다. (　　) 안에 들어갈 알맞은 말에 ○표시를 하시오.

(가)

(나)

(다)

(1) 물이 끓고 난 뒤의 모습은 ((가), (나), (다)) 입니다.
(2) 물이 끓을 때 액체인 물이 (고체 , 기체) 인 수증기로 변하여 공기 중으로 흩어집니다.

7 다음 중 물의 증발과 끓음의 공통점으로 옳은 것은 어느 것입니까? (   )

① 물이 얼음으로 변합니다.
② 물속에서만 물의 상태가 변합니다.
③ 물 표면에서 물의 상태가 변합니다.
④ 물의 양이 줄어드는 빠르기가 같습니다.
⑤ 물이 액체 상태에서 고체 상태로 변합니다.

8 컵에 차가운 음료수를 부으면 다음과 같이 컵 표면에 물방울이 맺힙니다. 이와 같은 현상을 무엇이라고 하는지 쓰시오.

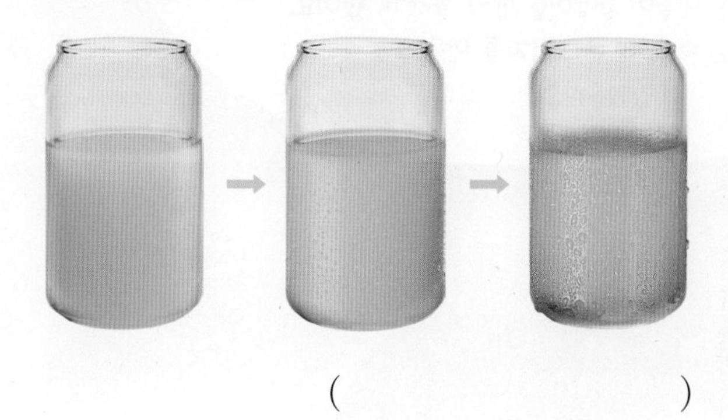

(   )

9 다음 중 슬러시 기계와 같은 물의 상태 변화를 활용하는 경우는 어느 것입니까? (   )

① 만두를 찝니다.
② 가습기를 이용합니다.
③ 물을 끓여 살균합니다.
④ 스팀 청소기로 청소합니다.
⑤ 눈 만드는 기계로 눈을 만듭니다.

중요

10 물의 상태 변화를 활용한 예에 대한 설명으로 옳지 않은 것은 어느 것입니까? (   )

① 스팀 청소기는 물이 수증기로 변하는 상태 변화를 활용한 것입니다.
② 눈 만드는 기계는 물이 수증기로 변하는 상태 변화를 활용한 것입니다.
③ 만두를 찌는 것은 물이 수증기로 변하는 상태 변화를 활용한 것입니다.
④ 스케이트장을 만드는 것은 물이 얼음으로 변하는 상태 변화를 활용한 것입니다.
⑤ 빨래를 말리는 것은 물이 수증기로 변하는 상태 변화를 활용한 것입니다.

서술형 문제

11 김이 사라지는 근처에 염화 코발트 종이를 대었더니 다음과 같이 색깔이 변했습니다. 이로부터 알 수 있는 사실을 쓰시오.

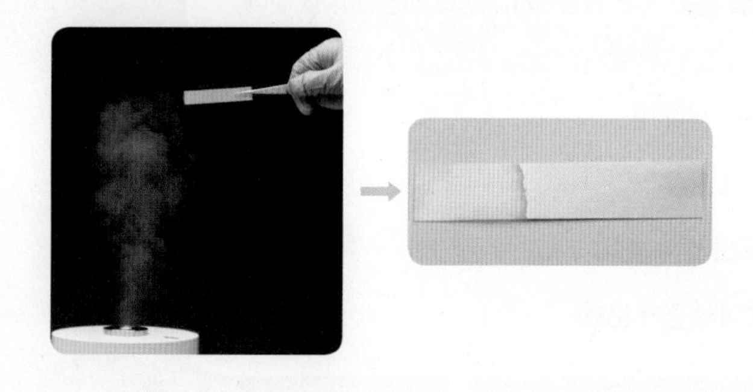

서술형 문제

12 페트병에 물을 가득 넣어 얼렸더니 오른쪽과 같이 페트병이 부풀어 올랐습니다. 그 까닭을 쓰시오.

이 단원에서 공부할 내용

3 그림자와 거울

언제나 고양이에게 쫓기던 생쥐가 커다란 그림자를 만들어 고양이를 깜짝 놀라게 했어요. 생쥐는 어떻게 큰 그림자를 만들 수 있었을까요?

단원 그림 도움말

단원 그림은 그림자의 크기를 크게 해서 생쥐가 고양이를 놀라게 한 모습입니다. 그림을 살펴보며 그림자와 관련된 경험을 이야기하고, 앞으로 배울 내용을 생각해 봅시다.

좀 더 설명할게요

색깔이 있는 그림자를 만드는 방법은 여러 가지 색깔의 빛을 동시에 보내어 그림자를 만드는 것입니다. 빨간색, 초록색, 파란색 빛을 동시에 물체에 비추어 그림자를 만들면 위치에 따라 다양한 색깔의 그림자를 볼 수 있습니다.

질문과 답

그림자의 크기를 크게 만드는 방법에는 어떤 것이 있을까요?

손전등을 물체에 가까이 가져갑니다. 물체를 손전등에 가까이 가져갑니다. 등

과학 놀이터

과학 54~55쪽

그림자 왕관을 씌워 주어요

그림자놀이를 해 본 적이 있나요?
손 그림자로 친구에게 왕관이나 날개를 만들어 주어요.

미술

그림자를 이용하여 생각을
창의적으로 표현해 보아요.

이렇게 해요.

무엇을 준비할까요?

스크린, 손전등,
스마트 기기 또는 사진기

① 모둠에서 각자의 역할을 정합니다.

과학 놀이터 도움말

그림자가 생기는 원리를 이용해 친구들과 함께 다양한 그림자놀이를 해 보는 활동입니다. 스크린 앞에 뒤로 돌아서 있는 친구에게 빛을 비추어 스크린에 그림자를 만든 다음, 그 그림자에 손으로 다양한 그림자를 만들어 사진을 찍고 감상해 봅니다.

이렇게 해요

유의점

- 손전등의 빛을 눈에 직접 비추지 않고, 밝은 손전등의 빛을 오랫동안 바라보지 않도록 주의합니다.
- 모둠별로 활동할 수 있는 구역을 나누고, 암막 커튼 등을 사용해 교실 환경을 어둡게 만듭니다.

준비물 도움말

- 손전등과 스마트 기기는 모둠당 하나씩 준비합니다.

활동 도움말

① 모둠에서 각자의 역할을 정합니다.

도움말 1번부터 4번까지 번호를 정하여, 1번은 스크린 앞 모델 담당, 2번은 손전등 담당, 3번은 그림자 만들기 담당, 4번은 촬영 담당을 합니다.

② 역할을 바꾸어서 활동해 봅니다.

도움말 활동을 한 번 한 후에는 자기 번호 +1번으로, 4번은 1번으로 역할을 이동합니다.

③ 찍은 사진을 감상하며 이야기해 봅시다.

도움말 찍은 사진을 교실의 컴퓨터로 옮겨서 큰 화면으로 확인합니다. 여건이 여의치 않을 때는 정해진 순서에 따라 돌아다니면서 작품을 감상합니다.

질문

- 친구가 만든 작품에서 재미있는 점을 찾아 이야기해 보아요.

나의 답 • 그림자에 매달린 모습을 만들었습니다.
• 그림자로 의자를 만들어서 그 위에 앉았습니다.
• 머리 위에 주전자가 올려져 있었습니다.

1 그림자를 만들어 보아요

과학 56~57쪽

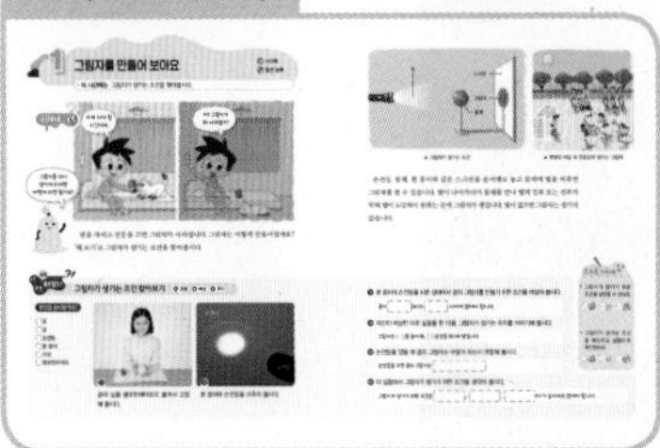

궁금해요

그림자가 있을 때와 없을 때의 차이점을 알아봅시다.

질문 그림자를 다시 생기게 하려면 어떻게 하면 될까요?

예시 답안 전등을 켜야 합니다.

해 보기 그림자가 생기는 조건 찾아보기

- **무엇을 준비할까요?**

공, 실, 손전등, 흰 종이, 가위, 셀로판테이프

- **과정을 알아볼까요?**

❶ 공에 실을 셀로판테이프로 붙여서 고정해 봅시다.

❷ 흰 종이에 손전등을 비추어 봅시다.

❸ 흰 종이에 손전등을 비춘 상태에서 공의 그림자를 만들기 위한 조건을 예상해 봅시다.

➲ 공이 (빛)와/과 (흰 종이) 사이에 있어야 합니다.

❹ 자신이 예상한 대로 실험을 한 다음, 그림자가 생기는 위치를 이야기해 봅시다.

➲ 그림자는 (흰 종이 위, 손전등 위)에 생깁니다.

❺ 손전등을 껐을 때 공의 그림자는 어떻게 되는지 관찰해 봅시다.

➲ 손전등을 끄면 공의 그림자는 (사라집니다).

❻ 이 실험에서 그림자가 생기기 위한 조건을 생각해 봅시다. 도움①

➲ 그림자가 생기기 위한 조건은 (빛), (공), (흰 종이)이/가 순서대로 있어야 합니다.

➲ 공의 위쪽에서 손전등 비추기

➲ 공의 위쪽에서 손전등 끄기

교과서 속 핵심 개념

- **그림자가 생기는 조건** 물체를 비추는 빛, 물체, 스크린이 순서대로 있어야 함.
- **그림자를 만드는 방법** '손전등-물체-스크린'을 순서대로 놓고 물체에 빛을 비추면 그림자가 생김.
- **그림자를 만드는 원리** 빛이 나아가다가 물체를 만나 빛의 일부 또는 전부가 막혀 빛이 도달하지 못하는 곳에 그림자가 생김. 빛이 없으면 그림자가 생기지 않음. 도움②
- **그림자가 생기는 위치** 물체에 빛을 비추면 물체의 뒤쪽 스크린에 그림자가 생김.

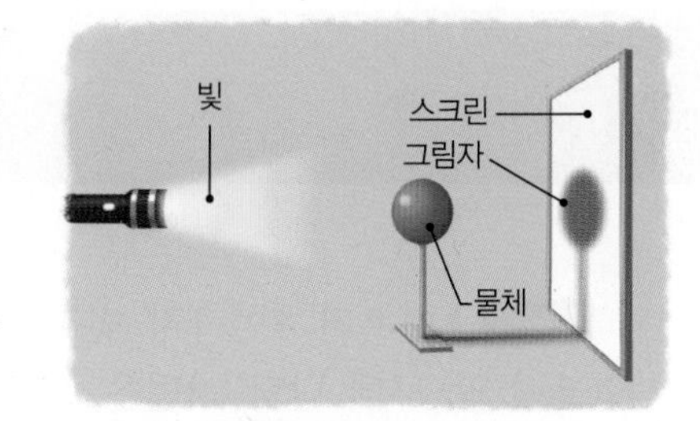

▲ 그림자가 생기는 조건

정답과 해설 3쪽

교과서 개념 확인 문제

도움 ① 그림자가 생기는 조건과 그림자가 생기는 위치
그림자가 생기려면 빛, 물체, 스크린이 필요합니다. 다만 이 조건들을 아무렇게나 배치하면 그림자가 생기지 않을 수 있습니다. 빛-물체-스크린의 순서대로 놓아야 그림자가 생깁니다. 즉, 빛을 비추면 그림자는 물체의 뒤쪽 스크린에 생깁니다.

도움 ② 운동장에 생긴 그림자와 사라진 그림자
낮에 운동장에 있는 학생들 주변에 그림자가 생기는 까닭은 햇빛이 있기 때문입니다.

▲ 햇빛이 비칠 때 운동장에 생기는 그림자

구름이 낀 날은 햇빛이 구름에 가로막혀서 빛이 운동장까지 온전히 도달하지 못하기 때문에 운동장에 있는 학생들의 그림자가 없어집니다. 이것은 그림자가 생기는 조건 중 하나인 빛이 사라졌기 때문에 그림자가 없어진 예입니다. 하지만 엄밀히 말하면 구름에 의해 햇빛이 막히면서 구름의 그림자가 생겼고, 이때 물체는 커다란 구름의 그림자 안에 들어온 것입니다. 상대적으로 큰 물체의 그림자 안으로 들어갔을 때 작은 물체 입장에서는 '빛이 사라졌다' 라고 표현할 수 있습니다.

스스로 확인해요

- **그림자가 생기기 위한 조건을 설명할 수 있어요.**
  도움말 그림자가 생기기 위한 조건과 그 조건들이 배치되는 순서를 설명합니다.
- **그림자가 생기는 조건을 예상하고 실험으로 확인했어요.**
  도움말 빛, 물체, 스크린을 어떻게 놓아야 그림자가 생기는지 실험으로 확인합니다.

1 다음을 읽고 옳은 것은 ○표시를, 옳지 않은 것은 ×표시를 해 봅시다.

(1) 물체에 빛을 비추면 그림자가 생깁니다. (　　　)

(2) 그림자가 생기려면 빛-물체-스크린 순서대로 있어야 합니다. (　　　)

(3) 물체에 빛을 비추면 빛을 비추는 쪽에 물체의 그림자가 생깁니다. (　　　)

2 다음 보기 중 그림자가 생기기 위한 조건 3가지를 골라 기호를 써 봅시다.

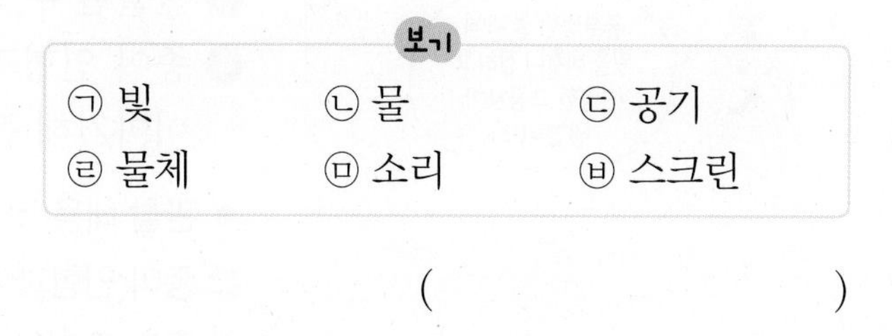

보기

㉠ 빛	㉡ 물	㉢ 공기
㉣ 물체	㉤ 소리	㉥ 스크린

(　　　　　　　　　　)

3 다음 (가)와 (나) 중 그림자를 볼 수 있는 경우에 ○표시를 해 봅시다.

(가) 햇빛이 비칠 때 (　　　)

(나) 구름이 햇빛을 가렸을 때 (　　　)

2 그림자의 진하기가 달라요

과학 58~59쪽

궁금해요

불투명한 우산과 투명한 우산의 그림자를 살펴봅시다.

질문 그림자의 진하기가 서로 다른 까닭은 무엇일까요?

예시 답안 우산의 투명한 정도가 다르기 때문입니다.

탐구 활동 불투명한 물체와 투명한 물체의 그림자 비교하기

자세한 해설은 80~81쪽에 있어요.

- **무엇을 준비할까요?**

손전등, 스크린, 고정 집게 2개, 종이 인형·투명 필름 인형(『실험 관찰』 꾸러미 75, 77쪽)

- **과정을 알아볼까요?**

❶ 스크린 앞에 종이 인형과 투명 필름 인형을 각각 고정 집게에 끼워서 세워 봅시다.

❷ 손전등을 인형에 비추어서 두 인형의 그림자를 관찰해 봅시다.

❸ 관찰한 두 인형의 그림자 모양과 진하기를 비교해 봅시다.

❹ 종이 인형과 투명 필름 인형의 그림자의 진하기가 서로 다른 까닭을 이야기해 봅시다.

➲ 불투명한 물체의 그림자

- **관찰 내용 및 결과를 정리해요**

➲ 종이 인형과 투명 필름 인형의 그림자 모양은 각각의 인형 모양과 닮았습니다.

➲ 종이 인형은 빛이 통과하지 못해서 물체의 뒤쪽 스크린에 진하고 선명한 그림자가 생깁니다.

➲ 투명 필름 인형은 빛이 대부분 통과해서 연하고 흐릿한 그림자가 생깁니다.

➲ 투명한 물체의 그림자

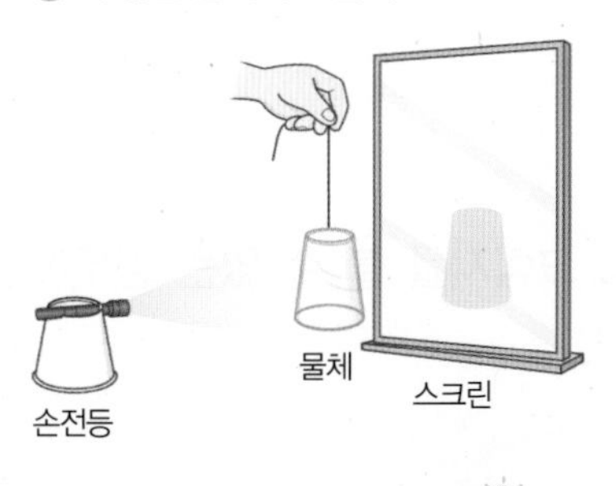

더 알아보기

우리 생활에서 투명한 물체를 이용한 예는 어떤 것이 있는지 이야기해 봅시다.

예시 답안 밖이 내다보이는 유리창, 내용물을 확인할 수 있는 투명 유리컵, 시력이 나쁠 때 사용하는 안경 등 도움①

교과서 속 핵심 개념

- **불투명한 물체** 책, 옷, 도자기 컵과 같이 빛이 통과하지 못하는 물체
- **투명한 물체** 유리 어항, 투명 필름과 같이 빛이 대부분 통과하는 물체
- **불투명한 물체와 투명한 물체의 그림자 비교** 도움②

불투명한 물체	투명한 물체
• 진하고 선명한 그림자 • 빛이 나아가다가 불투명한 물체를 만나면 빛이 통과하지 못해 진한 그림자가 생김.	• 연하고 흐릿한 그림자 • 빛이 나아가다가 투명한 물체를 만나면 빛이 대부분 통과해 연한 그림자가 생김.

정답과 해설 3쪽

교과서 개념 확인 문제

도움 ① 불투명한 물체와 투명한 물체를 이용한 예

(1) 불투명한 물체를 이용한 예

▲ 그림자 연극

▲ 나무 그늘

▲ 자동차 햇빛 가리개

(2) 투명한 물체를 이용한 예

▲ 음료수 페트병

▲ 유리 온실

▲ 휴대 전화 액정 보호 필름

도움 ② 투명, 반투명, 불투명한 물체의 그림자

- 투명: 빛이 대부분 그대로 통과하는 물질이나 물체를 '투명하다' 라고 합니다. 물체를 통해 다른 사물을 보았을 때 잘 보이면 투명한 물체입니다. 투명한 물체에는 매우 연한 그림자가 생기거나 그림자가 거의 생기지 않습니다.
- 반투명: 일부의 빛만 통과하는 물질이나 물체를 '반투명하다' 라고 합니다. 투명한 물체보다는 진하고 불투명한 물체보다는 연한 그림자가 생깁니다.
- 불투명: 빛을 통과시키지 않고 대부분 흡수하거나 반사하는 물체를 '불투명하다' 라고 합니다. 비교적 선명하고 진한 그림자가 생기고, 불투명한 물체를 통하여 다른 사물을 보면 보이지 않습니다.

▲ 반투명한 물체를 이용한 예

스스로 확인해요

- **불투명한 물체와 투명한 물체에 생기는 그림자의 차이를 이야기할 수 있어요.**

  도움말 불투명한 물체와 투명한 물체의 그림자를 서로 비교하면서 발표합니다.

- **불투명한 물체와 투명한 물체에 생기는 그림자의 차이를 비교했어요.**

  도움말 불투명한 물체와 투명한 물체에 빛을 비추어 보면서 그림자의 차이를 비교합니다.

1 다음을 읽고 옳은 것은 ○표시를, 옳지 않은 것은 ×표시를 해 봅시다.

(1) 빛이 통과하지 못하는 물체를 투명한 물체라고 합니다. (　　)

(2) 빛이 대부분 통과하는 물체를 불투명한 물체라고 합니다. (　　)

(3) 불투명한 물체에는 책, 옷, 도자기 컵 등이 있습니다. (　　)

(4) 투명한 물체에는 유리 어항, 투명 필름 등이 있습니다. (　　)

2 다음 물체에 해당하는 특징을 선으로 연결해 봅시다.

(1)  • 　　• ㉠ 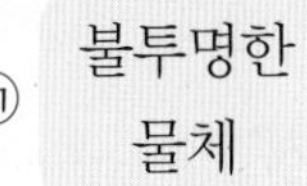 불투명한 물체

(2)  • 　　• ㉡ 투명한 물체

3 다음 중 투명한 물체는 어느 것입니까? (　　　)

① 옷　② 모자　③ 도자기 컵　④ 투명 필름　⑤ 암막 커튼

4 다음 글을 읽고 알맞은 말에 ○표시를 해 봅시다.

빛이 나아가다가 (투명 , 불투명)한 물체를 만나면 빛이 통과하지 못해 진한 그림자가 생깁니다.

실험 관찰

관찰 추리

실험 관찰 32~33쪽

2 그림자의 진하기가 달라요

탐구 활동 불투명한 물체와 투명한 물체의 그림자 비교하기

탐구 활동 도움말

이 탐구 활동은 종이 인형과 투명 필름 인형에 빛을 비추어 그림자를 만들고, 각각의 그림자를 관찰하고 비교하는 활동입니다.

『실험 관찰』 꾸러미 69쪽 붙임딱지를 붙여요.

손전등으로 장난치지 않아요.

무엇을 준비할까요?

준비물에 ○ 표시를 하면서 확인해 봅시다.

손전등

스크린

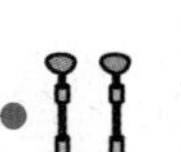

고정 집게 2개

종이 인형 (『실험 관찰』 꾸러미 75쪽)

투명 필름 인형 (『실험 관찰』 꾸러미 77쪽)

도움말

집게 2개 대신에 Y자형 메모꽂이 1개를 사용할 수도 있습니다.

1 스크린 앞에 종이 인형과 투명 필름 인형을 각각 고정 집게에 끼워서 세워 봅시다.

2 손전등을 인형에 비추어서 두 인형의 그림자를 관찰해 봅시다.

도움말

실험하는 장소의 환경을 어둡게 만들면 그림자를 확인하기 좋습니다.

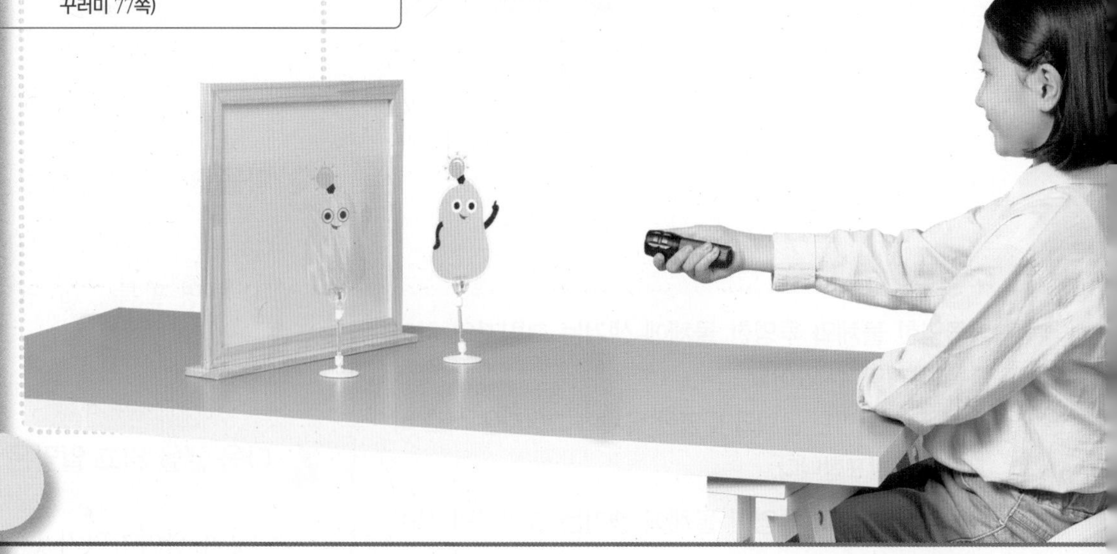

3 관찰한 두 인형의 그림자 모양과 진하기를 비교해 봅시다.

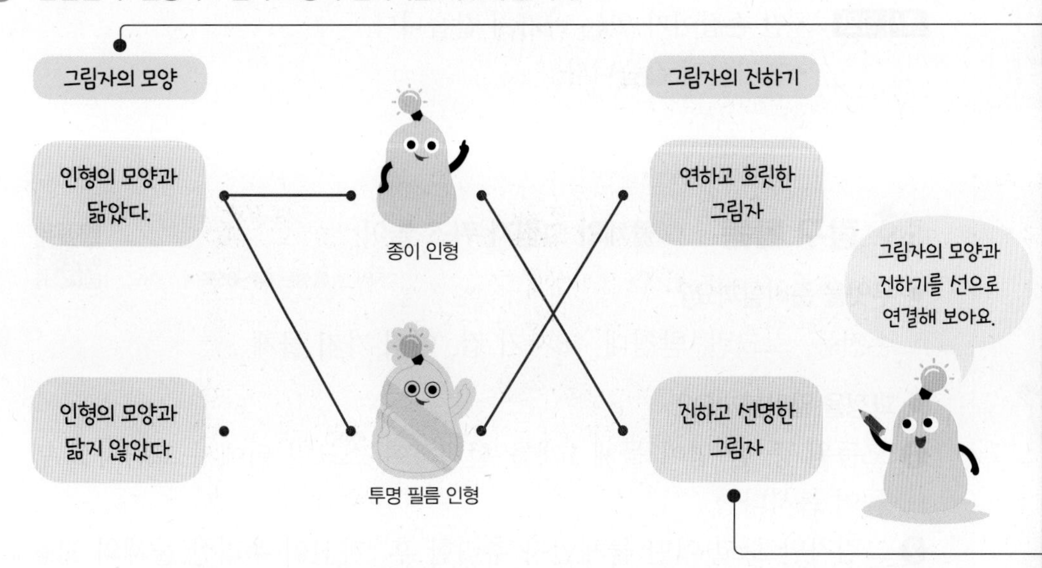

보충해설
빛이 직진하기 때문에 물체의 모양과 물체 뒤쪽에 있는 스크린에 생긴 그림자의 모양이 비슷합니다.

보충해설
종이 인형은 빛이 통과하지 못해 진하고 선명한 그림자가 생기고, 투명 필름 인형은 빛이 대부분 통과해 연하고 흐릿한 그림자가 생깁니다.

4 종이 인형과 투명 필름 인형의 그림자의 진하기가 서로 다른 까닭을 이야기해 봅시다.

빛은 [불투명한 물체] 을/를 통과하지 못하지만, [투명한 물체] 을/를 대부분 통과합니다. 즉, 빛이 통과하는 정도가 서로 다르기 때문입니다.

이렇게 ○○ 정리해요

불투명한 물체와 투명한 물체의 그림자의 진하기가 서로 다른 까닭을 이야기해 봅시다.

빛이 [통과하는 정도] 이/가 다르기 때문입니다.

3 그림자로 물체를 추리해 보아요

과학 60~61쪽

궁금해요

그림자를 보고 물체를 추리해 봅시다.

질문 물체의 그림자를 보고 이 물체가 어떤 물체인지 추리해 볼까요?

예시 답안
- 긴 손잡이가 있는 바가지 같습니다.
- 프라이팬 같습니다.

➲ 그림자 퀴즈 놀이

탐구 활동 물체와 그림자 퀴즈 놀이

자세한 해설은 84~85쪽에 있어요.

- **무엇을 준비할까요?**

손전등, 스크린, 받침대, 도자기 컵, 여러 가지 물체

- **과정을 알아볼까요?**

❶ 모둠원 중 한 명이 물체 1개를 선택하여 스크린 뒤에서 그림자를 만들어 봅시다.

❷ 그림자만 보고 어떤 물체인지 추리한 후, 자신이 추리한 물체와 모둠원이 선택한 물체가 맞는지 확인해 봅시다.

❸ 차례를 바꾸어 가며 과정 ❶~❷를 해 봅시다.

❹ 이번에는 도자기 컵을 받침대에 올려놓고 방향을 바꾸면서 그림자를 만들고, 각 그림자의 모양을 그려 봅시다.

보충설명 같은 물체라도 빛을 비추는 방향에 따라서 그림자의 모양이 달라질 수 있습니다. 왜냐하면 빛이 비치는 방향에서 본 물체의 윤곽선 형태에 따라 그림자의 모양이 결정되기 때문입니다. 도움①

❺ 빛이 진행하는 방향에서 관찰되는 도자기 컵의 모양과 스크린에 생긴 그림자의 모양이 비슷한 까닭을 추리해 봅시다. 도움②

- **관찰 내용 및 결과를 정리해요**

➲ 직진하는 빛이 물체를 통과하지 못하면 물체의 모양과 비슷한 그림자가 물체 뒤쪽에 있는 스크린에 생깁니다.

➲ 태양이나 전등에서 나온 빛은 곧게 나아가는 성질이 있습니다. 도움③

교과서 속 핵심 개념

- **빛의 직진** 태양이나 전등에서 나온 빛이 곧게 나아가는 성질
- **그림자의 모양** 빛이 직진하다가 물체를 만나 통과하지 못하면 스크린에 물체의 모양과 비슷한 그림자가 생김. 그림자의 모양은 빛을 비추는 방향이나 물체가 놓인 방향에 따라 달라지기도 함.
- **물체의 모양과 그림자의 모양이 비슷한 까닭** 빛이 직진하기 때문임.

도움 ① 한 물체의 그림자의 모양이 다양한 까닭

빛을 비추면 물체에 빛을 받는 면이 생기는데, 그림자의 모양은 빛을 받는 면과 같은 모양입니다. 빛을 비추는 방향이나 물체가 놓인 방향을 다르게 하면 빛을 받는 면이 달라지고, 따라서 그림자의 모양도 달라집니다.

▲ 빛을 비추는 방향에 따른 도자기 컵의 그림자 모양

도움 ② 물체의 모양과 그림자의 모양이 비슷한 까닭

태양이나 전등에서 나오는 빛은 직진합니다. 직진하는 빛이 물체를 통과하지 못하면 물체 모양과 비슷한 그림자가 물체 뒤쪽에 있는 스크린에 생깁니다. 이때 빛을 받는 면의 모양대로 그림자가 생기는데, 이는 빛이 직진하기 때문입니다.

도움 ③ 빛의 직진

숲이 우거진 곳에서 비친 햇빛의 모습이나 창문 사이로 들어온 빛, 등대의 불빛, 동굴 틈으로 비친 햇빛을 보면 한 줄기의 빛이 곧게 뻗어 나옵니다.

▲ 숲속에 비친 햇빛

▲ 등대의 불빛

▲ 동굴 틈으로 비친 햇빛

스스로 확인해요

- **빛의 직진에 대하여 설명할 수 있어요.**
  도움말 '곧게 나아간다'라는 용어를 사용하여 빛의 직진을 설명합니다.
- **물체의 모양과 스크린에 생긴 그림자의 모양을 비교했어요.**
  도움말 스크린에 생긴 그림자의 모양을 그림으로 그려 보면서 물체의 모양과 비교합니다.

정답과 해설 4쪽

교과서 개념 확인 문제

1 **다음 빈칸에 들어갈 알맞은 말을 써 봅시다.**

> 태양이나 전등에서 나온 빛은 곧게 나아가는 성질이 있습니다. 이처럼 빛이 곧게 나아가는 성질을 빛의 (　　)(이)라고 합니다.

(　　　　　　　　)

2 **다음은 그림자에 대한 설명입니다. 옳은 것은 ○표시를, 옳지 않은 것은 ×표시를 해 봅시다.**

(1) 물체의 모양과 비슷한 그림자가 생깁니다. (　　)

(2) 한 물체에서 여러 가지 모양의 그림자를 만들 수 있습니다. (　　)

(3) 물체를 놓는 방향이 달라져도 그림자 모양은 변하지 않습니다. (　　)

(4) 물체의 모양과 그림자의 모양이 비슷한 까닭은 빛이 직진하기 때문입니다. (　　)

3 **다음 그림과 같이 손전등으로 도자기 컵을 비추었을 때 생긴 컵의 그림자 모양을 ㉠과 ㉡ 중에서 골라 기호를 써 봅시다.**

(　　　　　　　　)

실험 관찰

관찰 추리

실험 관찰 34~35쪽

3 그림자로 물체를 추리해 보아요

탐구 활동 물체와 그림자 퀴즈 놀이

탐구 활동 도움말

이 탐구 활동은 여러 가지 물체의 그림자를 만들어 보고, 물체의 모양과 스크린에 생긴 그림자의 모양이 비슷한 까닭을 생각해 보는 활동입니다.

『실험 관찰』 꾸러미 69쪽 붙임딱지를 붙여요.

컵이 깨지지 않도록 주의해요.

도움말

스크린에 생긴 그림자의 크기가 너무 작거나 클 경우 손전등과 물체 사이의 거리를 조절해서 그림자의 크기를 적절하게 조절해 봅니다.

무엇을 준비할까요?

준비물에 ◯ 표시를 하면서 확인해 봅시다.

손전등

스크린

받침대

도자기 컵

여러 가지 물체

보충해설

한 방향의 그림자만으로 문제를 맞히기 어려우면, 다른 방향의 그림자를 만들어 봅니다. 그리고 손전등의 빛을 받는 면의 모양대로 그림자가 생기는 것을 관찰합니다.

1 모둠원 중 한 명이 물체 1개를 선택하여 스크린 뒤에서 그림자를 만들어 봅시다.

2 그림자만 보고 어떤 물체인지 추리한 후, 자신이 추리한 물체와 모둠원이 선택한 물체가 맞는지 확인해 봅시다.

예시 답안

자신이 추리한 물체	모둠원이 선택한 물체
유리 컵	도자기 컵
가위	가위
색연필	연필

3 차례를 바꾸어 가며 과정 1~2를 해 봅시다.

4 이번에는 도자기 컵을 받침대에 올려놓고 방향을 바꾸면서 그림자를 만들고, 각 그림자의 모양을 그려 봅시다.

도움말
받침대의 그림자는 제외하고 도자기 컵의 그림자만을 그립니다.

예시 답안

보충해설
도자기 컵으로 여러 가지 모양의 그림자를 만들면서, 한 가지 물체도 물체를 놓은 방향이 달라지면 그림자의 모양이 달라질 수 있다는 것을 확인합니다.

5 빛이 진행하는 방향에서 관찰되는 도자기 컵의 모양과 스크린에 생긴 그림자의 모양이 비슷한 까닭을 추리해 봅시다.

빛이 (☑ 곧게, ☐ 휘어져서) 나아가기 때문입니다.

이렇게 ㅇㅇ 정리해요

물체의 모양과 그림자의 모양을 비교해 봅시다.

물체의 모양과 그림자의 모양은 (☑ 비슷합니다. ☐ 비슷하지 않습니다.) 왜냐하면 빛이 [곧게] 나아가기 때문입니다.

4 그림자의 크기가 달라졌어요

과학 62~63쪽

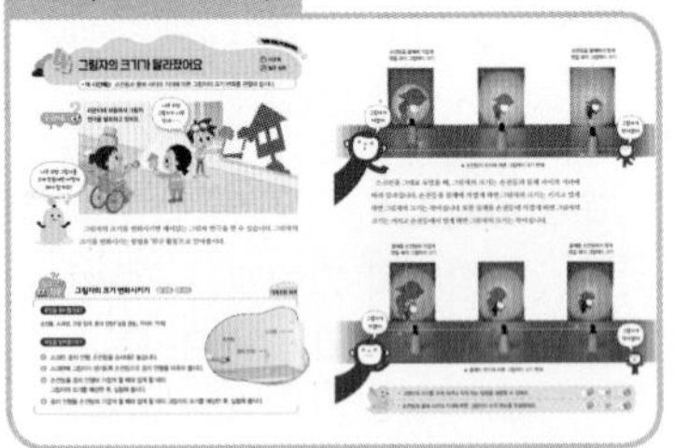

궁금해요

그림자 연극에서 그림자를 크게 만드는 방법을 생각해 봅시다.

질문 나무 모양 그림자를 크게 만들려면 어떻게 해야 할까요?

예시 답안 • 나무 모양 물체를 전등 쪽으로 가까이 가져갑니다.
• 나무 모양 물체를 스크린에서 멀어지게 합니다.

➲ 그림자의 크기를 크게 바꾸기

탐구 활동 그림자의 크기 변화시키기

자세한 해설은 88~89쪽에 있어요.

- **무엇을 준비할까요?**

손전등, 스크린, 고정 집게, 종이 인형(『실험 관찰』 꾸러미 75쪽)

- **과정을 알아볼까요?**

❶ 스크린, 종이 인형, 손전등을 순서대로 놓습니다.
❷ 스크린에 그림자가 생기도록 손전등으로 종이 인형을 비추어 봅시다.
❸ 손전등을 종이 인형에 가깝게 할 때와 멀게 할 때의 그림자의 크기를 예상한 후, 실험해 봅시다.
❹ 종이 인형을 손전등에 가깝게 할 때와 멀게 할 때의 그림자의 크기를 예상한 후, 실험해 봅시다.

- **관찰 내용 및 결과를 정리해요**

➲ 손전등과 물체의 거리에 따라 그림자의 크기가 달라집니다. 도움①
➲ 종이 인형과 손전등 사이의 거리를 가깝게 하면 그림자의 크기가 커집니다.
➲ 종이 인형과 손전등 사이의 거리를 멀게 하면 그림자의 크기가 작아집니다.
➲ 손전등과 물체의 거리에 따라 그림자의 크기가 달라지는 까닭은 빛이 직진하기 때문입니다.

교과서 속 핵심 개념

- **그림자의 크기를 변화시키는 방법** 도움②

그림자의 크기를 크게 하는 방법		그림자의 크기를 작게 하는 방법	

손전등을 물체에 가깝게 함.	물체를 손전등에 가깝게 함.	손전등을 물체에서 멀게 함.	물체를 손전등에서 멀게 함.

도움 ① 손전등과 물체의 거리에 따라 그림자의 크기가 달라지는 까닭

빛이 직진하기 때문입니다. 아래 그림에는 손전등에서 출발한 빛이 물체에 도착하는 경로가 나타나 있습니다. 빛이 직진한다는 성질을 고려해 보면 손전등과 물체의 거리가 가까울수록 그림자의 크기가 커지는 것을 알 수 있습니다. 반대로 손전등과 물체의 거리가 멀수록 그림자의 크기는 작아집니다.

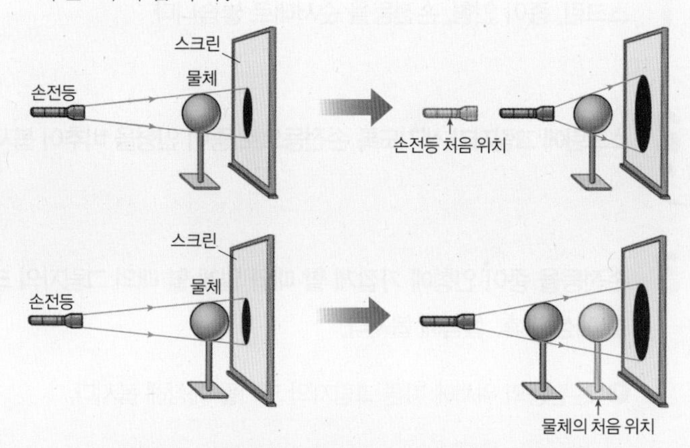

▲ 손전등과 물체의 거리에 따른 그림자의 크기 변화

도움 ② 물체와 스크린 사이의 거리에 따른 그림자의 크기 변화

물체와 손전등의 위치는 그대로 두고, 스크린을 물체에 가까이 하면 그림자의 크기는 커집니다. 반대로 스크린을 물체에서 멀리 하면 그림자의 크기는 작아집니다.

스스로 확인해요

- **그림자의 크기를 크게 하거나 작게 하는 방법을 설명할 수 있어요.**
  도움말 물체, 손전등의 위치를 어떻게 조작할지 정한 뒤 각각의 상황에 맞추어서 설명합니다.
- **손전등과 물체 사이의 거리에 따른 그림자의 크기 변화를 관찰했어요.**
  도움말 스크린을 그대로 두고 손전등과 물체를 가까이 했을 때, 멀리 했을 때 그림자의 크기가 어떻게 달라지는지 관찰합니다.

정답과 해설 4쪽

교과서 개념 확인 문제

1 **다음 빈칸에 들어갈 알맞은 말을 써 봅시다.**

> 스크린을 그대로 두었을 때, 그림자의 크기는 손전등과 물체 사이의 (　　)에 따라 달라집니다.

(　　　　　　　)

2 **다음을 읽고 옳은 것은 ○표시를, 옳지 않은 것은 ×표시를 해 봅시다.**

(1) 그림자를 만들려면 스크린-물체-손전등 순으로 놓아야 합니다. (　　)

(2) 스크린을 그대로 두었을 때, 손전등을 물체에 가깝게 하면 그림자의 크기는 작아집니다. (　　)

(3) 스크린을 그대로 두었을 때, 물체를 손전등에서 멀게 하면 그림자의 크기는 작아집니다. (　　)

3 **다음과 같이 물체에 손전등을 비춰 그림자가 생기게 하였습니다. 그림자의 크기를 크게 변화시키는 방법으로 옳은 것에 ○표시를 해 봅시다.**

(1) 손전등을 종이 인형에서 멀리 합니다. (　　)

(2) 종이 인형을 손전등에 가깝게 합니다. (　　)

(3) 손전등과 종이 인형 모두 움직이지 않습니다. (　　)

실험 관찰

관찰 예상

실험 관찰 36~37쪽

4 그림자의 크기가 달라졌어요

탐구 활동 그림자의 크기 변화시키기

탐구 활동 도움말

이 탐구 활동은 스크린, 종이 인형, 손전등을 순서대로 놓고, 손전등과 종이 인형 사이의 거리를 변화시켜 그림자의 크기 변화를 살펴보는 활동입니다.

『실험 관찰』 꾸러미 69쪽 붙임딱지를 붙여요.

집게를 다룰 때 손을 조심해요.

보충해설

손전등과 물체의 높이를 적절히 맞춰서 그림자가 생기도록 합니다. 또 실험하는 장소의 환경을 가능한 어둡게 만들어야 합니다. 손전등의 빛을 제외한 모든 빛을 차단하고 실험해야 그림자가 선명하게 보입니다.

무엇을 준비할까요?

준비물에 ○ 표시를 하면서 확인해 봅시다.

손전등

스크린

고정 집게

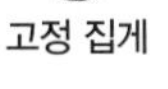

종이 인형 (『실험 관찰』 꾸러미 75쪽)

1 스크린, 종이 인형, 손전등을 순서대로 놓습니다.

2 스크린에 그림자가 생기도록 손전등으로 종이 인형을 비추어 봅시다.

3 손전등을 종이 인형에 가깝게 할 때와 멀게 할 때의 그림자의 크기를 예상한 후, 실험해 봅시다.

❶ 손전등의 위치에 따른 그림자의 크기를 예상해 봅시다.

▶ 손전등을 종이 인형에 가깝게 하면 그림자의 크기가 (☑ 커질, ☐ 작아질) 것입니다.

▶ 손전등을 종이 인형에서 멀게 하면 그림자의 크기가 (☐ 커질, ☑ 작아질) 것입니다.

❷ 실험을 해 보고 예상이 맞는지 확인해 봅시다.

▶ 손전등을 종이 인형에 가깝게 하면 그림자의 크기가 커진다 .

▶ 손전등을 종이 인형에서 멀게 하면 그림자의 크기가 작아진다 .

보충해설

스크린과 종이 인형을 그대로 두고, 손전등을 움직이면서 그림자의 크기를 관찰합니다.

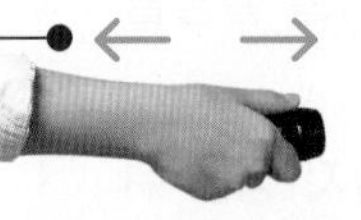

4 종이 인형을 손전등에 가깝게 할 때와 멀게 할 때의 그림자의 크기를 예상한 후, 실험해 봅시다.

보충해설 스크린과 손전등은 그대로 두고, 종이 인형을 움직이면서 종이 인형의 그림자의 크기가 어떻게 변하는지 관찰합니다.

❶ 종이 인형의 위치에 따른 그림자의 크기를 예상해 봅시다.

- ▶ 종이 인형을 손전등에 가깝게 하면 그림자의 크기가 (✔ 커질, ☐ 작아질) 것입니다.
- ▶ 종이 인형을 손전등에서 멀게 하면 그림자의 크기가 (☐ 커질, ✔ 작아질) 것입니다.

❷ 실험을 해 보고 예상이 맞는지 확인해 봅시다.

- ▶ 종이 인형을 손전등에 가깝게 하면 그림자의 크기가 [커진다].
- ▶ 종이 인형을 손전등에서 멀게 하면 그림자의 크기가 [작아진다].

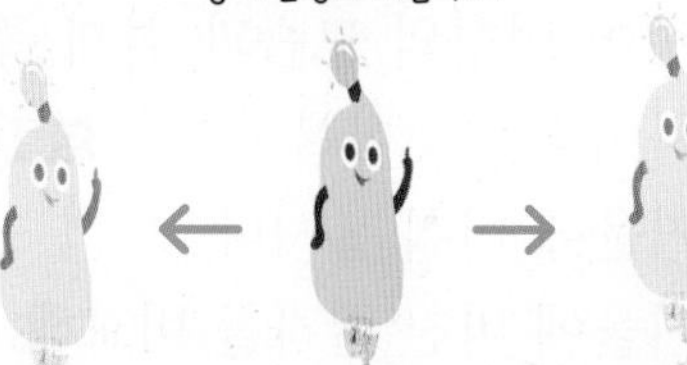

보충해설 스크린의 위치를 옮기는 경우도 그림자의 크기를 변화시킬 수 있으나 일반적이지 않습니다.

이렇게 ○○ 정리해요

그림자의 크기를 크게 또는 작게 하는 방법을 찾아서 선으로 연결해 봅시다.

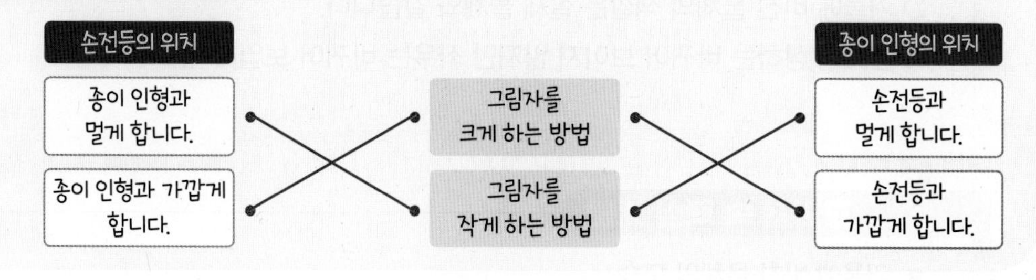

5 거울로 보면 바뀐 것이 있어요

과학 64~65쪽

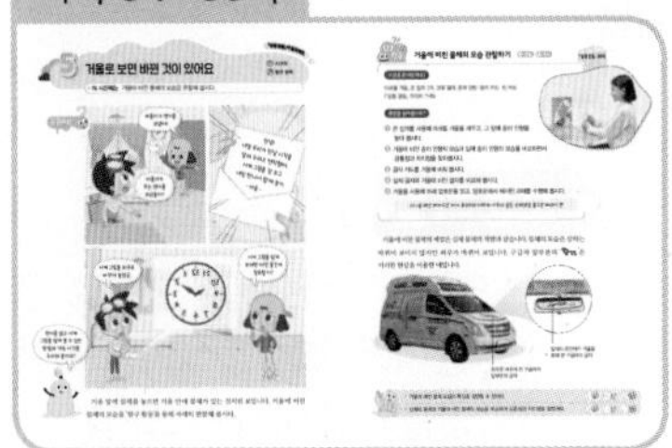

궁금해요

좌우가 바뀐 시계 그림을 쉽게 볼 수 있는 방법을 생각해 봅시다.

질문 편지를 읽고 시계 그림을 쉽게 볼 수 있는 방법과 약속 시간을 추리해 볼까요?

예시 답안
- 시계 그림을 쉽게 보려면 거울이 필요합니다.
- 약속 시간은 10시 10분입니다.

탐구 활동 거울에 비친 물체의 모습 관찰하기

자세한 해설은 92~93쪽에 있어요.

● **무엇을 준비할까요?**

아크릴 거울, 큰 집게 2개, 고정 집게, 종이 인형·글자 카드·빈 카드(『실험 관찰』 꾸러미 75쪽)

● **과정을 알아볼까요?**

❶ 큰 집게를 사용해 아크릴 거울을 세우고, 그 앞에 종이 인형을 놓아 봅시다.

❷ 거울에 비친 종이 인형의 모습과 실제 종이 인형의 모습을 비교하면서 공통점과 차이점을 찾아봅시다. 도움①

❸ 글자 카드를 거울에 비춰 봅시다.

❹ 실제 글자와 거울에 비친 글자를 비교해 봅시다.

❺ 거울을 사용해 아래 암호문을 읽고, 암호문에서 제시한 과제를 수행해 봅시다. 도움②

빈 카드에 친구를 응원하는 글을 좌우가 바뀌어 보이도록 써서 친구에게 전해 봅시다.

도움말 암호문을 좌우로 뒤집어 읽어 봅시다.

● **관찰 내용 및 결과를 정리해요**

➲ 거울에 비친 물체의 색깔은 실제 물체와 같습니다.

➲ 물체의 상하는 바뀌어 보이지 않지만 좌우는 바뀌어 보입니다.

➲ 거울에 비친 인형과 실제 인형 비교

➲ 거울에 비친 글자 카드

원래 글자 카드

그림자와 거울

교과서 속 핵심 개념

● **거울에 비친 물체의 모습**
- 거울에 비친 물체의 색깔은 실제 물체의 색깔과 같음.
- 물체의 모습은 상하는 바뀌어 보이지 않지만 좌우가 바뀌어 보임.

● **구급차 앞부분의 글자를 좌우로 바꾸어 쓴 까닭** 앞에 달리던 차의 거울에 구급차 앞부분의 모습이 비추어 보일 때, 좌우로 바꾸어 쓴 글자가 다시 좌우가 바뀌어 똑바로 보이기 때문임. 도움③

도움 ① 거울

거울은 빛의 직진을 이용해 물체의 모습을 비추는 도구입니다. 거울 앞에 물체를 놓으면 거울 안에 물체가 있는 것처럼 보입니다. 거울에 비춰진 물체는 실제 물체와 모양과 색깔이 똑같고, 물체의 상하는 바뀌어 보이지 않지만 좌우는 바뀌어 보입니다.

도움 ② 글자의 좌우가 바뀌어 보이도록 쓰는 방법

거울에 비친 모습을 보고 글씨를 쓰거나 흰 종이에 글씨를 쓴 뒤 좌우로 뒤집어서 글씨가 비친 모습을 옮겨서 쓰는 경우도 있습니다.

▲ 거울에 비친 모습

▲ 글씨를 좌우로 뒤집어 비친 모습

도움 ③ 구급차 앞부분의 글자를 좌우로 바꾸어 쓴 까닭

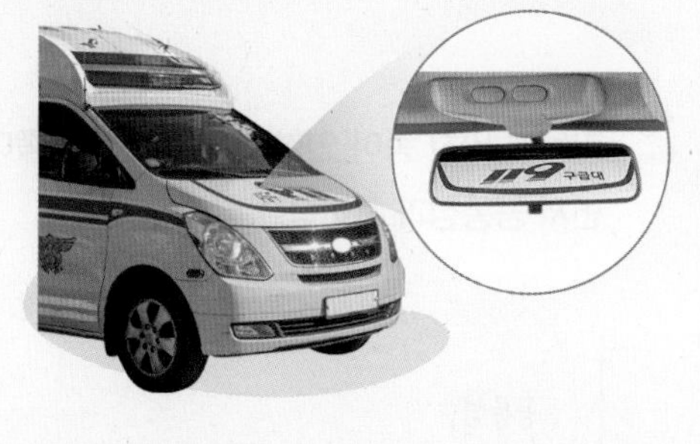

구급차는 응급 환자를 빠르게 병원으로 데려가야 하기 때문에 주변에 있는 차들의 양보가 반드시 필요합니다. 운전자는 차에 달린 거울을 통해 주변을 볼 수 있는데, 거울은 거울에 비추는 물체의 좌우를 바꿔어 보이게 합니다. 따라서 구급차 앞부분의 글자를 좌우로 바꾸어 '911'이라고 썼기 때문에 앞에 달리던 자동차 운전자는 거울로 119를 볼 수 있습니다.

스스로 확인해요

- **거울에 비친 물체 모습의 특징을 설명할 수 있어요.**
  도움말 실제 물체와 거울에 비친 모습의 공통점과 차이점으로 나누어 설명합니다.
- **실제의 물체와 거울에 비친 물체의 모습을 비교하여 공통점과 차이점을 찾았어요.**
  도움말 실제 물체와 거울에 비친 물체의 색깔, 위치 등을 관찰하면서 공통점과 차이점을 찾습니다.

정답과 해설 4쪽

교과서 개념 확인 문제

1 거울에 비친 물체의 특징으로 옳은 것은 ○표시를, 옳지 않은 것은 ×표시를 해 봅시다.

(1) 실제 물체의 색깔과 같습니다. (　　　)

(2) 물체의 상하가 바뀌어 보입니다. (　　　)

(3) 물체의 좌우가 바뀌어 보입니다. (　　　)

2 다음은 앞차의 운전자가 거울을 통해 본 구급차의 글자입니다. 구급차 앞부분에 실제 쓰여진 글자로 옳은 것을 골라 기호를 써 봅시다.

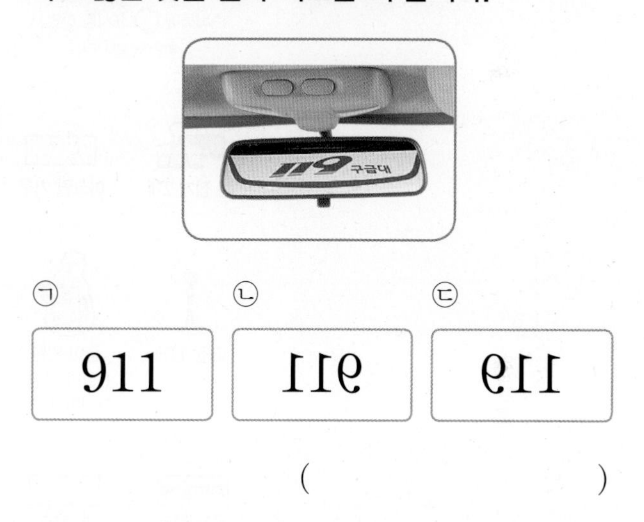

(　　　　　)

3 다음 거울에 비친 글자 모양 사진을 보고 종이에는 실제로 어떤 글자가 적혀 있는지 써 봅시다.

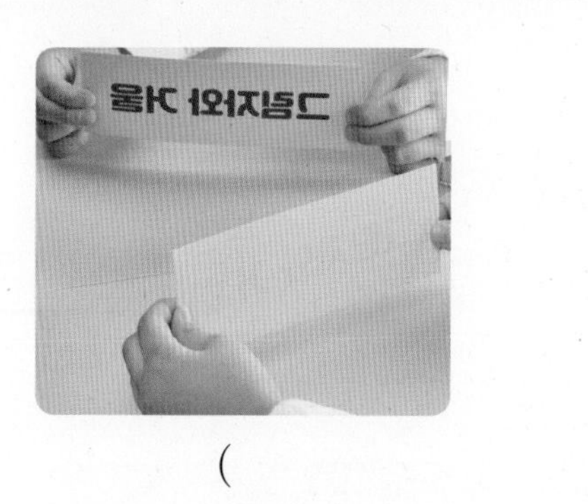

(　　　　　)

실험 관찰

관찰 추리

실험 관찰 38~39쪽

5 거울로 보면 바뀐 것이 있어요

탐구 활동 거울에 비친 물체의 모습 관찰하기

탐구 활동 도움말

이 탐구 활동은 거울에 비친 종이 인형과 글자 카드의 모습을 실제 물체의 모습과 비교해 보며, 거울의 성질을 알아보는 활동입니다.

『실험 관찰』 꾸러미 69쪽 붙임딱지를 붙여요.

거울을 조심히 다뤄요.

무엇을 준비할까요?

준비물에 ○ 표시를 하면서 확인해 봅시다.

큰 집게 2개

아크릴 거울

고정 집게

종이 인형 (『실험 관찰』 꾸러미 75쪽)

글자 카드 (『실험 관찰』 꾸러미 75쪽)

빈 카드 (『실험 관찰』 꾸러미 75쪽)

1 큰 집게를 사용해 아크릴 거울을 세우고, 그 앞에 종이 인형을 놓아 봅시다.

2 거울에 비친 종이 인형의 모습과 실제 종이 인형의 모습을 비교하면서 공통점과 차이점을 찾아봅시다.

<보기> 색깔, 왼팔, 오른팔, 반대

공통점

▶ [색깔] 이/가 같습니다.

차이점

▶ 실제 종이 인형은 [오른팔] 을/를 위로 올렸는데 거울에 비친 종이 인형은 [왼팔] 을/를 위로 올렸습니다.

▶ 위로 올린 팔의 위치가 서로 [반대] 입니다.

3 글자 카드를 거울에 비춰 봅시다.

4 실제 글자와 거울에 비친 글자를 비교해 봅시다.

실제 글자
- ▶ 색깔: 검은색
- ▶ 글자의 모양: 그림자와 거울

거울에 비친 글자
- ▶ 색깔: 검은색
- ▶ 글자의 모양: 그림자와 거울

보충해설
실제 글자 카드와 거울 속 글자 카드는 글자 모양의 좌우가 바뀌어 보입니다.

5 거울을 사용해 아래 암호문을 읽고, 암호문에서 제시한 과제를 수행해 봅시다.

빈 카드에 친구를 응원하는 글을
좌우가 바뀌어 보이도록 써서
친구에게 전해 줍니다.

보충해설
『실험 관찰』 39쪽을 세워서 거울에 비춰 봅니다.

예시 답안
친구야 파이팅!!

이렇게 OO 정리해요

거울에 비친 물체와 실제 물체의 공통점과 차이점을 이야기해 봅시다.

- ▶ 거울에 비친 물체의 [색깔]은/는 실제 물체와 같습니다.
- ▶ 물체의 [상하]은/는 바뀌어 보이지 않지만 [좌우]은/는 바뀌어 보입니다.

6 빛이 거울을 만나면 어떻게 될까요?

과학 66~67쪽

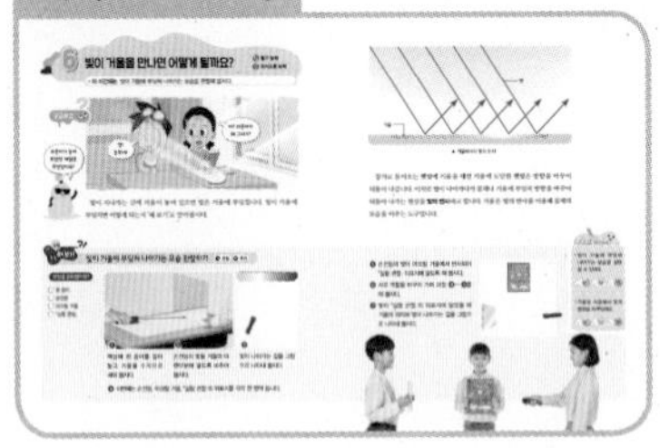

궁금해요

반사된 빛 때문에 눈이 부셨던 경험을 이야기해 봅시다. 도움 ①

질문 라온이가 눈이 부셨던 까닭은 무엇일까요?

예시 답안
- 햇빛이 손거울에 반사되었기 때문입니다.
- 거울에서 반사된 햇빛이 눈으로 들어왔기 때문입니다.

해 보기 빛이 거울에 부딪쳐 나아가는 모습 관찰하기

● **무엇을 준비할까요?**

흰 종이, 손전등, 아크릴 거울, 『실험 관찰』

● **과정을 알아볼까요?**

❶ 책상에 흰 종이를 깔아 놓고 거울을 수직으로 세워 봅시다.

❷ 손전등의 빛을 거울의 아랫부분에 닿도록 비추어 봅시다.

도움말 종이 위에 손전등의 빛이 이동하는 모습이 보이도록 합시다. 즉, 손전등의 빛이 흰 종이를 타고 나아가 거울의 아랫부분에 닿도록 해야 반사되는 빛의 모습을 잘 관찰할 수 있습니다.

❸ 빛이 나아가는 길을 그림으로 나타내 봅시다.

도움말 손전등에서 나아간 빛이 거울에 부딪쳐 나아가는 모습을 자를 사용하여 화살표로 그려 봅시다. 도움 ②

❹ 이번에는 손전등, 아크릴 거울, 『실험 관찰』의 뒤표지를 각각 한 명씩 듭니다.

❺ 손전등의 빛이 아크릴 거울에서 반사되어 『실험 관찰』 뒤표지에 닿도록 해 봅시다.

도움말 먼저 손전등을 든 학생이 움직여 봅시다. 거울을 든 학생 또는 『실험 관찰』을 든 학생이 움직일 수도 있습니다.

❻ 서로 역할을 바꾸어 가며 과정 ❹~❺를 해 봅시다.

❼ 빛이 『실험 관찰』의 뒤표지에 닿았을 때 거울의 위치와 빛이 나아가는 길을 그림으로 나타내 봅시다.

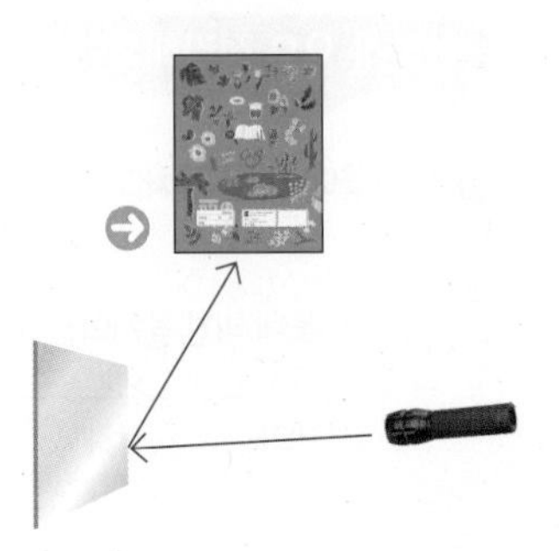

➡ 빛의 반사

➡ 거울

교과서 속 핵심 개념

- **빛의 반사** 빛이 나아가다가 물체나 거울에 부딪쳐 방향을 바꾸어 되돌아 나가는 현상
- **거울** 빛의 반사를 이용해 물체의 모습을 비추는 도구 도움 ③

정답과 해설 4쪽

교과서 개념 확인 문제

도움 ① 반사된 빛 때문에 눈이 부신 까닭

빛이 지나가는 길에 거울이 놓여 있으면 빛은 거울에 부딪칩니다. 거울에 부딪친 빛은 반사되어 빛이 나아가는 방향이 바뀝니다. 그래서 빛이 지나가는 길에 거울이 놓여 있고 반사된 빛이 주변의 사람 눈에 들어갈 경우 눈이 부시게 됩니다.

도움 ② 빛이 지나는 길을 직선으로 긋는 까닭

반사하는 빛의 경로를 표시하기 위해 자를 사용하여 직선으로 긋습니다. 그 까닭은 빛은 곧게 나아가는 성질이 있기 때문입니다. 빛은 직진하다가 거울을 만나서 방향이 바뀌고 다시 직진합니다.

도움 ③ 거울에서의 빛의 반사

- 햇빛에 거울을 대면 거울에 도달한 햇빛은 방향을 바꾸어 되돌아 나갑니다.
- 거울은 표면이 매끄러워 빛을 일정한 방향으로 반사합니다.

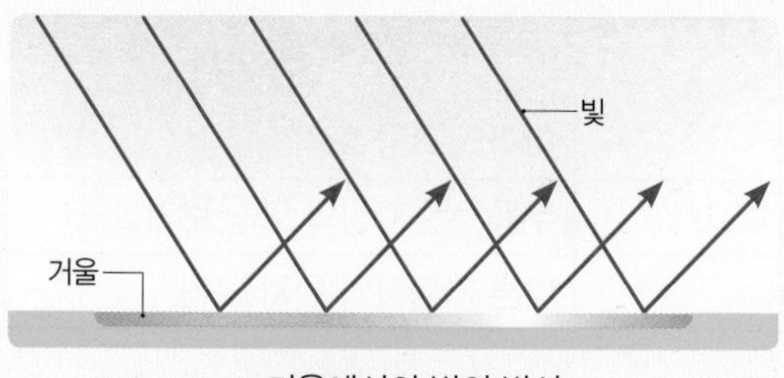

▲ 거울에서의 빛의 반사

스스로 확인해요

- **빛이 거울에 부딪쳐 나아가는 모습을 설명할 수 있어요.**
  도움말 빛이 나아가는 모습을 직접 그려 보며 설명합니다.
- **거울을 사용해서 빛의 방향을 바꾸었어요.**
  도움말 손전등의 위치나 거울의 각도를 조절하며 빛의 방향을 바꿉니다.

1 다음 글을 읽고 어떤 물체에 대한 설명인지 써 봅시다.

> 빛의 반사를 이용해 물체의 모습을 비추는 도구입니다.

(　　　　　　　　)

2 다음을 읽고 옳은 것은 ○표시를, 옳지 않은 것은 ×표시를 해 봅시다.

(1) 창가로 들어오는 햇빛에 거울을 대면 거울에 도달한 햇빛은 방향을 바꾸어 되돌아 나갑니다. (　　)

(2) 빛이 나아가는 길을 그림으로 나타낼 때 곡선을 활용합니다. (　　)

3 다음 빈칸에 들어갈 알맞은 말을 써 봅시다.

> 빛이 나아가다가 거울에 부딪쳐 (　　)을/를 바꾸어 되돌아 나가는 현상을 빛의 반사라고 합니다.

(　　　　　　　　)

4 다음 보기 중 손전등의 빛을 거울에 비췄을 때 손전등의 빛이 나아가는 모습을 옳게 나타낸 것을 골라 기호를 써 봅시다.

보기

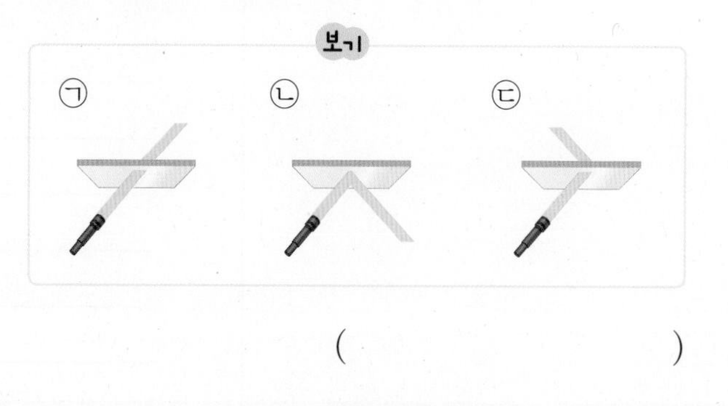

(　　　　　　　　)

7 주변에서 거울을 찾아보아요

우리 생활에서 거울을 이용한 예

궁금해요

라온이가 거울을 이용한 곳을 찾아봅시다.

질문 라온이의 하루 생활을 보며 거울을 만난 곳에 표시해 볼까요?

예시 답안 • 옷 입은 모습을 보았어요.
• 승강기를 타고 1층으로 내려갔어요.

해 보기 우리 생활에서 거울을 이용한 예 조사하기

- **무엇을 준비할까요?**

스마트 기기

- **과정을 알아볼까요?**

❶ 우리 생활에서 거울을 이용했던 경험을 이야기해 봅시다.

➲ 학교에서: 손거울로 얼굴을 살펴보았습니다. / 무용 연습할 때 거울을 보면서 했습니다.

➲ 집에서: 화장실에서 세수할 때 거울을 보았습니다.

❷ 그 밖의 우리 생활에서 거울을 이용한 예를 조사하여 그 쓰임새를 써 봅시다. 도움① 도움②

도움말 교과서에 제시된 검색어를 활용하여 거울을 어떤 용도로 사용하는지 생각해 봅시다. 검색어로는 '거울의 이용', '거울 장식품', '생활 속의 거울', '거울 아이디어 상품' 등으로 검색해서 예를 찾을 수 있습니다.

➲

거울을 이용한 예	쓰임새
미용실 거울	머리의 모양 보기
무용실 거울	무용하는 자신의 모습 보기
자동차 뒷거울	다른 자동차의 위치 보기

교과서 속 핵심 개념

- 거울을 이용한 예와 거울의 쓰임새

거울을 이용한 예	쓰임새
옷 가게 거울	옷 입은 모습 보기
승강기 안 거울	자신의 모습(옷과 얼굴) 보기
자동차 뒷거울	다른 자동차의 위치 보기
치과용 거울	입 안쪽의 보이지 않는 이 보기
무용실 거울	무용하는 자신의 모습 보기
손거울	자신의 얼굴 보기

도움 ① 우리 생활에서 거울을 이용한 또 다른 예

- 큰 거울을 설치해 실내를 넓어 보이게 합니다.
- 거울을 이용한 장식품이나 예술품을 만듭니다.
- 거울의 성질을 이용해 새로운 아이디어 상품을 개발하기도 합니다. 예 얼굴의 여러 면을 모두 볼 수 있게 만든 거울

도움 ② 거울의 쓰임새

거울은 우리가 흔히 사용하는 생활용품입니다. 사람들은 자신의 모습을 보거나 주변에 있는 다른 모습을 볼 때 거울을 사용합니다. 스마트폰 화면이나 유리창도 거울처럼 모습을 비추는 데 사용할 때가 있습니다. 그러나 스마트폰 화면이나 유리창은 거울이 아닙니다.

스스로 확인해요

- **우리 생활에서 거울이 이용된 예와 그 쓰임새를 이야기할 수 있어요.**
  도움말 '해 보기'에서 조사한 거울이 이용된 예와 쓰임새를 3가지 이상 설명합니다.
- **우리 생활에서 거울을 이용한 예를 조사했어요.**
  도움말 일상생활에서 거울을 이용한 다양한 예를 스마트기기로 조사합니다.

정답과 해설 4쪽

1 **거울을 이용한 예와 거울의 쓰임새를 선으로 연결해 봅시다.**

(1)	옷 가게 거울	㉠	옷 입은 모습 보기
(2)	자동차 뒷거울	㉡	무용하는 자신의 모습 보기
(3)	치과용 거울	㉢	입 안쪽의 보이지 않는 이 보기
(4)	무용실 거울	㉣	다른 자동차의 위치 보기

2 **거울의 이용에 대한 설명으로 옳은 것은 ○표시를, 옳지 않은 것은 ×표시를 해 봅시다.**

(1) 사람들은 자신의 모습을 볼 때 거울을 이용합니다. (　　)

(2) 사람들은 주변에 있는 다른 모습을 볼 때 거울을 이용합니다. (　　)

(3) 거울을 이용하면 가려져 보이지 않거나 내 뒤쪽에 있는 물체의 모습은 전혀 볼 수 없습니다. (　　)

과학 70~71쪽

거울이 찾아 준 행복

노르웨이의 리우칸 마을은 1년 중 6개월은 온종일 햇빛이 잘 비치지 않는 어두운 마을이었어요. 그 까닭은 마을이 높은 산으로 둘러싸여서 산 그림자가 마을 전체를 덮었기 때문이에요. 마을 사람들은 가을과 겨울에 햇빛을 쬐기 위해 마을 밖으로 나가거나 케이블카를 타고 산 위로 올라가야 했어요.

▼ 산으로 둘러싸인 리우칸 마을

과학 더하기 도움말

이 자료는 빛을 반사하는 거울의 성질을 활용하여 문제를 해결한 사례를 보여 줍니다. 이를 통해 과학 기술의 활용이 우리 생활에 많은 영향을 미치고 있음을 알 수 있습니다.

과학 더하기 해설

• **거울이 찾아 준 행복**

노르웨이의 리우칸 마을은 높은 산지에 둘러싸인 마을로 약 3,400명의 주민이 살고 있습니다. 리우칸 마을은 1900년대 초 샘 에이드(Sam Eyde)라는 엔지니어에 의해 계획된 마을입니다. 그는 리우칸 폭포를 이용하여 당시 세계 최대 규모의 수력 발전소를 지었고 자신의 회사에서 일할 주민들을 정착시키며 마을을 발전시켰습니다. 그러나 리우칸 마을은 매년 9월 말부터 3월 중순까지는 산 그림자가 드리워져 햇빛을 볼 수 없는 곳이기도 했습니다. 1913년에 샘 에이드는 산 위에 거대한 거울을 설치해서 마을을 향해 태양 빛을 반사하는 아이디어를 냈습니다.

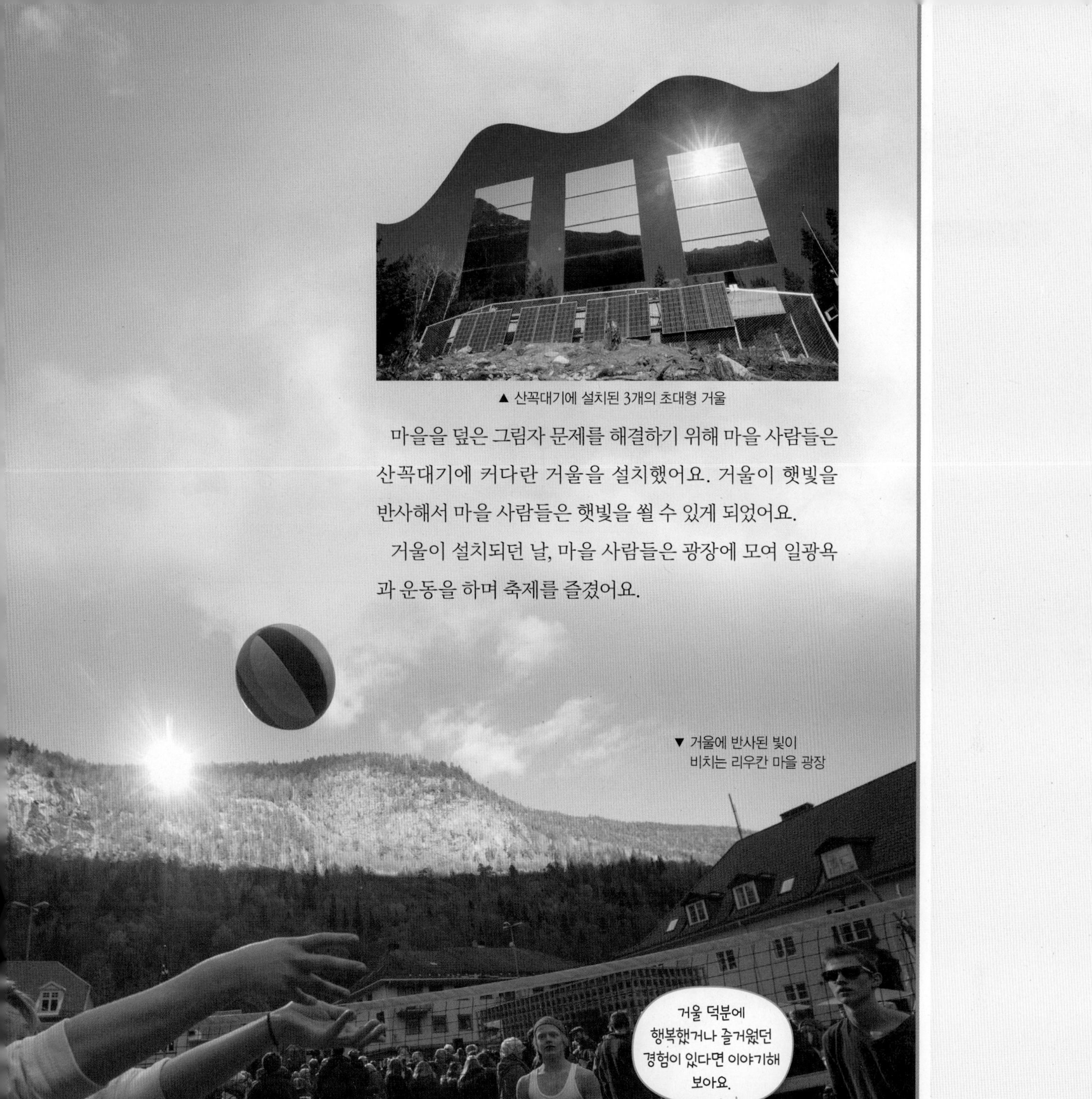

▲ 산꼭대기에 설치된 3개의 초대형 거울

마을을 덮은 그림자 문제를 해결하기 위해 마을 사람들은 산꼭대기에 커다란 거울을 설치했어요. 거울이 햇빛을 반사해서 마을 사람들은 햇빛을 쐴 수 있게 되었어요.

거울이 설치되던 날, 마을 사람들은 광장에 모여 일광욕과 운동을 하며 축제를 즐겼어요.

▼ 거울에 반사된 빛이 비치는 리우칸 마을 광장

- 거울 덕분에 행복했거나 즐거웠던 경험이 있다면 이야기해 보아요.
- ▶ 거울로 내 얼굴을 보니 기분이 좋아졌어요.
- ▶ 무용실 거울을 보며 춤을 연습하여 발표회에서 공연했어요.

▲ 리우칸 마을 사람들이 햇빛을 쐬기 위해 타고 다니던 케이블카

하지만 당시에는 기술의 부족으로 실현되지 못했습니다. 대신 그는 1928년에 도시와 산을 연결하는 케이블카를 건설했고, 마을 주민들은 케이블카를 타고 산 위로 올라가서 햇빛을 쐬고 돌아오기도 했습니다. 산 위에 거대한 거울을 만들자는 1913년의 아이디어는 2002년에 마을로 이주해 온 예술가 마틴 엔더슨(Martin Andersen)에 의해 2005년에 본격적으로 실현되기 시작했습니다. 2013년, 거울 아이디어가 나온 지 100주년을 기념하여 공식적으로 거울이 가동되기 시작했습니다.

마을 광장에서 약 450 m 떨어진 해발 742 m의 산 위에 위치한 거울 3개는 태양의 이동을 추적하여 10초마다 각도를 재조정합니다. 거울의 면적은 각각 17 m^2이며, 약 600 m^2의 마을 광장에 햇빛을 반사해 보냅니다.

해당 칸에 「과학」 부록 121쪽 붙임딱지를 붙이세요.

과학 72~73쪽

붙임딱지로 빈칸을 채우며 배운 내용을 정리해 봅시다.

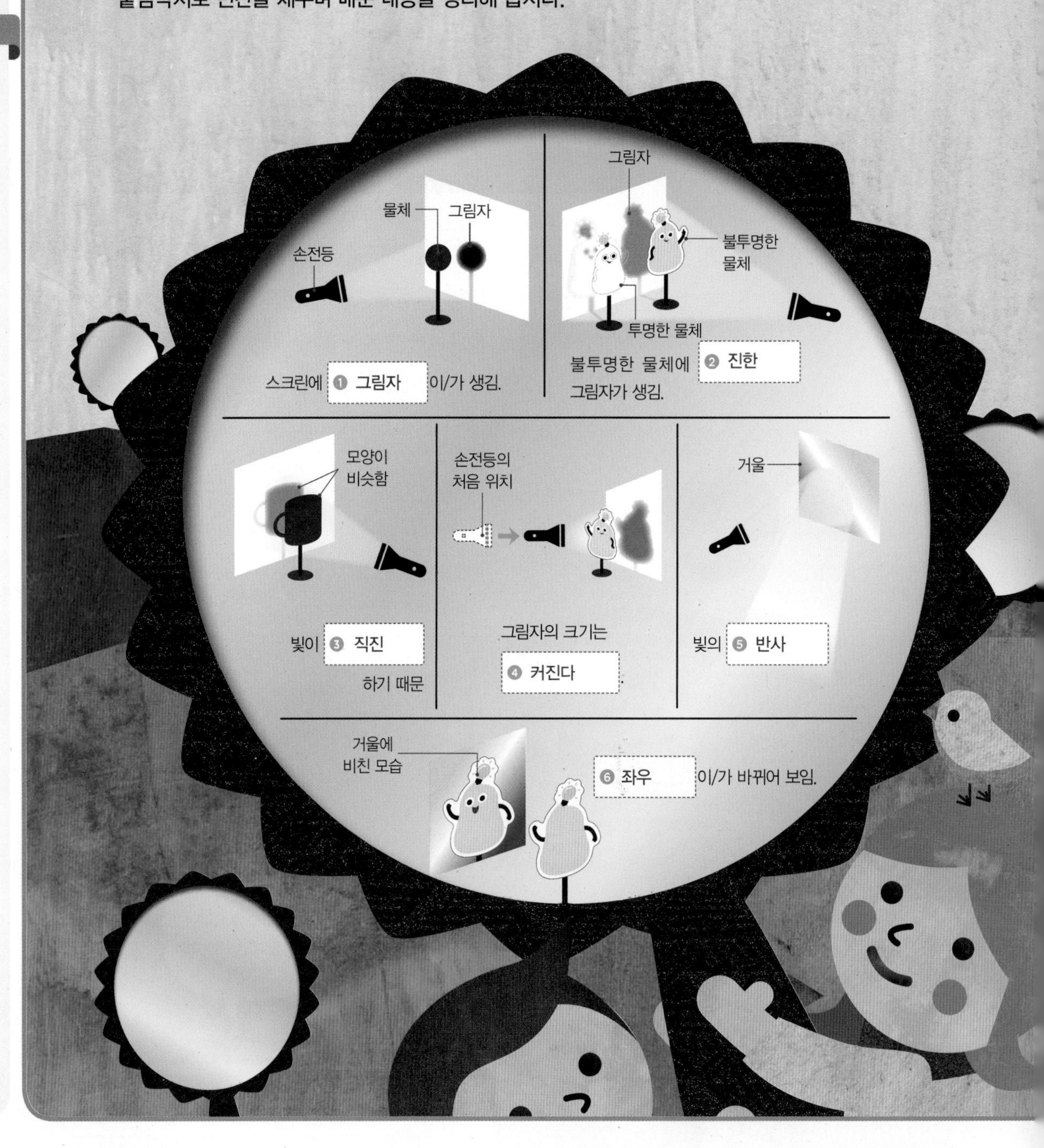

그림으로 정리하기 해설

❶ 물체에 빛을 비추면 물체 뒤쪽에 그림자가 생깁니다. 그림자가 생기기 위해서는 빛, 물체, 스크린이 순서대로 있어야 합니다.

❷ 빛을 불투명한 물체에 비추면 진하고 선명한 그림자가 생깁니다. 빛을 투명한 물체에 비추면 연하고 흐릿한 그림자가 생깁니다. 그 까닭은 불투명한 물체는 빛을 통과시키지 않지만 투명한 물체는 빛을 대부분 통과시키기 때문입니다.

❸ 물체의 모양과 그림자의 모양이 비슷한 까닭은 빛이 직진하기 때문입니다. 같은 물체라도 놓인 방향이 바뀌거나 빛을 비추는 방향이 바뀌면 그림자의 모양이 달라지기도 합니다.

❹ 손전등을 물체에서 멀게 하면 그림자의 크기는 작아지고, 손전등을 물체에 가깝게 하면 그림자의 크기는 커집니다. 또는 물체를 손전등에서 멀게 하면 그림자의 크기는 작아지고, 물체를 손전등에 가깝게 하면 그림자의 크기는 커집니다.

❺ 빛이 나아가다가 거울에 부딪치면 거울에서 반사되어서 방향을 바꾸어 되돌아 나아가는데, 이를 빛의 반사라고 합니다.

문제로 확인하기

❶ 그림과 같은 두 우산에 생기는 그림자에 대한 설명으로 옳은 것끼리 선으로 연결해 봅시다.

(1) 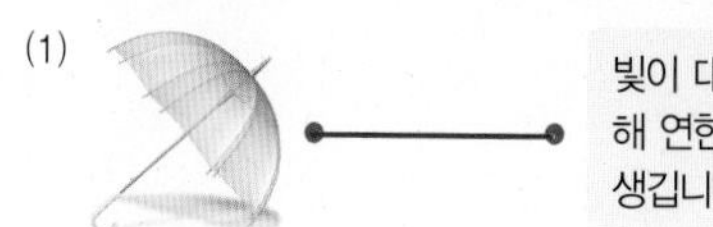 ● —— ● 빛이 대부분 통과해 연한 그림자가 생깁니다.

(2) 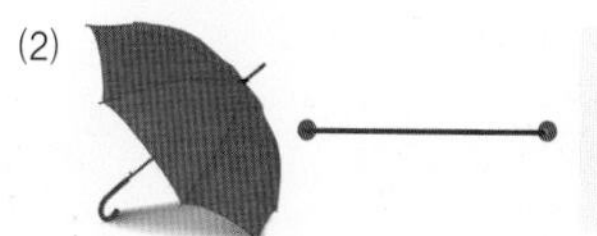 ● —— ● 빛이 대부분 통과하지 못해 진한 그림자가 생깁니다.

❷ 그림과 같이 물체와 스크린은 그대로 두고 불을 켠 손전등을 물체에서 멀게 할 때 그림자의 크기는 어떻게 변하는지 빈칸에 써넣어 봅시다.

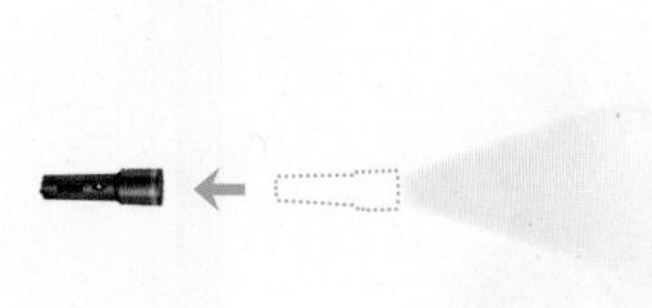

그림자의 크기가 작아진다.

❸ 그림을 보고 거울에 비친 물체의 모습에 대한 설명으로 옳은 것은 ○ 표시를, 옳지 않은 것은 × 표시를 해 봅시다.

(1) 거울에 비친 물체의 색깔은 실제 물체의 색깔과 같게 보입니다. (○)

(2) 거울에 비친 물체의 모습은 실제 물체의 모습과 좌우가 바뀌어 보입니다. (○)

과학 글쓰기

❹ 거울은 우리 생활을 편리하게 해 줍니다. 만약 거울이 갑자기 없어진다면 어떤 일이 일어날까요? 예를 참고하여 상상한 내용을 자유롭게 써 봅시다.

예
화장실 거울이 갑자기 없어진다면
얼굴에 묻은 비누 거품을 꼼꼼히 씻을 수 없어요.

예시 답안 머리카락이 많이 자랐다는 것을 친구가 이야기해 줘야 알 수 있습니다. 거울을 보지 않고 내 모습을 예쁘게 꾸미는 것은 어려운 일입니다.

도움말
우리 주변에서 거울이 사용되는 상황이나 물체를 찾아보고, 거울이 없다면 어떤 점이 불편할지 상상해 보면서 글을 쓰도록 유도합니다.

도전! 창의 융합

그림자를 활용한 예술 작품

벨기에 작가인 발(Bal, V., 1971 ~)은 그림자에 상상력을 더하여 많은 예술 작품을 남겼습니다. 우리도 이 작가처럼 상상력을 발휘하여 그림자를 활용한 작품을 만들어 봅시다.

『실험 관찰』 40쪽

❻ 거울에 비친 물체의 모습은 실제 물체와 색깔은 같으며, 상하는 바뀌어 보이지 않지만 좌우는 바뀌어 보입니다.

모양은 좌우가 바뀌어 보이며 상하는 바뀌어 보이지 않습니다.

문제로 확인하기 해설

❶ 불투명한 우산은 빛이 통과하지 못해 진한 그림자가 생기고, 투명한 우산은 빛이 대부분 통과해 연한 그림자가 생깁니다.

❷ 스크린은 그대로 두고, 불을 켠 손전등을 물체로부터 멀게 하면 그림자의 크기는 작아집니다.

❸ 거울에 비친 물체의 색깔은 실제 물체의 색깔과 같고, 모양은 좌우가 바뀌어 보이며 상하는 바뀌어 보이지 않습니다.

과학 글쓰기 해설

본문에 제시된 예시 답안 외에도 다음과 같은 답을 쓸 수도 있습니다. 아침에 일어나서 씻고 학교에 갔는데, 친구들이 내 얼굴을 보고 웃었습니다. 내 얼굴에 볼펜 선이 하나 그려져 있다고 하였습니다. 아침에 손으로 꼼꼼하게 얼굴을 만져서 씻었는데 볼펜 선은 만져지지 않아서 씻지 못한 것 같습니다.

실험 관찰

실험 관찰 40~41쪽

도전! 창의 융합

도전! 창의 융합 도움말

발(Bal, V., 1971 ~)은 그림자에 상상력을 더하여 많은 예술 작품을 남겼습니다. 우리도 발처럼 상상력을 발휘하여 그림자를 활용한 작품을 만들어 봅시다.

그림자를 활용한 예술 작품

다음은 벨기에 작가인 발(Bal, V., 1971 ~)의 그림자를 활용한 예술 작품이에요. 무엇을 표현한 작품인지 친구와 이야기해 보아요.

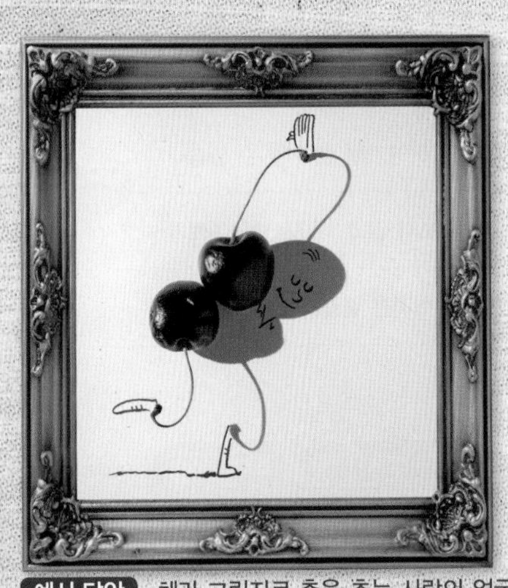

예시 답안 체리 그림자로 춤을 추는 사람의 얼굴과 몸을 표현했어요.

예시 답안 꽃 그림자가 사람의 머리카락이 되었는데 머리에 꽃 왕관을 쓰고 있는 것 같습니다.

예시 답안 도토리 껍질의 그림자가 코가 긴 생쥐의 몸통이 되었어요.

예시 답안 장구 핀 그림자로 한 다리로 서서 춤을 추는 사람을 표현했어요.

예시 답안 오리 인형의 그림자가 물건을 훔쳐 가는 도둑이 되었어요.

도움말

실제 그림자에 그림을 그려 보는 활동을 할 수도 있습니다.

① 흰 도화지에 물체를 올려 둡니다.
② 물체에 손전등으로 빛을 비추어서 흰 도화지 위에 그림자가 생기도록 합니다.
③ 그림자 위에 다양한 아이디어를 적용해서 작품을 표현합니다.
④ 스마트 기기나 카메라로 완성된 작품을 촬영합니다.
⑤ 작품을 친구들 앞에서 발표합니다.

예시 답안
- 작품명: 새
- 작가: 혜윰
- 작품 설명: 나뭇잎 그림자로 새를 표현했어요.

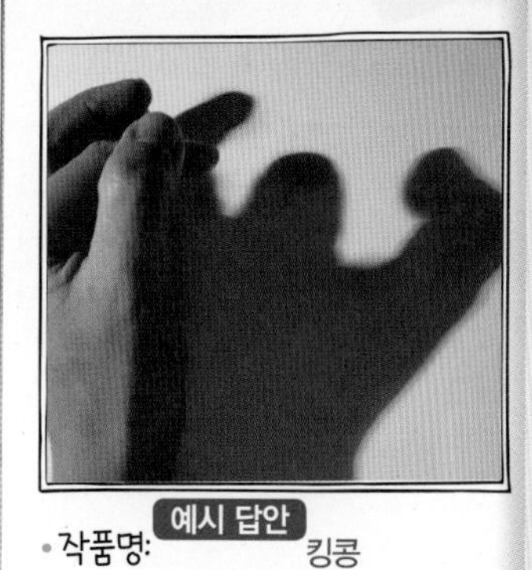

예시 답안
- 작품명: 킹콩
- 작가: 아띠
- 작품 설명: 손그림자로 두 팔을 들고 있는 킹콩을 표현했어요.

예시 답안
- 작품명: 문어
- 작가: 라온
- 작품 설명: 양파 그림자로 문어를 표현했어요.

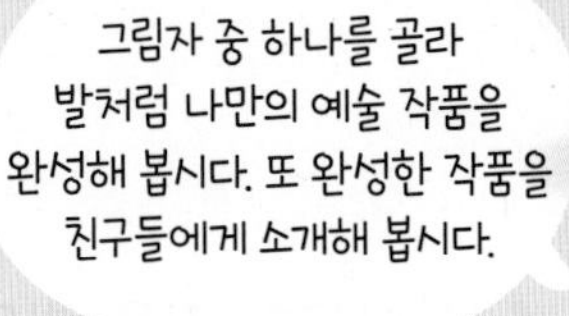

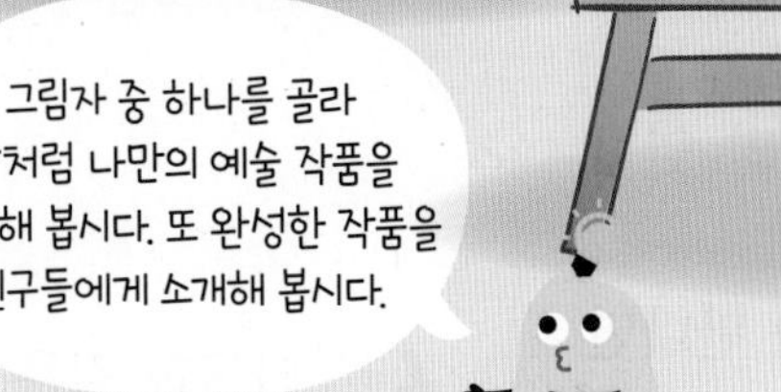

그림자 중 하나를 골라 발처럼 나만의 예술 작품을 완성해 봅시다. 또 완성한 작품을 친구들에게 소개해 봅시다.

교과서 평가 문제

1 **다음 중 그림자가 생기기 위해서 반드시 있어야 하는 것은 어느 것입니까? (　　　)**

① 물　② 공　③ 빛
④ 공기　⑤ 거울

2 **스크린, 손전등, 종이 인형을 사용하여 그림자를 만들려고 합니다. 스크린에 종이 인형의 그림자를 만들기 위해서 어떻게 배열해야 하는지 빈칸에 들어갈 알맞은 말을 쓰시오.**

▲ 스크린　▲ 손전등　▲ 종이 인형

(　　　　)–(　　　　)–스크린 순으로 배열해야 합니다.

중요

3 **다음 중 그림자의 진하기에 대한 설명으로 옳지 않은 것은 어느 것입니까? (　　　)**

① 빛이 나아가다가 책을 만나면 진한 그림자가 생깁니다.
② 빛이 나아가다가 유리컵을 만나면 연한 그림자가 생깁니다.
③ 빛이 나아가다가 불투명한 물체를 만나면 진한 그림자가 생깁니다.
④ 빛이 나아가다가 투명한 물체를 만나면 연한 그림자가 생깁니다.
⑤ 양산, 그늘막, 모자 등은 투명한 물체에 연한 그림자가 생기는 것을 이용한 예입니다.

4 **다음 물체에 빛을 비추었을 때 생기는 그림자를 선으로 연결하시오.**

(1) •　　• ㉠ 연한 그림자
(2) •　　• ㉡ 진한 그림자

중요

5 **다음은 서로 다른 방향에서 컵에 빛을 비추는 모습입니다. 스크린에 생긴 그림자 1과 그림자 2에 알맞은 모양을 선으로 연결하시오.**

(1) 그림자 1 •　　• ㉠
(2) 그림자 2 •　　• ㉡

6 **다음과 같은 빛의 성질을 무엇이라고 하는지 쓰시오.**

빛이 나아가다가 물체에 부딪쳐 방향을 바꾸어 되돌아 나가는 현상입니다.

(　　　　　　　　)

중요

7 다음은 그림자의 크기를 변화시키는 활동입니다. 손전등과 스크린은 그대로 두고 종이 인형을 손전등에 가깝게 하거나 멀게 할 때 종이 인형의 위치에 따른 그림자의 크기는 어떻게 변하는지 쓰시오.

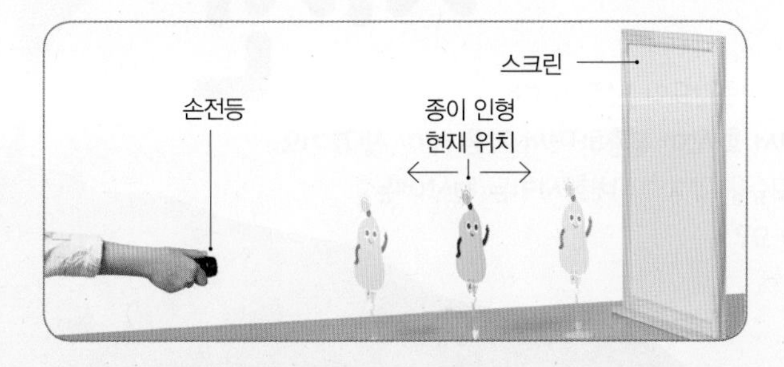

(1) 종이 인형을 현재 위치보다 손전등에 가깝게 할 때 그림자의 크기는 (   )집니다.

(2) 종이 인형을 현재 위치보다 손전등에서 멀게 할 때 그림자의 크기는 (   )집니다.

8 다음 보기 중 거울에 비친 물체의 모습에 대한 설명으로 옳은 것을 골라 기호를 쓰시오.

보기

㉠ 거울에 비친 물체의 모습은 좌우가 바뀌어 보입니다.

㉡ 거울에 비친 물체의 모습은 상하가 바뀌어 보입니다.

㉢ 거울에 비친 물체의 색깔은 실제 물체의 색깔과 다르게 보입니다.

(   )

9 다음 글자의 오른쪽에 거울을 놓았을 때 거울에 비친 글자의 모양을 빈칸에 쓰시오.

과 학	➡	

서술형 문제

10 다음 ㉠, ㉡, ㉢ 중 우리 생활에서 불투명한 물체를 이용하는 예를 찾아 기호를 쓰고 어떻게 이용하는지 쓰시오.

㉠ 음료수 페트병

㉡ 양산

㉢ 유리 온실

(1) 불투명한 물체를 이용한 예: (   )

(2) 이용하는 방법: ____________________

____

____

서술형 문제

11 다음은 종이 인형을 거울에 비춘 모습입니다. 실제 종이 인형과 거울에 비친 종이 인형의 공통점과 차이점을 쓰시오.

(1) 공통점: ____________________

____

(2) 차이점: ____________________

____

____

이 단원에서 공부할 내용

4 화산과 지진

1963년, 아이슬란드의 남쪽 바다 한가운데에서 화산이 분출하면서 작은 섬이 생겼어요. 이처럼 지표의 모습을 갑자기 변화시키는 현상에는 어떤 것이 있을까요?

단원 그림 도움말

단원 그림은 바다에서 일어난 화산 활동으로 만들어진 섬의 모습입니다. 일반적으로 화산 활동은 육지에서 일어나는 것만을 생각하는 경우가 많지만, 바다에서도 화산 활동이 일어납니다. 화산 활동으로 새로운 섬이 만들어지기도 한다는 사실을 통해 다양한 화산 활동에 흥미를 가지고 앞으로 배울 내용에 대해 생각해 봅시다.

불과 몇 년 전에도 화산 활동으로 새롭게 만들어진 섬이 있습니다. 2015년 1월 남태평양의 작은 섬나라인 통가에 새로운 화산섬이 생겼습니다. 통가 수도에서 북서쪽으로 65 km 떨어진 바다 위에 생겨난 이 화산섬의 이름은 '홍가 통가 홍가 하파이'로 공식적인 이름은 아니며, 화산의 이름을 딴 것입니다.

화산이 다시 분출하면 이 섬은 어떻게 바뀔까요?

섬의 윗부분이 사라지거나, 아주 크게 폭발하면 섬 전체가 사라질 수도 있습니다.

과학 76~77쪽

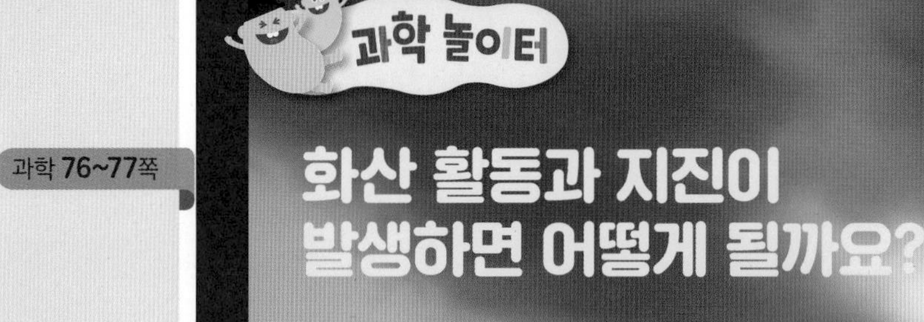

화산 활동과 지진이 발생하면 어떻게 될까요?

화산 활동과 지진이 발생하기 전과 발생한 후의 모습을 비교하는 카드놀이로 지표의 모습이 어떻게 변화하는지 알아보아요.

무엇을 준비할까요?

화산과 지진 카드
(『과학』 부록 122~123쪽)

지구 카드는 모둠에서 1장만 사용하세요.

① 카드를 뜯어 잘 섞은 다음, 4장씩 나누어 가지고 남은 카드는 가운데 쌓아 놓습니다.

② 시계 방향으로 돌아가면서 자신의 차례가 되면 오른쪽에 있는 친구의 카드를 1장 뽑습니다.

과학 놀이터 도움말

화산과 지진 카드놀이를 통해 화산 활동과 지진에 의해 변화된 지표의 모습을 이해할 수 있습니다.

이렇게 해요

준비물 도움말

- 『과학』 부록 122~123쪽에 있는 화산과 지진 카드를 뜯어 준비해 둡니다.

활동 도움말

① 카드를 뜯어 잘 섞은 다음, 4장씩 나누어 가지고 남은 카드는 가운데 쌓아 놓습니다.

도움말 지구 카드는 1장만 넣습니다.

② 시계 방향으로 돌아가면서 자신의 차례가 되면 오른쪽에 있는 친구의 카드를 1장 뽑습니다.

도움말 순서를 정한 뒤에 카드놀이를 시작합니다.

③ 화산 활동과 지진이 발생하기 전과 발생한 후의 모습이 짝이 맞으면 2장을 바닥에 내려놓습니다.

도움말 카드의 짝이 맞는지 확인할 때는 카드에 있는 설명을 확인합니다.

④ 짝이 맞지 않으면 가운데에서 카드 1장을 뽑고, 다음 친구에게 차례를 넘깁니다.

도움말 짝이 맞는 카드가 있어도 발견하지 못하고 차례가 넘어가면 그대로 게임을 진행합니다.

⑤ 카드를 모두 내려놓을 때까지 놀이를 합니다. 마지막에 남는 카드는 무엇인가요?

도움말 가장 마지막까지 카드를 들고 있는 사람이 게임에서 지게 됩니다. 지구 카드는 짝이 없으므로 가장 마지막에 남은 카드가 됩니다.

질문

- 화산 활동과 지진이 발생하면 어떤 변화가 생길까요?

나의 답 화산 활동으로 산 정상의 일부가 없어집니다. 화산이 분출하면 용암이 흘러 주변 지역의 나무가 모두 불에 탑니다. 지진으로 큰 건물이 무너집니다.

1 화산 활동으로 어떤 물질이 나올까요?

과학 78~79쪽

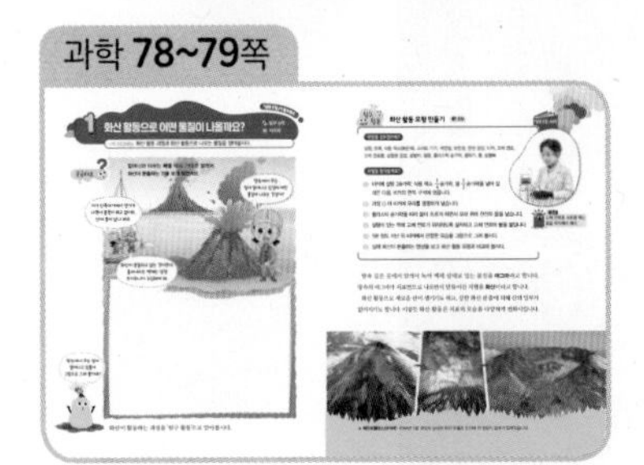

➲ 화산 활동으로 분출되는 용암

궁금해요

화산이 분출할 때 땅속에서 무슨 일이 일어나 연기가 나고 뜨거운 액체 물질이 흘러내리는지 생각해 봅시다.

질문 화산이 활동할 때 땅속에서 무슨 일이 일어나고 있을지 그림으로 그려 볼까요? 도움①

예시 답안 • 뜨거운 마그마가 가득 들어 있습니다.
• 뜨거운 물질이 끓어 넘치고 있을 것 같습니다.

탐구 활동 화산 활동 모형 만들기

자세한 해설은 114~115쪽에 있어요.

● **무엇을 준비할까요?**

설탕, 모래, 식용 색소(붉은색), 스마트 기기, 색연필, 보안경, 안전 장갑, 비커, 고체 연료, 고체 연료통, 실험용 장갑, 삼발이, 철망, 플라스틱 숟가락, 점화기, 물, 실험복

● **과정을 알아볼까요?**

❶ 비커에 설탕 2숟가락, 식용 색소 $\frac{1}{4}$숟가락, 물 $\frac{1}{2}$숟가락을 넣어 잘 섞은 다음, 비커의 한쪽 구석에 모읍니다.
❷ 과정 ❶의 비커에 모래를 평평하게 넣습니다.
❸ 플라스틱 숟가락을 따라 물이 흐르게 하면서 모래 위에 천천히 물을 넣습니다.
❹ 설탕이 있는 쪽에 고체 연료가 위치하도록 설치하고 고체 연료에 불을 붙입니다.
❺ 5분 정도 지난 뒤 비커에서 관찰한 모습을 그림으로 그려 봅시다.
❻ 실제 화산이 분출하는 영상을 보고 화산 활동 모형과 비교해 봅시다.

● **관찰 내용 및 결과를 정리해요** 도움②

➲ 가열하기 전의 설탕은 땅속의 마그마를, 모래는 지표를 나타냅니다.
➲ 비커를 가열하면 설탕이 녹기 시작하면서 공기 방울이 올라오며, 이 공기 방울은 실제 화산 활동에서 화산 가스를 나타냅니다.
➲ 녹은 설탕이 모래를 뚫고 올라와 흐르는 것은 실제 화산 활동에서 용암을 나타냅니다.

교과서 속 핵심 개념

● **마그마** 땅속 깊은 곳에서 암석이 녹아 액체 상태로 있는 물질 도움③
● **화산** 땅속의 마그마가 지표면으로 나오면서 만들어진 지형
• 화산 활동으로 새로운 산이 생기기도 하고, 강한 화산 분출에 의해 산의 일부가 없어지기도 함.

정답과 해설 4쪽

교과서 개념 확인 문제

도움 ① 화산이 활동할 때 땅속의 모습과 일어나는 현상

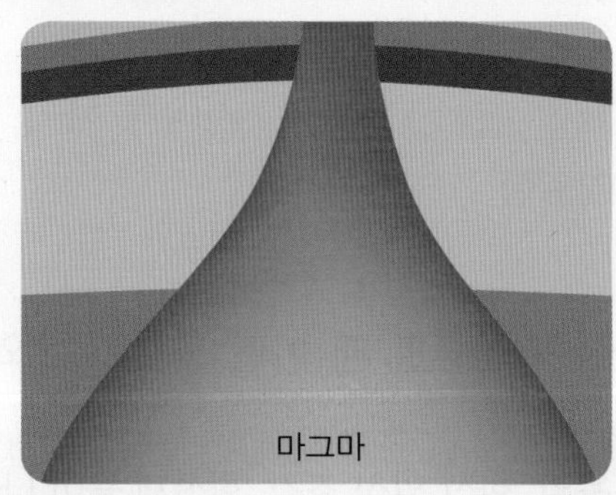

화산이 활동할 때 땅속에서는 뜨거운 마그마가 끓어 넘치고 있습니다. 또, 석탄이나 석유와 같은 연료가 같이 타기도 하면서 땅을 녹이기도 합니다.
화산이 분출하면 산에 불이 나기도 하며, 뜨거운 용암이 흐르고, 하늘에 먼지 같은 것이 많이 날아다닙니다.

도움 ② 화산 활동 모형 만들기 결과

▲ 가열하기 전 ▲ 가열한 후

도움 ③ 마그마와 용암

마그마에는 여러 가지 가스(화산 가스)가 많이 들어 있고, 그 주위는 단단한 암석이 누르고 있기 때문에 높은 압력을 받고 있습니다. 지하 깊은 곳에 있는 마그마가 분출하듯 지표면으로 나오는 것은 바로 이 때문입니다. 마그마가 지표로 흘러나오면 기체가 빠져나가고 용암이 됩니다.

1 다음 (　　) 안에 들어갈 알맞은 말에 ○표시를 해 봅시다.

(1) 화산 활동 모형 만들기 실험에서 가열하기 전의 ㉠ (설탕 , 모래)은/는 땅속의 마그마를 나타내고, ㉡ (설탕 , 모래)은/는 지표를 나타냅니다.
(2) 마그마는 (기체 , 액체 , 고체) 상태의 물질입니다.

2 다음 내용에서 옳은 것은 ○표시를, 옳지 않은 것은 ×표시를 해 봅시다.

(1) 화산이 분출하면 지표에는 아무런 변화가 없습니다. (　　)
(2) 화산 활동 모형 만들기 실험에서 비커를 가열했을 때 설탕이 녹으면서 올라오는 공기 방울은 실제 화산 활동에서 화산 가스를 나타냅니다. (　　)
(3) 화산 활동 모형 만들기 실험에서 녹은 설탕이 모래를 뚫고 올라와 흐르는 것은 실제 화산 활동에서 용암을 나타냅니다. (　　)

3 다음은 화산 활동 모형 만들기 실험에서 비커 안의 변화를 관찰한 뒤 그린 것입니다. 마그마를 나타내는 것에 ○표시를 해 봅시다.

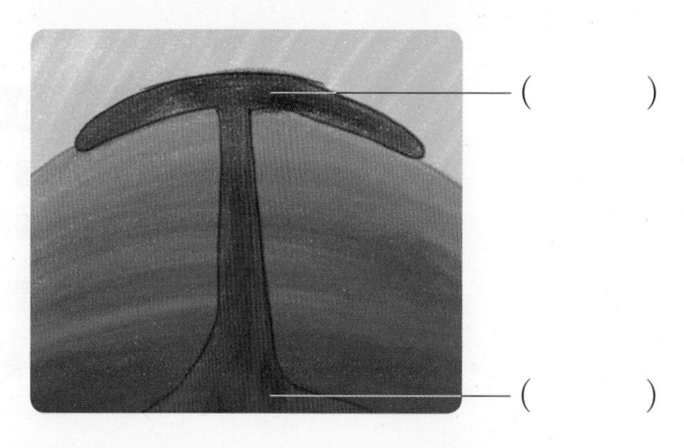

(　　)
(　　)

과학 80~81쪽

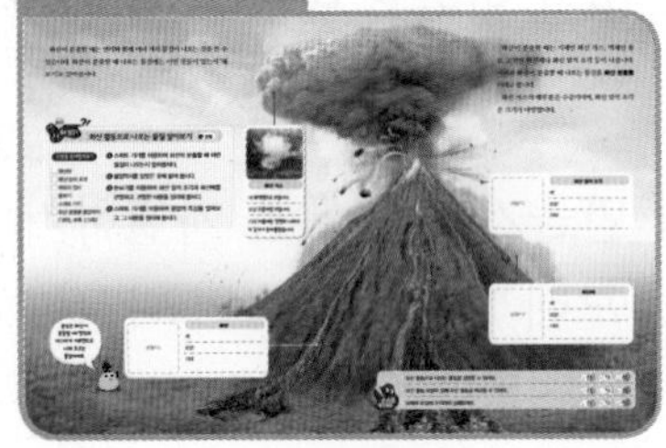

해 보기 화산 활동으로 나오는 물질 알아보기

- **무엇을 준비할까요?**

화산재, 화산 암석 조각, 페트리 접시, 돋보기, 스마트 기기, 화산 분출물 붙임딱지(『과학』 부록 125쪽)

- **과정을 알아볼까요?** 도움①

❶ 스마트 기기를 이용하여 화산이 분출할 때 어떤 물질이 나오는지 알아봅시다.

➲ 화산이 분출할 때는 화산 가스, 용암, 화산 암석 조각, 화산재 등이 나옵니다.

❷ 붙임딱지를 알맞은 곳에 붙여 봅시다.

➲ 붙임딱지로 붙인 물질은 다음과 같습니다.

▲ 화산 가스

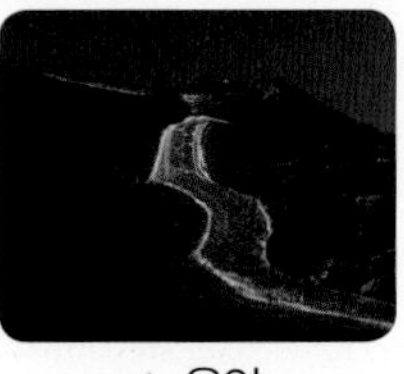
▲ 용암

▲ 화산 암석 조각

▲ 화산재

❸ 돋보기를 이용하여 화산 암석 조각과 화산재를 관찰하고, 관찰한 내용을 정리해 봅시다.

➲

구분	화산 암석 조각	화산재
색	짙은 갈색입니다.	옅은 회색입니다.
모양	둥근 모양입니다.	고운 가루처럼 보입니다.
기타	표면에 구멍이 뚫려 있고, 크기가 다양합니다.	바람에 쉽게 날립니다.

❹ 스마트 기기를 이용하여 용암의 특징을 알아보고, 그 내용을 정리해 봅시다. 도움②

색	검붉은색입니다.
모양	녹은 초콜릿처럼 보입니다.
기타	• 매우 뜨겁습니다. • 액체 상태입니다. • 지표면을 흐르면서 주변에 화재를 일으킵니다.

➲ **화산 분출물**

교과서 속 핵심 개념

- **화산 분출물** 화산이 분출할 때 나오는 물질
- **화산 분출물을 물질의 상태에 따라 구분하기**

구분	기체	액체	고체
화산 분출물	화산 가스 (대부분 수증기)	용암	화산재, 화산 암석 조각(크기 다양)

도움 ① 해 보기 활동 시 주의할 점

- 페트리 접시는 화산재와 화산 암석 조각을 관찰할 때 사용하지만 상황에 따라 흰 종이 위에 올려놓고 관찰할 수도 있습니다. 화산재와 화산 암석 조각을 흰 종이 위에 올려놓으면 밝고 어두운 정도가 잘 비교되어 화산재와 화산 암석 조각의 특징을 더 자세히 관찰할 수 있습니다.
- 실험 안전사고에 대비하여 눈을 보호하기 위해 보안경을 쓰는 것이 좋습니다. 또한 화산재의 경우 바람에 날릴 수 있으므로 상황에 따라 안전을 위해 마스크를 착용하는 것이 필요합니다.

도움 ② 화산과 용암

용암이 지표를 따라 흐르는 화산도 있고, 용암이 고체 화산 분출물이나 화산 가스 등과 함께 폭발하듯 솟구쳐 오르는 화산도 있습니다.

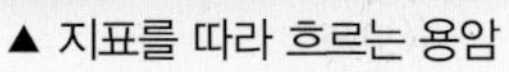
▲ 지표를 따라 흐르는 용암

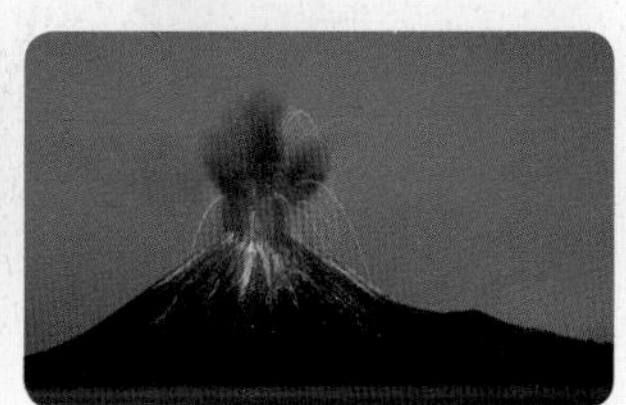
▲ 폭발하듯 솟구쳐 오르는 용암

스스로 확인해요

- **화산 활동으로 나오는 물질을 설명할 수 있어요.**
  도움말 화산 활동으로 나오는 물질의 종류와 각각의 특징을 설명합니다.
- **화산 활동 모형과 실제 화산 활동을 비교할 수 있어요.**
  도움말 탐구 활동에서 관찰한 내용이 실제 화산이 분출하는 영상에서는 어떤 부분과 비슷한지 비교하여 설명합니다.
- **화재와 화상에 주의하며 실험했어요.**
  도움말 불을 사용하고, 뜨거운 물질을 다루므로 화재와 화상 등의 안전사고에 주의합니다.

정답과 해설 4쪽

교과서 개념 확인 문제

4 다음은 화산 활동으로 나오는 물질에 대한 설명입니다. 옳은 것은 ○표시를, 옳지 않은 것은 ×표시를 해 봅시다.

(1) 화산이 분출할 때는 화산 가스, 용암, 화산 암석 조각, 화산재 등이 나옵니다. (　　)

(2) 화산 가스의 대부분은 수증기입니다. (　　)

(3) 용암은 기체 상태입니다. (　　)

(4) 화산 암석 조각은 크기가 다양합니다. (　　)

5 용암, 화산 가스, 화산재의 모습을 선으로 연결해 봅시다.

6 다음에서 화산 분출물의 종류를 빈칸에 써 봅시다.

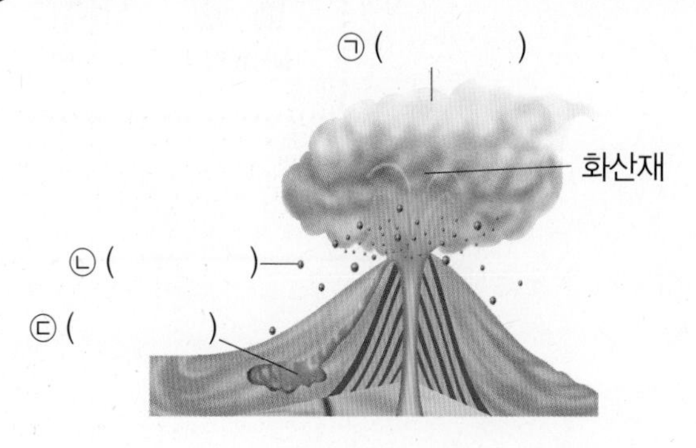

실험 관찰

관찰 · 실험 관찰 44~45쪽

1 화산 활동으로 어떤 물질이 나올까요?

탐구 활동 화산 활동 모형 만들기

탐구 활동 도움말

이 탐구 활동은 화산 활동 모형을 만들어 결과를 관찰하고 실제 화산이 분출하는 모습과 비교해 보면서 화산 활동이 일어나는 과정을 알아보는 활동입니다.

「실험 관찰」 꾸러미 69쪽 붙임딱지를 붙여요.

화재와 화상에 주의해요.

보충해설

- 물을 많이 넣으면 설탕이 너무 녹을 수 있으므로 조금만 넣도록 합니다.
- 설탕과 식용 색소를 섞은 물질을 비커의 한쪽 구석에 모으는 까닭은 설탕이 녹아 모래를 뚫고 올라오는 모습을 쉽게 관찰하기 위해서입니다.

무엇을 준비할까요?

준비물에 ○ 표시를 하면서 확인해 봅시다.

설탕

식용 색소 (붉은색)

모래

비커

철망

삼발이

고체 연료

고체 연료통

물

점화기

플라스틱 숟가락

스마트 기기

색연필

보안경

안전 장갑

실험용 장갑

실험복

1 비커에 설탕 2숟가락, 식용 색소 $\frac{1}{4}$숟가락, 물 $\frac{1}{2}$숟가락을 넣어 잘 섞은 다음, 비커의 한쪽 구석에 모읍니다.

2 과정 1의 비커에 모래를 평평하게 넣습니다.

과정 2와 과정 3에서 설탕, 모래, 물이 같은 높이가 되도록 넣어요.

3 플라스틱 숟가락을 따라 물이 흐르게 하면서 모래 위에 천천히 물을 넣습니다.

도움말

식용 색소를 섞은 설탕의 높이, 모래의 높이, 물의 높이가 1 : 1 : 1 정도가 되도록 물을 넣습니다.

물을 넣을 때 모래 표면이 파이지 않도록 해요.

4 설탕이 있는 쪽에 고체 연료가 위치하도록 설치하고 고체 연료에 불을 붙입니다.

5 5분 정도 지난 뒤 비커에서 관찰한 모습을 그림으로 그려 봅시다.

예시 답안

6 실제 화산이 분출하는 영상을 보고 화산 활동 모형과 비교해 봅시다.

예시 답안

화산 활동 모형	가열하기 전의 설탕	공기 방울	가열한 후에 모래를 뚫고 올라와 흐르는 설탕
실제 화산 활동	땅속에 녹아 있는 물질	화산 위로 솟아오르는 물질	화산 옆으로 흐르는 물질

이렇게 OO 정리해요

화산이 만들어지는 과정을 설명해 봅시다.

화산은 땅속에서 만들어진 [마그마] 이/가 지표를 뚫고 올라오면서 만들어진 지형입니다.

도움말

식용 색소를 섞은 설탕을 비커의 한쪽 구석에 모아서 넣었으므로 이를 녹이기 위하여 고체 연료도 같은 쪽에 위치하도록 설치하여 가열합니다.

도움말

- 식용 색소를 섞은 설탕이 모래를 뚫고 올라오는 시간은 길지 않으므로 가열하는 동안에는 계속 집중하여 올라오는 모습을 주의 깊게 관찰합니다.
- 그림을 그릴 때는 식용 색소를 섞은 설탕이 녹아 모래를 뚫고 올라오는 모습을 중심으로 표현합니다.

보충해설

가열하기 전의 설탕은 마그마, 공기 방울은 화산 가스, 가열한 후에 모래를 뚫고 올라와 흐르는 설탕은 용암을 나타내지만, 실험은 화산 분출물에 대한 내용을 학습하기 전이므로 관찰한 내용을 중심으로 씁니다.

2 마그마가 식으면 암석이 만들어져요

과학 82~85쪽

➲ 화성암이 이용된 사례

궁금해요

현무암과 화강암은 마그마가 식어서 만들어진 화성암입니다. 두 암석에서 관찰할 수 있는 특징이 다른 까닭을 생각해 봅시다. 도움①

질문 현무암과 화강암은 어떤 점이 다를까요?

예시 답안
- 암석의 색깔이 다릅니다.
- 현무암의 표면에는 작은 구멍이 뚫려 있지만, 화강암의 표면에는 구멍이 없습니다.

탐구 활동 현무암과 화강암 관찰하기

자세한 해설은 118~119쪽에 있어요.

- **무엇을 준비할까요?**

현무암, 화강암, 돋보기, 색연필

- **과정을 알아볼까요?**

도움②

▲ 현무암

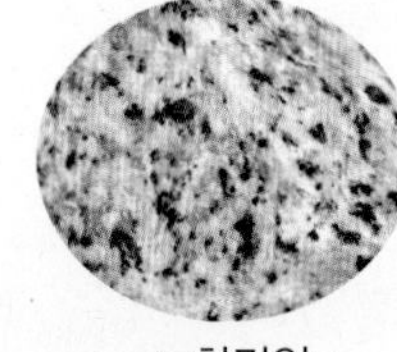
▲ 화강암

❶ 현무암의 표면을 돋보기로 관찰하고, 특징을 그림과 글로 정리해 봅시다. 도움③

❷ 화강암의 표면을 돋보기로 관찰하고, 특징을 그림과 글로 정리해 봅시다.

- **관찰 내용 및 결과를 정리해요**

➲ 현무암은 화강암보다 색깔이 어둡고, 알갱이의 크기가 작습니다.

➲ 화강암은 현무암보다 색깔이 밝고, 알갱이의 크기가 큽니다.

교과서 속 핵심 개념

- 현무암과 화강암의 특징 비교

구분	현무암	화강암
색깔	어두움.	밝음.
암석을 이루는 알갱이의 크기	마그마가 지표 가까이에서 빠르게 식어서 만들어졌기 때문에 알갱이의 크기가 작음.	마그마가 땅속 깊은 곳에서 서서히 식어서 만들어졌기 때문에 알갱이의 크기가 큼.
만들어지는 위치	지표 가까운 곳	땅속 깊은 곳
우리나라에서 볼 수 있는 곳	제주도, 울릉도, 한탄강 주변 등	도봉산, 설악산, 속리산, 팔공산, 유달산 등 도움④

도움 ① 화성암
액체 상태인 마그마가 식어서 만들어진 암석을 화성암이라고 합니다. 대표적인 암석은 현무암과 화강암입니다.

도움 ② 현무암과 화강암 관찰하기
암석을 관찰할 때는 전체적인 모습에서 세부적인 특징을 관찰하도록 합니다. 따라서 처음부터 돋보기로 관찰하기보다는 맨눈으로 먼저 관찰하고 돋보기를 사용하여 자세히 관찰하는 것이 좋습니다.

도움 ③ 현무암 표면의 특징
지표면에서 빠르게 식어 만들어진 현무암은 암석의 표면에 구멍이 많습니다. 이 구멍은 마그마가 분출하면서 포함하고 있던 가스 성분이 빠져나간 흔적입니다. 그러나 모든 현무암의 표면에 구멍이 있는 것은 아니며 구멍이 없는 현무암도 있습니다.

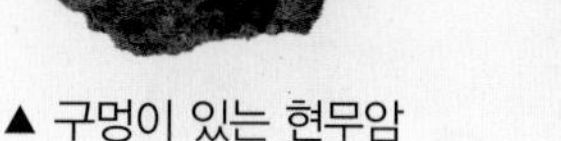
▲ 구멍이 있는 현무암

▲ 구멍이 없는 현무암

도움 ④ 땅속 깊은 곳에서 만들어진 화강암이 산 정상에 있는 까닭
지표가 오랫동안 물, 바람 등의 침식 작용으로 조금씩 깎여나가면서 땅속에 있던 화강암이 서서히 드러납니다. 그 뒤로도 침식 작용을 계속 받아 지금처럼 둥근 모양의 봉우리가 형성된 것입니다.

스스로 확인해요

- **현무암과 화강암의 특징을 비교하여 설명할 수 있어요.**
  도움말 현무암과 화강암의 색깔, 알갱이 크기 등의 차이점을 설명합니다.
- **현무암과 화강암의 알갱이의 크기가 다른 까닭을 설명할 수 있어요.**
  도움말 현무암과 화강암이 만들어진 위치와 마그마가 식는 빠르기 차이로 알갱이의 크기가 달라짐을 설명합니다.
- **암석을 조심히 다루고 안전하게 관찰했어요.**

정답과 해설 4쪽

1 다음은 화성암에 대한 설명입니다. (　　) 안에 들어갈 알맞은 말에 ○표시를 해 봅시다.

(1) 현무암은 색깔이 (어둡고 , 밝고), 암석을 이루는 알갱이의 크기가 작습니다.
(2) 화강암은 색깔이 밝고, 암석을 이루는 알갱이의 크기가 (큽니다 , 작습니다).

2 다음 화성암과 관계 있는 것끼리 선으로 연결해 봅시다.

(1)  •

(2) •

- • ㉠ 불국사 다보탑
- • ㉡ 돌하르방
- • ㉢ 알갱이의 크기가 큽니다.
- • ㉣ 알갱이의 크기가 작습니다.

3 다음에서 마그마가 굳어서 화강암이 만들어지는 위치의 기호를 써 봅시다.

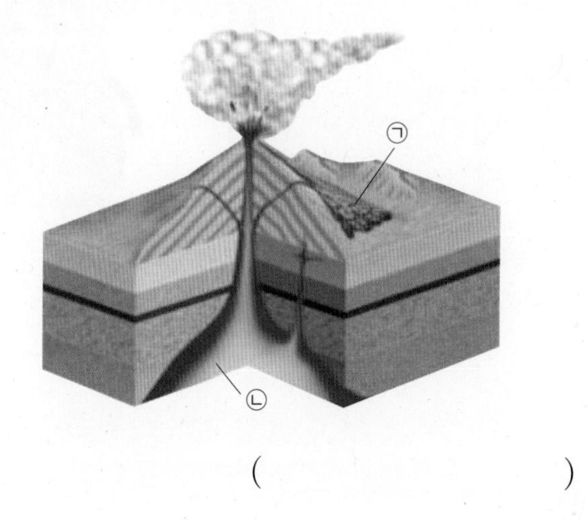

(　　　　　　　　　)

실험 관찰

관찰

실험 관찰 46~47쪽

2 마그마가 식으면 암석이 만들어져요

탐구 활동 현무암과 화강암 관찰하기

탐구 활동 도움말

이 탐구 활동은 현무암과 화강암을 돋보기로 관찰하여 정리한 후, 이를 바탕으로 현무암과 화강암의 특징을 비교해 보는 활동입니다.

「실험 관찰」 꾸러미 69쪽 붙임딱지를 붙여요.

암석을 함부로 다루지 않아요.

무엇을 준비할까요?

준비물에 ○ 표시를 하면서 확인해 봅시다.

현무암

화강암

돋보기

색연필

1 현무암의 표면을 돋보기로 관찰하고, 특징을 그림과 글로 정리해 봅시다.

❶ 현무암의 색깔, 알갱이의 크기 등을 관찰하고, 관찰한 모습을 그림으로 그려 봅시다.

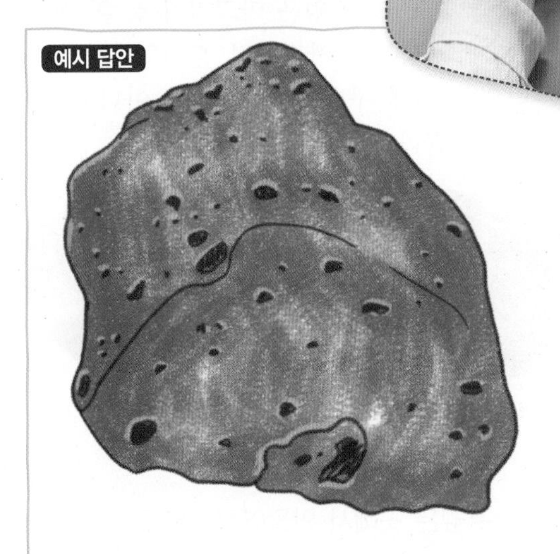

도움말

현무암과 화강암의 표본에 따라 색깔과 모양은 다를 수 있습니다. 전체적인 색깔, 알갱이의 크기 등을 관찰하여 기록합니다.

❷ 현무암을 관찰한 내용을 정리해 봅시다.

현무암은 색깔이 (✔ 어둡습니다, ☐ 밝습니다). 돋보기로 관찰하면 암석을 이루는 알갱이가 잘 (☐ 보입니다, ✔ 보이지 않습니다).
또, 현무암에서는 [표면에 뚫린 크고 작은 구멍] 을/를 관찰할 수 있습니다.

2 화강암의 표면을 돋보기로 관찰하고, 특징을 그림과 글로 정리 해 봅시다.

❶ 화강암의 색깔, 알갱이의 크기 등을 관찰하고, 관찰한 모습을 그림으로 그려 봅시다.

예시 답안

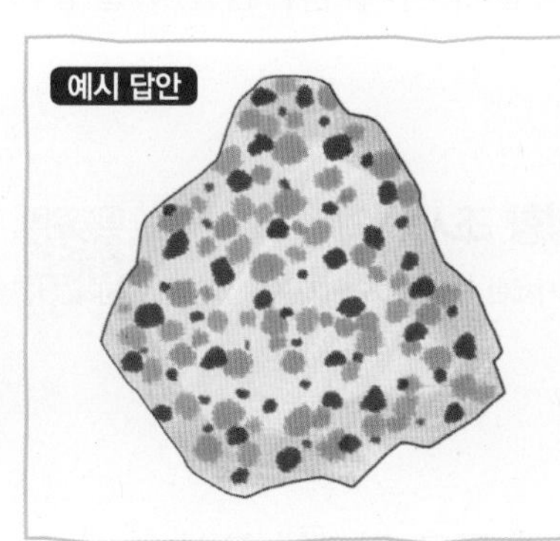

❷ 화강암을 관찰한 내용을 정리해 봅시다.

화강암은 색깔이 (☐ 어둡습니다, ☑ 밝습니다). 돋보기로 관찰하면 암석을 이루는 알갱이가 잘 (☑ 보입니다, ☐ 보이지 않습니다).

또, 화강암에서는 [검은색 알갱이와 반짝이는 알갱이] 을/를 관찰할 수 있습니다.

관찰한 내용으로 알맞은 것에 ✓ 표시를 해 보아요.

보충해설

화강암은 밝은색의 알갱이가 많이 포함되어 있어 색깔이 밝습니다.

이렇게 OO 정리해요

다음 단어를 이용하여 현무암과 화강암의 특징을 비교해 봅시다.

• 색깔 • 어둡다 • 밝다 • 알갱이의 크기 • 크다 • 작다

▶ 현무암은 화강암보다 [색깔이 어둡고, 알갱이의 크기가 작습니다].

▶ 화강암은 현무암보다 [색깔이 밝고, 알갱이의 크기가 큽니다].

보충해설

현무암은 마그마가 지표 가까이에서 빠르게 식어서 알갱이가 커질 시간이 짧고, 화강암은 마그마가 땅속 깊은 곳에서 천천히 식어서 알갱이가 커질 시간이 충분합니다.

3 화산 활동이 우리 생활에 영향을 줘요

과학 86~87쪽

궁금해요

화산재로 옷이 더러워진 것과 온천을 이용하는 모습을 보고 화산 활동이 주는 영향을 생각해 봅시다.

질문 화산 활동은 우리 생활에 어떤 영향을 줄까요? 도움①

예시 답안
- 화산 주변의 땅속의 열 때문에 우리가 온천을 이용할 수 있습니다.
- 화산 활동으로 분출된 용암으로 사람이 다치거나 산불이 발생합니다.

➲ 화산 활동의 이용 사례

탐구 활동 화산 활동이 미치는 영향 조사하기

자세한 해설은 122~123쪽에 있어요.

● **무엇을 준비할까요?**

스마트 기기, 색연필, 가위, 풀

● **과정을 알아볼까요?** 도움②

❶ 화산 활동의 피해 사례를 조사하여 그림과 글로 정리해 봅시다.

❷ 화산 활동의 이용 사례를 조사하여 그림과 글로 정리해 봅시다.

● **관찰 내용 및 결과를 정리해요**

➲ 화산 활동은 우리에게 피해를 주기도 하지만 도움을 주는 경우도 있습니다.

➲ 화산 활동은 산불이나 지진 발생 등과 같이 우리 생활에 피해를 줍니다.

➲ 화산 주변에 온천이나 관광지 개발 등과 같이 우리 생활에 이용하는 경우도 있습니다.

교과서 속 핵심 개념

● 화산 활동이 미치는 영향

화산 활동의 피해 사례	화산 활동의 이용 사례
• 용암이나 화산재가 마을과 농경지를 덮쳐 피해를 줌. • 산불이나 지진이 발생하기도 함. • 화산재로 인해 비행기의 엔진이 고장 나 항공기 운항을 어렵게 함.	• 화산 주변에 온천이나 관광지를 개발함. • 화산 주변 땅속의 열을 이용해 전기를 얻을 수 있음. • 화산재가 쌓여 기름지게 된 땅에서 농사를 짓기도 함.

정답과 해설 4쪽

교과서 개념 확인 문제

도움 ① 온천
일반적으로 온천은 화산 지대에 많이 분포하는데, 이는 화산 아래에 고온의 마그마가 있기 때문입니다. 온천수는 마그마의 열에 의해 데워진 지하수가 지표로 나오거나 또는 빗물이 지하 깊은 곳에 들어갔다가 데워져서 지표로 나오기도 합니다.

▲ 온천

도움 ② 화산 활동이 미치는 영향 조사하기
스마트 기기로 화산 활동의 피해 사례와 이용 사례를 조사하여 화산 활동이 우리 생활에 미치는 다양한 영향을 알아봅니다. 화산 활동은 인간의 힘으로는 막을 수 없는 자연재해지만 많은 연구를 통해 대비하여 화산 활동에 의한 피해를 줄이고 있습니다.

▲ 용암에 의한 피해

▲ 지열 발전소

스스로 확인해요

- **화산 활동이 우리 생활에 미치는 영향을 설명할 수 있어요.**
  도움말 화산 활동이 우리 생활에 미치는 영향을 피해와 이로운 점으로 구분하여 설명합니다.
- **화산 활동으로 피해를 입는 경우와 이용하는 경우를 조사할 수 있어요.**
  도움말 스마트 기기에 화산 활동, 화산재, 화산 가스, 용암, 온천 등의 검색어를 넣어 피해 사례와 이용 사례를 조사합니다.

1 **다음은 화산 활동이 주는 영향에 대한 설명입니다. 옳은 것은 ○표시를, 옳지 않은 것은 ×표시를 해 봅시다.**

(1) 화산재는 시간이 지날수록 땅을 기름지게 하여 농작물이 자라는 데 도움을 주기도 합니다. (　　)
(2) 마그마에 의한 땅속의 높은 열은 지열 발전에 피해를 줍니다. (　　)
(3) 화산 주변에는 온천이나 관광지를 개발하여 이용합니다. (　　)

2 **화산 활동의 이용 모습과 관련 내용을 선으로 연결해 봅시다.**

(1)  • 　• ㉠ 특이한 지형을 이용한 관광지

(2)  • 　• ㉡ 땅속의 높은 열을 이용한 온천

3 **다음에서 화산 활동의 피해 사례에 ○표시를 해 봅시다.**

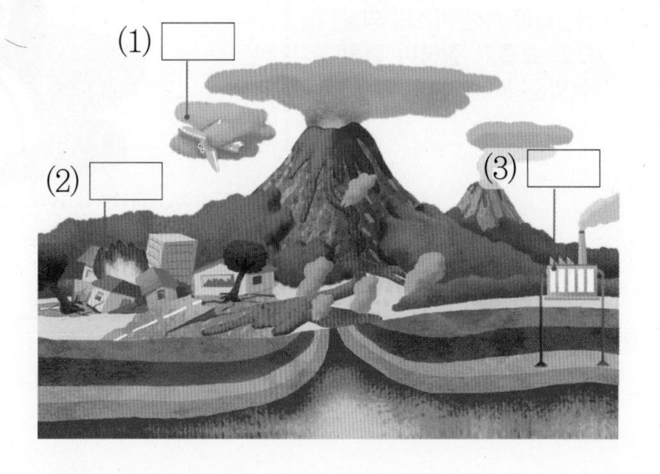

실험 관찰

의사소통

실험 관찰 48~49쪽

3 화산 활동이 우리 생활에 영향을 줘요

탐구 활동 화산 활동이 미치는 영향 조사하기

탐구 활동 도움말

이 탐구 활동은 화산 활동의 피해 사례와 이용 사례를 조사하고 조사한 내용을 발표, 토론 등의 의사소통 과정으로 정리해 보는 활동입니다.

도움말

사례를 찾아 직접 그림으로 그리거나 관련 사진을 과학 잡지 등에서 찾아 붙입니다.

보충해설

[화산 활동 피해 사례]
- 화산 분출로 지형이 변하고 산사태나 지진 등이 일어납니다.
- 화산재가 태양 빛을 차단해 동식물에게 피해를 주고 날씨의 변화가 나타나기도 합니다.
- 화산재와 화산 가스의 영향으로 호흡기 질병이 걸릴 수 있습니다.

「실험 관찰」 꾸러미 69쪽 붙임딱지를 붙여요.

스마트 기기는 필요할 때만 사용해요.

무엇을 준비할까요?

준비물에 ◯ 표시를 하면서 확인해 봅시다.

스마트 기기

색연필

가위

풀

1 화산 활동의 피해 사례를 조사하여 그림과 글로 정리해 봅시다.

- 그림을 그리거나 관련 사진을 붙이고 내용을 써 봅시다.

예

피해 사례 1 용암이 집과 농작물을 덮치는 피해가 발생했습니다.

예시 답안

피해 사례 2 화산 활동으로 산불이 발생했습니다.

피해 사례 3 농작물이 화산재에 덮여 피해가 발생했습니다.

2 화산 활동의 이용 사례를 조사하여 그림과 글로 정리해 봅시다.

- 그림을 그리거나 관련 사진을 붙이고 내용을 써 봅시다.

예

이용 사례 1 땅속의 높은 열을 이용하여 온천을 만들 수 있습니다.

예시 답안

이용 사례 2 화산 주변 땅속의 열을 이용하여 지열 발전을 합니다.

이용 사례 3 화산 활동으로 만들어진 특이한 지형은 관광지로 이용됩니다.

보충해설

[화산 활동 이용 사례]
- 화산 분출물에는 식물의 성장에 필요한 성분이 들어 있어 오랜 시간이 지나면 화산 주변의 땅이 기름져집니다.
- 화산 주변의 열을 이용해 전기를 만들고 난방을 합니다.

이렇게 OO 정리해요

화산 활동이 우리 생활에 미치는 영향에 대해 이야기해 봅시다.

예시 답안

화산 활동은 [용암이나 화산재에 의한 인명이나 재산 피해, 산불이나 지진 발생, 화산재에 의한 비행기 엔진 고장] 등과 같이 우리 생활에 피해를 주기도 하지만, [화산 주변에 온천이나 관광지 개발, 땅속의 열을 이용한 지열 발전, 화성암으로 조각품을 만들거나 건축 자재를 생산] 등과 같이 우리 생활에 이용하는 경우도 있습니다.

4 땅이 흔들려요

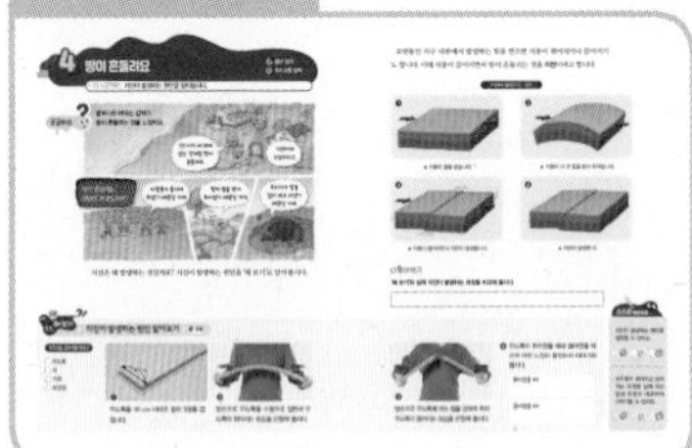

궁금해요

지진이 발생하면 땅이 흔들리는 까닭을 생각해 봅시다.

질문 땅이 흔들리는 까닭은 무엇일까요?

예시 답안 지구 내부에서 발생하는 힘 때문에 땅이 힘을 받아 부서지면서 흔들립니다.

➲ 지진 발생 모형실험과 지진 발생

지진은 지구 내부의 힘을 받아 지층이 끊어지면서 땅이 흔들리는 거예요.

해 보기 지진이 발생하는 원인 알아보기

- **무엇을 준비할까요?** 도움①

우드록, 자, 가위, 보안경

- **과정을 알아볼까요?**

❶ 우드록을 10 cm 너비로 잘라 3장을 겹칩니다. 도움②

❷ 양손으로 우드록을 수평으로 밀면서 우드록이 휘어지는 모습을 관찰해 봅시다.

➲ 우드록의 가운데 부분이 볼록하게 올라옵니다.

❸ 양손으로 우드록에 미는 힘을 강하게 주어 우드록이 끊어지는 모습을 관찰해 봅시다.

❹ 우드록이 휘어졌을 때와 끊어졌을 때 손에 어떤 느낌이 들었는지 이야기해 봅시다.

➲ 휘어졌을 때: 손에 힘이 듭니다.

➲ 끊어졌을 때: 손에 떨림이 느껴집니다.

더 알아보기

'해 보기'와 실제 지진이 발생하는 과정을 비교해 봅시다. 도움③

예시 답안 우드록은 지층을, 양손으로 미는 힘은 지구 내부에서 발생하는 힘을, 우드록이 끊어질 때의 떨림은 지진을 나타냅니다.

교과서 속 핵심 개념

- **지진** 지층이 끊어지면서 땅이 흔들리는 것
- **지진 발생의 원인** 지층이 오랫동안 지구 내부에서 발생하는 힘을 받으면 끊어지고 흔들리면서 지진이 발생함.
- **지진 발생 과정** 지층이 힘을 받음. → 지층이 더 큰 힘을 받아 휘어짐. → 지층이 끊어지면서 지진이 발생함.

정답과 해설 5쪽

도움 ① 지진 발생 모형실험 준비물

우드록은 가볍고 안전하며 작은 부스러기가 생기지 않아 실험 재료로 사용하기에 적합합니다. 하지만 재료비와 환경 문제를 고려한다면 쌀과자를 이용해서 실험을 해 보는 것도 좋은 방법일 수 있습니다. 반면 쉽게 구할 수 있는 종이 종류는 힘을 주면 휘어지긴 하지만 끊어지지 않으므로 대체 실험 재료로는 적합하지 않습니다.

▲ 쌀과자

도움 ② 지진 발생 모형실험 방법

우드록이 끊어질 때의 떨림을 잘 느낄 수 있도록 3장을 겹쳐서 합니다. 하지만 3장을 휘거나 끊는 것이 힘들다면 2장이나 1장으로만 할 수도 있습니다. 또한 우드록의 종류는 다양하기 때문에 준비할 우드록의 두께에 따라 겹치는 장수를 다르게 할 수도 있습니다.

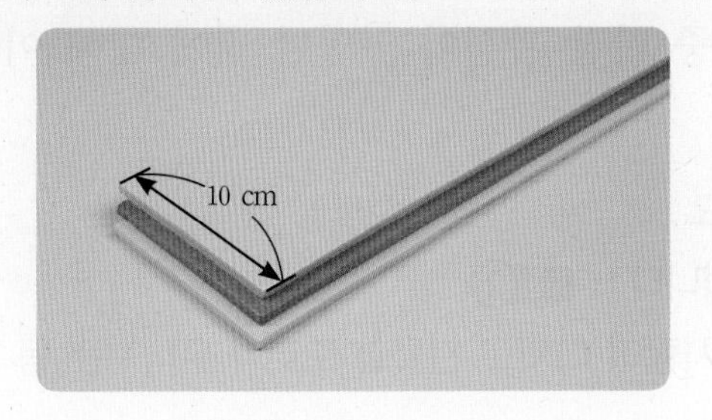

도움 ③ 지진 발생 모형실험과 실제 지진 비교

우드록은 짧은 시간 동안 주어진 힘에 의해 끊어지지만, 실제 지진은 오랜 시간 동안 작용하는 지구 내부의 힘에 의해 발생합니다.

스스로 확인해요

- **지진이 발생하는 원인을 설명할 수 있어요.**
  도움말 단단한 지층도 오랜 시간 동안 큰 힘을 받으면 휘어지거나 끊어질 수 있음을 설명합니다.
- **우드록이 휘어지고 끊어지는 과정을 실제 지진 발생 과정과 비교하여 이야기할 수 있어요.**
  도움말 우드록에 힘을 주어 밀면 휘어지다가 끊어지는 과정으로 실제 지층도 힘을 받으면 휘어지다가 끊어지게 된다는 것을 연결하여 설명합니다.

1 **다음은 지진 발생에 대한 설명입니다. 옳은 것은 ○표시를, 옳지 않은 것은 ×표시를 해 봅시다.**

(1) 땅이 지구 내부에서 작용하는 힘을 받아 끊어지면서 지진이 발생합니다. (　　)

(2) 지진은 짧은 시간 동안 힘을 받으면서 발생합니다. (　　)

(3) 지진 발생 모형실험에서 우드록은 실제 지진 발생에서 지층을 나타냅니다. (　　)

2 **지진이 발생하는 원인을 알아보기 위한 모형실험 과정과 실제 자연 현상을 선으로 연결해 봅시다.**

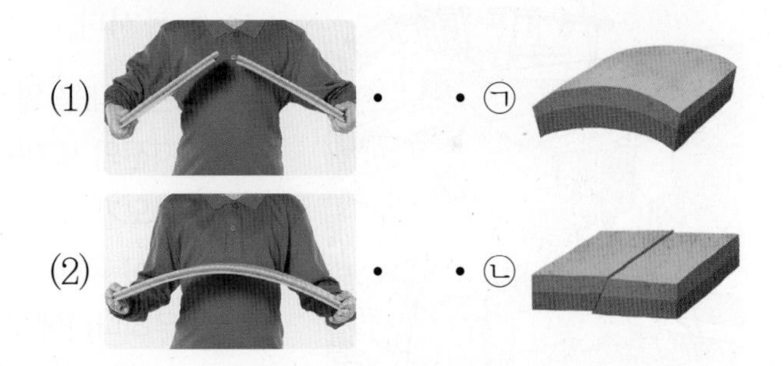

3 **다음은 지진 발생 모형실험 모습입니다. 우드록에 힘을 주어야 하는 방향을 빈칸에 화살표로 표시해 봅시다.**

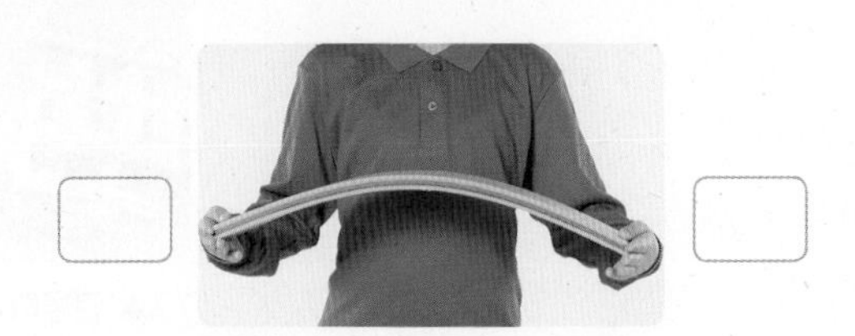

5 지진으로 피해가 발생했어요

과학 90~91쪽

궁금해요

지진 피해 뉴스를 보고 지진이 발생하면 어떤 피해가 생길지 생각해 봅시다.

질문 지진이 발생하면 집이나 학교에서는 어떤 피해가 생길까요? 도움①

예시 답안
- 집: 유리창이 깨지고, 꽃병이나 책장이 넘어집니다. 큰 지진이 발생하면 벽이 갈라집니다.
- 학교: 교실 벽에 금이 갑니다. 교실 천장이 부서지고, 전등이 떨어집니다.

➲ 지진의 발생

탐구 활동 지진 피해 사례 조사하기

자세한 해설은 128~129쪽에 있어요.

- **무엇을 준비할까요?**

스마트 기기, 색연필, 가위, 풀

- **과정을 알아볼까요?**

❶ 최근에 발생한 지진과 그 피해 사례를 조사해 봅시다.

❷ 조사한 내용을 바탕으로 지진 피해 사례를 알리는 신문 기사를 쓰고, 발표해 봅시다.

❸ 친구들이 쓴 신문 기사 중 가장 관심이 있었던 것에 대해 이야기해 봅시다.

- **관찰 내용 및 결과를 정리해요**

➲ 지진의 세기는 규모로 나타냅니다. 도움②

➲ 규모가 큰 지진이 발생하면 사람이 다치고 건물과 도로가 무너지는 등 인명 및 재산 피해가 생깁니다.

➲ 우리나라에서 지진으로 피해가 발생했으므로, 우리나라도 지진의 안전지대가 아닙니다.

➲ 지진의 규모와 피해

지진의 세기는 규모로 나타내요. 일반적으로 규모가 클수록 지진 피해 정도도 커져요.

교과서 속 핵심 개념

- **지진의 규모와 피해**

규모	피해 사례
• 얼마나 강한 지진이 발생했는지를 나타냄. • 규모의 숫자가 클수록 강한 지진임. (규모 5.0 > 규모 3.0)	• 규모가 큰 지진이 발생하면 건물이나 도로가 부서짐. • 땅이 갈라지거나 산사태가 일어나기도 함.

▲ 건물이 무너짐.

▲ 자동차가 부서짐.

▲ 도로가 갈라짐.

▲ 건물 벽이 무너짐.

교과서 개념 확인 문제

1 **다음은 지진의 규모에 대한 설명입니다. 옳은 것은 ○표시를, 옳지 않은 것은 ×표시를 해 봅시다.**

(1) 지진의 규모로 얼마나 강한 지진이 발생했는지를 알 수 있습니다. ( )

(2) 규모가 큰 지진이 발생하면 유리창이 깨지거나 꽃병이 넘어지는 작은 피해만 생깁니다. ( )

2 **지진 피해 사례에 대한 설명으로 옳지 않은 것을 보기에서 골라 기호를 쓰시오.**

보기

㉠ 우리나라는 지진에 안전한 지역이 아닙니다.

㉡ 지진의 규모에 따라 피해 발생 정도가 달라집니다.

㉢ 여러 나라에서 지진이 발생하여 피해가 생겼습니다.

㉣ 지진이 발생해도 건물이 무너지거나 도로가 부서지는 등의 피해는 생기지 않습니다.

( )

3 **다음은 최근에 발생한 지진을 조사한 것입니다. 빈칸에 들어갈 알맞은 말을 보기에서 골라 써 봅시다.**

보기

발생 지역, 날짜, 규모, 피해 내용

(㉠)	(㉡)	(㉢)
필리핀 루손섬	2019년 4월 22일	6.1
경상북도 포항시	2017년 11월 15일	5.4
경상북도 경주시	2016년 9월 12일	5.8

㉠ ( ) ㉡ ( ) ㉢ ( )

도움 ① 지진의 규모와 피해

- 우리나라의 경주와 포항에서 발생한 지진의 경우 규모는 경주에서의 지진이 더 컸지만, 피해가 더 큰 것은 포항에서의 지진이었습니다. 그 까닭은 포항은 경주보다 지진이 발생한 지점(진원)으로부터의 거리가 더 가깝기 때문입니다.

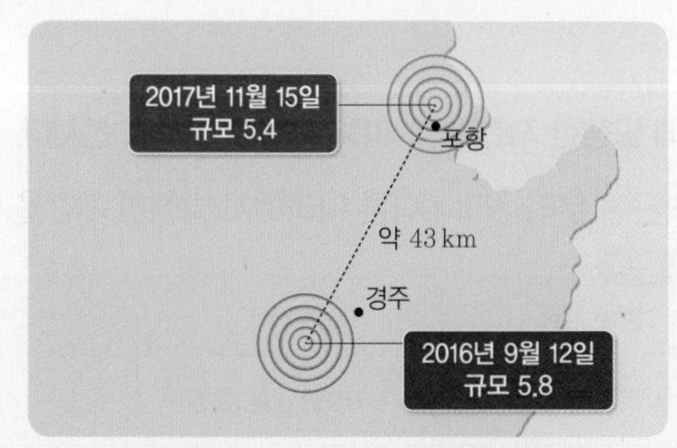

▲ 경주와 포항에서 발생한 지진

- 지진의 피해는 진원으로부터의 거리, 암석과 토양의 종류, 건축 설계, 화재 가능성, 산사태나 지진 해일의 영향, 도시화의 정도, 인구 밀도 등에 따라 다르게 나타납니다.

도움 ② 지진의 세기

- 규모: 지진이 발생할 때 방출되는 에너지의 양을 수치로 나타낸 것입니다. 지진 자체의 세기를 측정하는 단위입니다.
- 진도: 지진에 의해 어떤 지점에서 사람이 느낀 정도 또는 구조물의 피해 정도로 지진의 세기를 구분한 것입니다.

스스로 확인해요

- **지진으로 인한 피해 사례를 이야기할 수 있어요.**
  도움말 조사한 여러 가지 피해 사례를 떠올려 보면서 어떤 피해들이 생겼는지 설명합니다.
- **지진으로 발생한 피해 사례를 조사했어요.**
  도움말 스마트 기기를 이용하여 지진 발생 장소, 규모, 피해 사례를 조사합니다.

실험 관찰

의사소통

실험 관찰 50~51쪽

5 지진으로 피해가 발생했어요

탐구 활동 지진 피해 사례 조사하기

탐구 활동 도움말

이 탐구 활동은 여러 지진 피해 사례를 조사한 후, 조사한 내용을 바탕으로 신문 기사를 작성하고 발표해 보는 활동입니다.

『실험 관찰』 꾸러미 69쪽 붙임딱지를 붙여요.

친구가 발표할 때 떠들지 않아요.

보충해설

지진의 피해 사례를 조사할 때는 지진이 발생한 지역, 지진이 발생한 날짜, 지진의 규모, 지진으로 인한 피해 내용 등을 조사합니다.

무엇을 준비할까요?

준비물에 ◯ 표시를 하면서 확인해 봅시다.

스마트 기기

색연필

가위

풀

도움말

지진에 의한 피해는 정도에 차이만 있을 뿐 사람들의 생활에 영향을 미칩니다.

1 최근에 발생한 지진과 그 피해 사례를 조사해 봅시다.

❶ 최근에 우리나라나 다른 나라에서 발생한 지진을 알아봅시다.

예시 답안

발생 지역	날짜	규모
필리핀 루손섬	2019년 4월 22일	6.1
경상북도 포항시	2017년 11월 15일	5.4
경상북도 경주시	2016년 9월 12일	5.8

❷ 지진으로 발생한 피해 사례를 조사해 봅시다.

예

지진 피해 사례 1

▶ 발생 지역: 경상북도 포항시

▶ 날짜: 2017년 11월 15일

▶ 규모: 5.4

▶ 피해 내용: 도로가 갈라지고 건물 외벽이 무너졌습니다.

예시 답안

지진 피해 사례 2

▶ 발생 지역: 필리핀 루손섬

▶ 날짜: 2019년 4월 22일

▶ 규모: 6.1

▶ 피해 내용: 건물이 무너지고, 사망자와 부상자가 발생했습니다.

2 조사한 내용을 바탕으로 지진 피해 사례를 알리는 신문 기사를 쓰고, 발표해 봅시다.

예

과학 신문

경상북도 경주에서 지진 발생

2016년 9월 12일 경상북도 경주에서 규모 5.8의 지진이 발생했습니다. 이 지진은 1978년 기상청이 관측을 시작한 이후 우리나라에서 발생한 가장 큰 규모의 지진입니다. 이 지진으로 집과 자동차가 부서지는 등의 재산 피해와 많은 부상자가 발생했습니다.

예시 답안

○○○ 신문

필리핀에서 규모 6.1의 지진 발생

2019년 4월 22일 필리핀 루손섬에서 규모 6.1의 지진이 발생해 사망자와 부상자가 발생하고, 집과 건물이 무너지는 등 심각한 피해가 생겼습니다. 한때 지진으로 인한 정전 때문에 구조 작업에 어려움을 겪기도 했습니다. 이 지진으로 주변 지역의 공항, 학교 등이 일시적으로 폐쇄되면서 한국과 필리핀을 오가는 항공기 운항이 중단되기도 했습니다.

보충해설

우리나라도 더 이상 지진에 안전한 지역이 아닙니다. 우리도 지진에 대비하는 자세가 필요합니다.

도움말

신문 기사를 작성하는 학생 본인의 이름을 쓰는 공간입니다.

3 친구들이 쓴 신문 기사 중 가장 관심이 있었던 것에 대해 이야기해 봅시다.

예시 답안

가장 관심이 있었던 것은 ○○○ 의 신문 기사입니다.

그 까닭은 우리나라에서 발생한 지진에 대한 피해 사례였기 때문입니다. 우리나라에서도 지진이 언제 발생할지 모르기 때문에 평소에 지진 대처 방법을 알아 두어야겠다고 생각했습니다.

이렇게 ○○ 정리해요

지진에 의한 피해에는 어떤 것이 있는지 이야기해 봅시다.

지진이 발생하면 건물이 무너짐, 사망자 및 부상자 발생, 도로가 갈라짐, 실종자 발생 등 와/과 같은 피해가 생기기도 합니다.

6 지진이 발생하면 어떻게 해야 할까요?

과학 92~93쪽

➲ 지진 발생 시 대처 방법

궁금해요

지진이 발생해서 집이 흔들리고 있을 때 안전하게 대처하는 방법을 찾아봅시다.

질문 지진이 발생하였을 때 알맞은 대처 방법을 『과학』 부록 125쪽의 지진 대처 방법 붙임딱지에서 찾아 붙여 볼까요? 도움①

예시 답안 • 식탁 밑에서 몸을 보호합니다.
• 계단을 이용해 대피합니다.

탐구 활동 지진 대처 방법 역할극 하기

자세한 해설은 132~133쪽에 있어요.

● **무엇을 준비할까요?**

스마트 기기

● **과정을 알아볼까요?**

❶ 지진 대처 방법을 역할극으로 표현할 장소를 선택합니다.
❷ 과정 ❶에서 선택한 장소에서의 지진 대처 방법을 국민재난안전포털에서 찾아봅시다.
❸ 각자의 역할을 정하고 지진 대처 방법을 모둠별로 표현해 봅시다.
❹ 모둠별 역할극을 보고 잘된 점이나 보완해야 할 점을 이야기해 봅시다.

● **관찰 내용 및 결과를 정리해요**

➲ 지진이 발생했을 때 자신이 있는 장소나 상황에 따라 대처하는 방법이 다릅니다. 도움② 도움③

더 알아보기

집 주변에 있는 지진 대피 장소는 어디인지 알아봅시다.

예시 답안 국민재난안전포털(http://www.safekorea.go.kr)을 이용하거나 행정 안전부에서 개발한 '안전디딤돌'이라는 애플리케이션을 설치하면 주변 대피 장소를 확인할 수 있습니다.

교과서 속 핵심 개념

● **지진이 발생했을 때 대처 방법**

장소	대처 방법
집	가스와 전기를 차단하고, 문을 열어 출구를 확보함.
교실	책상 아래로 들어가 머리와 몸을 보호하고, 책상 다리를 꼭 잡음.
건물 밖	머리를 보호하고 건물이나 벽 주변에서 떨어짐.
대형 할인점	넘어지거나 떨어지는 물건으로부터 머리를 보호함.
승강기 안	모든 층의 버튼을 눌러 가장 먼저 열리는 층에서 내린 뒤 계단을 이용하여 대피함.

정답과 해설 5쪽

교과서 개념 확인 문제

도움 ① 지진이 발생했을 때 알맞은 대처 방법

식탁 밑에서 몸을 보호하기	가스와 전기 차단하기	문을 열어 출구를 확보하기	건물이나 벽 주변에서 멀리 떨어지기

승강기 대신 계단 이용하기	밖으로 나갈 때는 샌들이나 슬리퍼 대신 운동화 신기	공원과 같은 넓은 곳으로 대피하기	떨어지는 물건이 없는 곳으로 대피하기

도움 ② 지진 발생 전과 발생 후의 대처 방법

지진 발생 전	• 떨어질 수 있는 물건은 낮은 곳에 둠. • 구급약품이나 비상식량 등을 준비함. • 집에서 가장 가까운 대피 장소를 알아둠.
지진 발생 후	부상자를 응급 처치하고, 재난 방송을 청취함.

도움 ③ 지진이 발생하였을 때 장소에 따른 대처 방법

실내에 있을 때	• 탁자 아래로 들어가 몸을 보호함. • 흔들림이 멈추면 전기와 가스를 차단함. • 문을 열어 출구를 확보함.
실외에 있을 때	• 가방이나 손으로 머리를 보호함. • 건물과 떨어져서 이동함. • 운동장이나 공원 등 넓은 공간으로 대피함.

스스로 확인해요

- **지진이 발생했을 때의 대처 방법을 설명할 수 있어요.**
  도움말 장소, 상황에 따른 지진 대처 방법을 설명합니다.
- **지진이 발생했을 때의 대처 방법을 역할극으로 바르게 표현할 수 있어요.**
  도움말 역할극으로 표현한 지진 대처 방법에 잘된 점이나 보완해야 할 점은 없는지 확인합니다.

1 **다음은 지진 대처 방법입니다. 옳은 것은 ○표시를, 옳지 않은 것은 ×표시를 해 봅시다.**

(1) 지진으로 인한 피해를 줄이기 위해 떨어질 수 있는 물건은 높은 곳에 보관합니다. (　　　)

(2) 비상용품은 미리 준비하고 집에서 가장 가까운 대피 장소가 어디인지 알아둡니다. (　　　)

(3) 신속하게 대피하기 위해 승강기를 이용합니다. (　　　)

2 **지진이 발생했을 때 알맞은 대처 모습과 내용을 선으로 연결해 봅시다.**

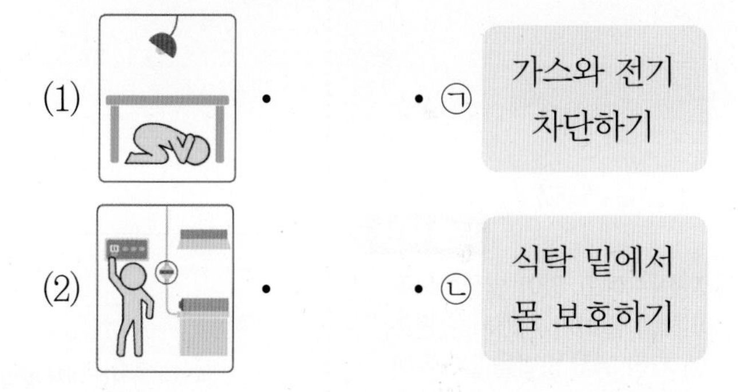

3 **다음은 지진이 발생했을 때 대처 방법입니다. (　　) 안에 들어갈 알맞은 말에 ○표시를 해 봅시다.**

(1) 건물 밖에 있을 때 머리를 보호하고 건물이나 벽 주변에서 (떨어져 , 붙어) 있습니다.

(2) 교실에 있을 때 (책상 위에 엎드려 , 책상 아래로 들어가) 머리와 몸을 보호합니다.

실험 관찰

의사소통

실험 관찰 52~53쪽

6 지진이 발생하면 어떻게 해야 할까요?

탐구 활동 지진 대처 방법 역할극 하기

탐구 활동 도움말

이 탐구 활동은 지진이 발생했을 때의 대처 방법을 조사하고 이를 역할극으로 표현하여 생활에서 일어날 수 있는 문제에 대처할 수 있는 능력을 기르는 활동입니다.

「실험 관찰」 꾸러미 69쪽 붙임딱지를 붙여요.

역할극을 할 때 장난치지 않아요.

무엇을 준비할까요?

준비물에 ◯ 표시를 하면서 확인해 봅시다.

스마트 기기

1 지진 대처 방법을 역할극으로 표현할 장소를 선택합니다.

집

교실

대형 할인점

산

자동차 안

승강기 안

예시 답안

우리 모둠이 선택한 장소: 교실

보충해설

지진은 예고 없이 발생하므로 피해를 줄이기 위해서는 평소에 지진 대처 방법을 알아두어야 합니다. 떨어질 수 있는 물건은 낮은 곳에 두고, 깨진 유리 조각에 다치지 않도록 실내화를 준비합니다.

2 과정 1에서 선택한 장소에서의 지진 대처 방법을 국민재난안전포털에서 찾아봅시다.

예시 답안

교실 에서 지진이 발생했을 때 대처 방법

- 책상 아래로 들어가 몸을 웅크리고 책상 다리를 꼭 잡아 몸을 보호합니다.
- 흔들림이 멈추면 선생님의 안내에 따라 질서를 지키면서 운동장으로 대피합니다.
- 복도에서는 창문 유리가 깨질 우려가 있으니 창문과 떨어져 이동합니다.

지진 대처 방법을 정리해 보아요.

3 각자의 역할을 정하고 지진 대처 방법을 모둠별로 표현해 봅시다.

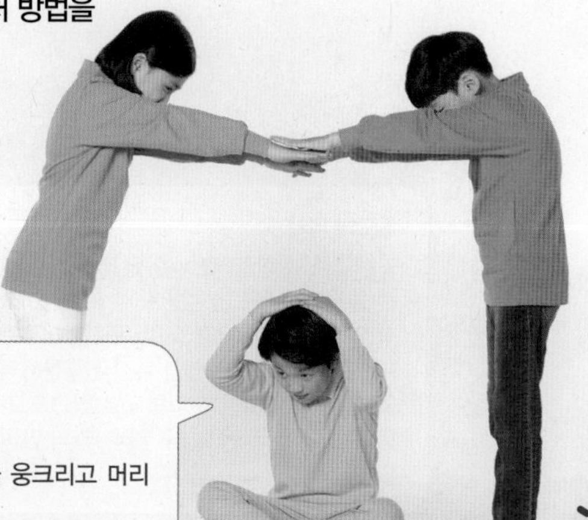

역할극에서 내 역할은

예시 답안

교실에서 책상 아래로 들어가 몸을 웅크리고 머리와 몸을 보호하는 역할입니다.

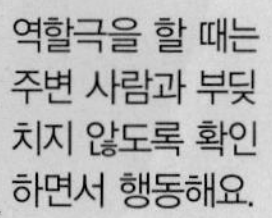

주의!

역할극을 할 때는 주변 사람과 부딪치지 않도록 확인하면서 행동해요.

4 모둠별 역할극을 보고 잘된 점이나 보완해야 할 점을 이야기해 봅시다.

예시 답안

- 교실에서 지진이 발생했을 때의 대처 방법을 표현한 모둠은 조사한 대처 방법에 맞게 진지하게 역할극을 하는 모습이 좋았습니다.
- 책상 역할을 한 친구들이 실제 책상 높이에 맞게 무릎을 굽히고 책상을 표현하는 것이 더 좋을 것 같습니다.

이렇게 OO 정리해요

지진이 발생했을 때의 대처 방법을 장소별로 정리해 봅시다.

예시 답안

장소	대처 방법
집에 있을 때	탁자 아래로 들어가 몸을 보호합니다.
교실에 있을 때	책상 아래로 들어가 책상 다리를 꼭 잡습니다.
대형 할인점에 있을 때	진열장에서 떨어지는 물건으로부터 몸을 보호합니다.
산에 있을 때	산사태가 발생할 수 있으므로 산과 떨어진 안전한 곳으로 대피합니다.
자동차 안에 있을 때	라디오의 정보를 잘 듣습니다.
승강기 안에 있을 때	가장 먼저 열리는 층에서 내린 뒤 계단을 이용하여 대피합니다.

도움말

모둠별 역할극을 보고 잘된 점과 보완할 점을 생각해 보며 올바른 지진 대처 방법을 정리합니다.

과학 더하기 도움말

과학 더하기의 내용은 화산 활동으로 만들어진 독도의 역사 및 특징에 대한 정보를 제시한 자료입니다. 최근까지 계속되고 있는 일본의 역사 왜곡에 대응하여 독도에 대한 올바른 이해와 관심을 갖도록 합니다.

과학 더하기 해설

• 독도 이름의 유래

돌로 된 섬이란 뜻의 돌섬의 경상도 방언인 독섬에서 유래하여 독도가 되었으며, 과거에는 우산도라고 불렸습니다.

• 독도 주소

대한민국의 행정 구역에서는 경상북도 울릉군 울릉읍 독도리 산 1~96번지에 속합니다.

▲ 독도의 바닷속 지형

- **10월 25일은 독도의 날이에요. 독도를 응원하는 문장을 여섯 글자로 만들어 보세요.**
  ▶ 독도야 사랑해, 독도는 우리 땅, 언제나 함께해 등
- **독도가 우리나라의 땅인 까닭은 무엇일까요?**
  ▶ 우리나라와 가장 가깝게 위치한 섬이기 때문입니다.
  ▶ 아주 오래전부터 현재까지 우리나라에 소속되었고, 관리해 왔기 때문입니다.
  ▶ 국제법적으로 인정을 받았기 때문입니다.

• 세종실록지리지

조선 초기 관찬서인 『세종실록지리지』(1454년)는 울릉도와 독도가 강원도 울진현에 속한 두 섬이라고 기록하고 있습니다. 특히 '우산(독도) 무릉(울릉도) ~ 두 섬은 서로 멀리 떨어져 있지 않아 날씨가 맑으면 바라볼 수 있다.'라고 기록되어 있는데, 울릉도에서 날씨가 맑은 날 육안으로 보이는 섬은 독도가 유일합니다.

• 독도의 지형

섬 전체 또는 대부분이 바닷속 화산의 분출물이 쌓여서 만들어진 섬을 화산섬이라고 합니다. 독도도 동해 바닷속 땅의 활동에 의해 분출한 용암이 굳어져 만들어진 화산섬입니다. 독도는 원래 동도와 서도가 붙어 있었지만 몇 십만 년의 시간에 걸쳐 바닷물의 침식 작용으로 암석이 깎여서 지금처럼 분리되었습니다.

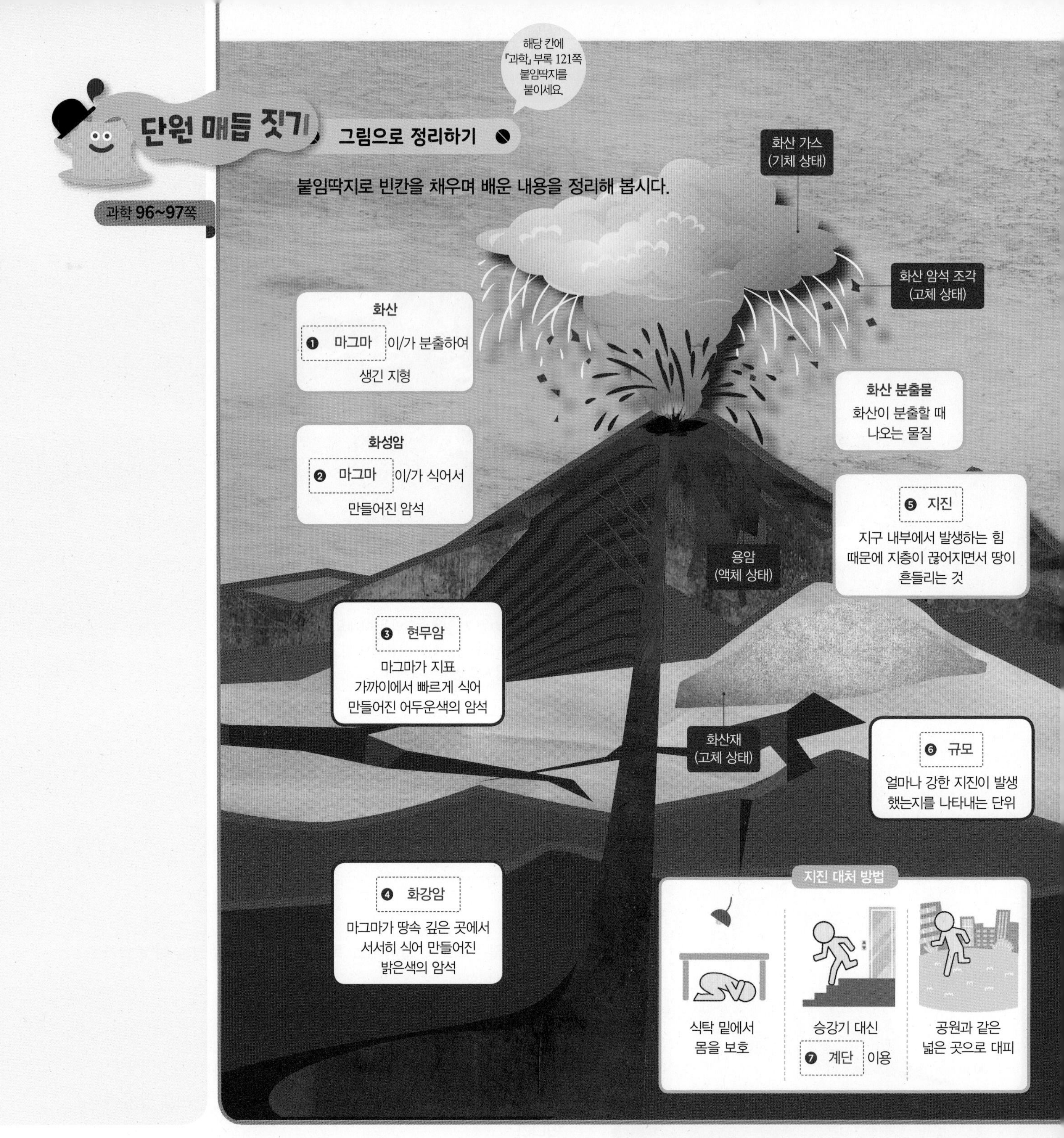

그림으로 정리하기 해설

❶ 화산은 땅속의 마그마가 지표면으로 나오면서 만들어진 지형입니다.

❷, ❸, ❹ 화성암은 액체 상태인 마그마가 식어서 만들어진 암석으로, 현무암과 화강암이 있습니다. 마그마가 식는 빠르기에 따라 알갱이의 크기가 다릅니다.

❺ 지진은 지구 내부에서 발생하는 힘에 의해 땅이 끊어지면서 흔들리는 것을 말합니다.

❻ 지진의 세기는 규모로 나타내고, 규모의 숫자가 클수록 강한 지진입니다.

❼ 지진이 발생하면 승강기가 멈추거나 추락할 위험이 있으므로 승강기에서 내려 계단을 이용하여 대피합니다.

문제로 확인하기 해설

❶ 화산이 분출할 때 나오는 물질과 화산 활동이 우리 생활에 주는 영향을 알고 있는지 확인하는 문제입니다.

(1), (2) 화산 분출물에는 기체인 화산 가스, 액체인 용암, 고체인 화산재와 화산 암석 조각 등이 있습니다.

(3) 마그마에 의한 땅속의 높은 열은 온천이나 지열 발전에 이용합니다.

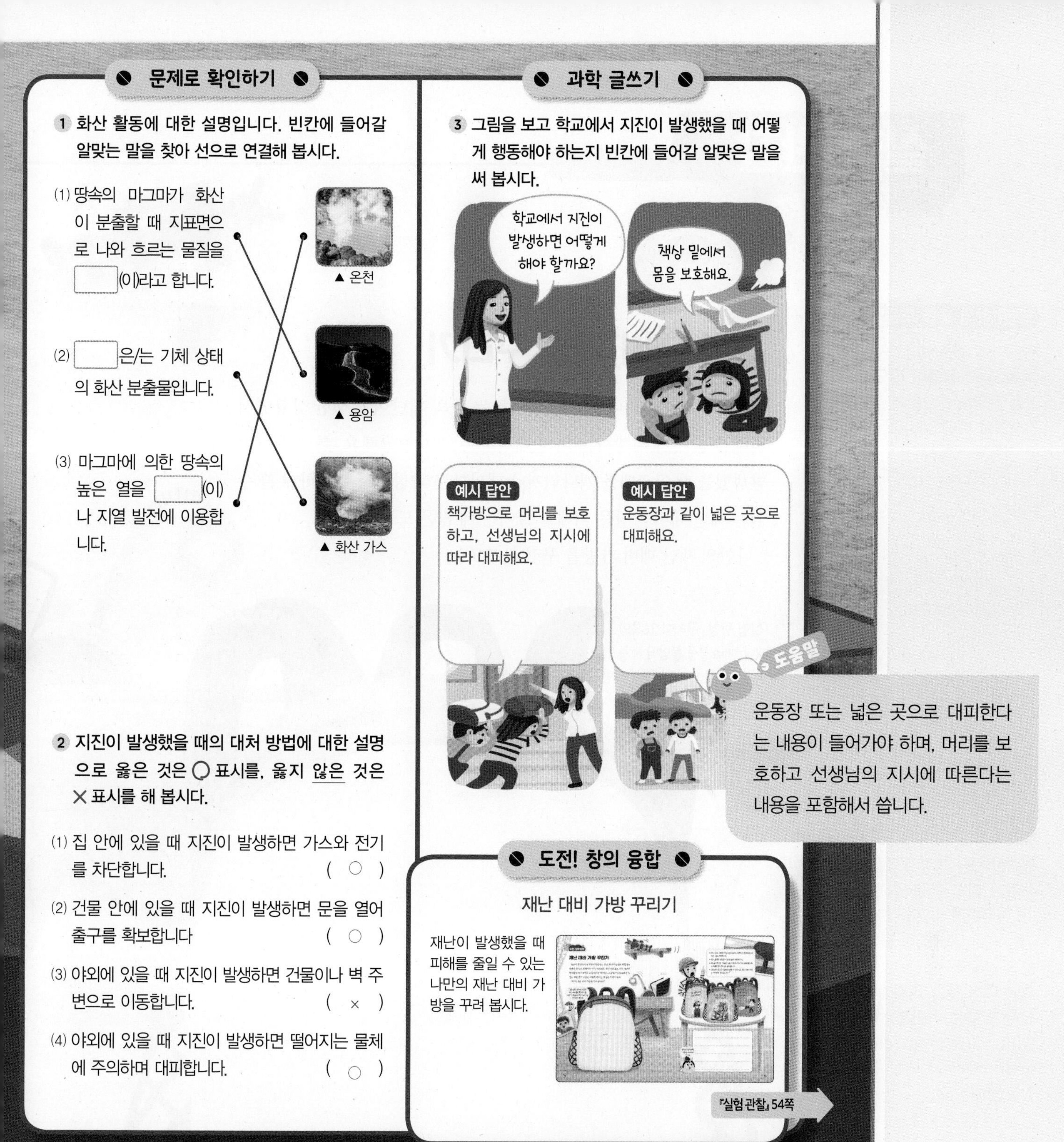

문제로 확인하기

1 화산 활동에 대한 설명입니다. 빈칸에 들어갈 알맞는 말을 찾아 선으로 연결해 봅시다.

(1) 땅속의 마그마가 화산이 분출할 때 지표면으로 나와 흐르는 물질을 ☐(이)라고 합니다.

(2) ☐은/는 기체 상태의 화산 분출물입니다.

(3) 마그마에 의한 땅속의 높은 열을 ☐(이)나 지열 발전에 이용합니다.

▲ 온천

▲ 용암

▲ 화산 가스

2 지진이 발생했을 때의 대처 방법에 대한 설명으로 옳은 것은 ○ 표시를, 옳지 않은 것은 × 표시를 해 봅시다.

(1) 집 안에 있을 때 지진이 발생하면 가스와 전기를 차단합니다. (○)

(2) 건물 안에 있을 때 지진이 발생하면 문을 열어 출구를 확보합니다 (○)

(3) 야외에 있을 때 지진이 발생하면 건물이나 벽 주변으로 이동합니다. (×)

(4) 야외에 있을 때 지진이 발생하면 떨어지는 물체에 주의하며 대피합니다. (○)

과학 글쓰기

3 그림을 보고 학교에서 지진이 발생했을 때 어떻게 행동해야 하는지 빈칸에 들어갈 알맞은 말을 써 봅시다.

예시 답안
책가방으로 머리를 보호하고, 선생님의 지시에 따라 대피해요.

예시 답안
운동장과 같이 넓은 곳으로 대피해요.

도움말
운동장 또는 넓은 곳으로 대피한다는 내용이 들어가야 하며, 머리를 보호하고 선생님의 지시에 따른다는 내용을 포함해서 씁니다.

도전! 창의 융합

재난 대비 가방 꾸리기

재난이 발생했을 때 피해를 줄일 수 있는 나만의 재난 대비 가방을 꾸려 봅시다.

『실험 관찰』 54쪽

❷ 지진 발생 시 장소별 대처 방법을 알고 있는지 확인하는 문제입니다.

(1) 집 안에 있을 때 가스와 전기를 차단하여 화재를 예방합니다.

(2) 집이나 건물 안에 있을 때 언제 출구가 막힐지 모르기 때문에 문을 열어 출구를 확보합니다.

(3) 야외에 있을 때 물건이 떨어질 위험이 있는 건물 안이나 건물 주변이 아닌 운동장, 공원, 공터 등과 같은 넓은 곳으로 이동합니다.

(4) 야외에 있을 때 어디에서 물건이 떨어질지 모르기 때문에 머리를 보호하고 건물이나 벽 주변에서 떨어져서 대피해야 합니다.

과학 글쓰기 해설

학교에서 지진이 발생했을 때 다음과 같이 행동해야 합니다.

- 책상 밑으로 들어가 몸을 보호합니다.
- 책가방 등으로 머리를 보호하고 선생님의 지시에 따라 신속하게 대피합니다.
- 운동장과 같이 넓은 곳으로 대피합니다.

도전! 창의 융합

도전! 창의 융합 도움말

재난 대비 물품 붙임딱지를 붙여 보고 이 물품이 필요한 까닭을 생각해 봄으로써, 재난이 발생했을 때에 대비하는 자세를 기를 수 있습니다.

재난 대비 가방 꾸리기

화산이 분출하거나 지진이 발생하는 등의 재난이 발생한 상황에서 피해를 줄이기 위해서는 미리 대비하는 것이 중요해요. 특히 재난이 발생했을 때 구조대를 기다리거나 대피하는 과정에서 유용하게 쓸 수 있는 재난 대비 가방은 피해를 줄이는 데 많은 도움이 돼요.

나만의 재난 대비 가방을 꾸려 볼까요?

도움말

필요한 재난 대비 물품은 각자 생각에 따라 다를 수 있습니다. 자유롭게 필요하다고 생각되는 재난 대비 물품 붙임딱지를 붙입니다.

재난 대비 물품 이외에 더 필요한 물품은 국민재난안전포털(http://www.safekorea.go.kr)의 비상 대비 용품을 참고합니다.

- 재난 대비 가방은 배낭처럼 휴대가 간편하고 튼튼하며 가벼운 것을 선택합니다.
- 필수 품목은 비닐봉지 등에 넣어 보관합니다.
- 배낭을 준비한 뒤에도 유통 기한이 지나거나 교체해야 하는 물품을 정기적으로 점검합니다.
- 개인마다 필요한 물품이 다를 수 있으므로 재난 대비 가방은 개인별로 준비합니다.

예시 답안

- 물과 비상식량은 며칠만 먹지 않아도 생존을 위협받을 수 있습니다.
- 다칠 경우를 대비하여 구급약이 필요하고, 추위에 대비하여 담요도 필요합니다.
- 정전이 될 수도 있기 때문에 손전등도 필요할 것 같습니다.

도움말

다섯 가지 물품을 선택한 까닭을 모두 쓰기 힘들 경우, 두세 가지 정도만 써 봅니다.

교과서 평가 문제

1 화산 분출물에 대한 설명으로 옳은 것을 보기 에서 골라 기호를 쓰시오.

보기
㉠ 화산재는 기체 상태입니다.
㉡ 화산 가스는 대부분 수증기입니다.
㉢ 화산 암석 조각의 크기는 모두 같습니다.

( )

중요

2 다음 중 현무암과 화강암에 대한 설명으로 옳은 것은 어느 것입니까? ( )

① 현무암과 화강암은 색깔이 비슷합니다.
② 모든 현무암의 표면에는 구멍이 있습니다.
③ 현무암과 화강암은 마그마가 식어서 만들어진 암석입니다.
④ 현무암은 색깔이 밝고 암석을 이루는 알갱이의 크기가 큽니다.
⑤ 화강암은 색깔이 어둡고 암석을 이루는 알갱이의 크기가 작습니다.

3 다음 중 화산 활동이 미치는 영향에 대한 설명으로 옳지 <u>않은</u> 것은 어느 것입니까? ( )

① 화산 주변 땅속의 열을 이용하여 전기를 얻을 수 있습니다.
② 화산 주변 땅속의 높은 열을 이용하여 온천을 개발합니다.
③ 화산재가 쌓여서 땅이 기름지게 되어 농사를 짓는 데 도움이 되기도 합니다.
④ 화산재는 비행기의 엔진 고장의 원인이 되어 항공기 운항을 어렵게 하기도 합니다.
⑤ 화산 활동은 인간의 힘으로 막을 수 있기 때문에 미리 준비하면 피해를 입지 않습니다.

중요

4 다음은 우드록을 이용하여 지진이 발생하는 원인을 알아보는 실험입니다. 이 실험에 대한 설명으로 옳지 <u>않은</u> 것을 보기 에서 골라 기호를 써 봅시다.

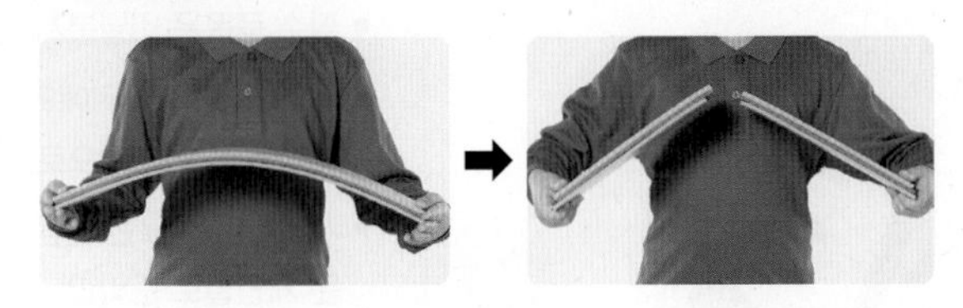

보기
㉠ 우드록은 지층, 양손으로 미는 힘은 지구 내부에서 발생하는 힘을 나타냅니다.
㉡ 우드록이 끊어지는 순간 전달되는 떨림은 땅이 끊어질 때 흔들리는 떨림을 나타냅니다.
㉢ 우드록은 오랜 시간 동안 가해진 힘에 의해 끊어지지만, 실제 지진은 짧은 시간 동안 가해진 힘에 의해 발생합니다.

( )

5 다음 중 지진에 대한 설명으로 옳지 <u>않은</u> 것은 어느 것입니까? ( )

① 규모는 숫자가 클수록 강한 지진입니다.
② 얼마나 강한 지진이 발생했는지는 규모로 나타냅니다.
③ 지진이 발생하면 물건이 떨어지거나 벽이 갈라지기도 합니다.
④ 규모가 작은 지진이 발생하면 땅이 갈라지거나 산사태가 일어납니다.
⑤ 지진 피해 사례를 조사할 때는 발생한 지역, 날짜, 지진의 규모, 피해 내용 등을 조사합니다.

중요

6 다음 중 지진이 발생했을 때 알맞은 대처 방법으로 옳은 것은 어느 것입니까? (　　　　)

① 의자에 앉아 몸을 보호합니다.
② 건물이나 벽 쪽으로 대피합니다.
③ 빠른 대피를 위해 승강기를 이용합니다.
④ 실내에서는 안전하게 대피하도록 문을 닫습니다.
⑤ 집에서는 가스를 차단하여 화재 발생을 예방합니다.

서술형 문제

7 다음은 화산 활동 모형 만들기 실험입니다. 물음에 답하시오.

(1) 화산 활동 모형에서 각 물질은 실제 화산 활동에서 무엇에 해당하는지 보기에서 골라 쓰시오.

보기
지표, 용암, 마그마, 화산 가스

(가) 가열하기 전의 설탕: (　　　　)

(나) 모래: (　　　　)

(다) 공기 방울: (　　　　)

(라) 가열 후 모래를 뚫고 올라와 흐르는 설탕: (　　　　)

(2) 앞 실험 결과를 보고, 화산이 무엇인지 쓰시오.

서술형 문제

8 다음 돌하르방을 보고, 물음에 답하시오.

(1) 돌하르방을 만드는 데 사용한 암석 이름을 쓰고, 아래 그림에서 이 암석이 만들어지는 위치의 기호를 쓰시오.

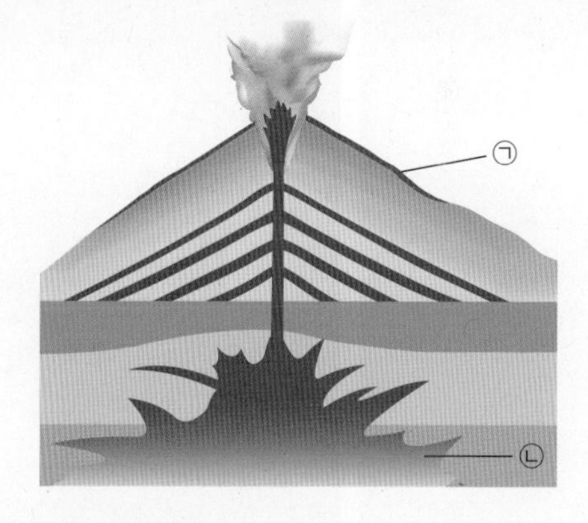

(가) 암석 이름: (　　　　)

(나) 만들어지는 위치: (　　　　)

(2) 돌하르방 표면에서 여러 개의 구멍을 발견할 수 있습니다. 암석이 만들어지는 과정에서 구멍이 생긴 까닭을 쓰시오.

이 단원에서 공부할 내용

5 물의 여행

주위를 둘러보세요. 우리 주변 곳곳에는 물이 있어요. 산 위에도, 땅속에도, 하늘에도 물이 있어요. 물이 어떻게 이동하는지 물과 함께 여행을 떠나 볼까요?

단원 그림 도움말

단원 그림은 주변에서 물을 볼 수 있는 곳을 나타낸 풍경입니다. 그림을 보면서 물이 있는 곳은 어디인지, 물의 상태는 어떠한지 추측하면서 앞으로 배울 내용을 생각해 봅시다.

좀 더 설명할게요

하늘에서 내리는 비나 내가 마신 물이 늘 새로운 물이라고 생각할지 모르지만 사실 그 물은 지구에 계속 있던 것입니다. 지구에 있는 물은 사라지지 않고 모습을 바꾸어 돌고 돌기 때문에 지금 수도꼭지에서 흘러내리는 물은 아주 먼 옛날 공룡이 마셨던 물일 수도 있습니다. 또한 공룡의 몸을 이루고 있던 물이 지금 우리의 몸을 이룰 수도 있습니다.

질문과 답

물이 없다면 어떻게 될까요?

친구들과 물놀이를 할 수 없습니다. 씻을 수 없습니다. 마실 물이 없습니다. 등

과학 100~101쪽

과학 놀이터

물방울 이어달리기를 해 보아요

바다에 있는 물이 어디로 가는지 생각해 본 적이 있나요?
물방울 이어달리기를 하면서 물이 어떻게
이동하는지 생각해 보아요.

체육
모둠원과 협력하며 놀이를 해 보아요.

무엇을 준비할까요?

볼 풀 공 100개, 수조 4개, 수조에 붙일 종이 4장, 국자 4개, 의자 4개

① 수조 4개에 볼 풀 공을 똑같이 나누어 담고, 이름표(바다, 수증기, 구름, 비)를 붙입니다.

② 바다, 수증기, 구름, 비의 4모둠으로 나누고, 모둠별로 수조 뒤쪽에 줄을 섭니다.

과학 놀이터 도움말

물방울 이어달리기를 하면서 물이 지구 곳곳을 이동하는 현상을 이해할 수 있습니다.

이렇게 해요

유의점

- 공은 물방울 역할을 하므로 공을 땅에 떨어뜨리지 않고 소중히 다룹니다. 또 넘어져서 다치지 않도록 뛰는 속도를 조절하여 놀이합니다.

활동 도움말

① 수조 4개에 볼 풀 공을 똑같이 나누어 담고, 이름표(바다, 수증기, 구름, 비)를 붙입니다.

도움말 볼 풀 공을 수조당 25개씩 담습니다.

② 바다, 수증기, 구름, 비의 4모둠으로 나누고, 모둠별로 수조 뒤쪽에 줄을 섭니다.

도움말 모둠별 인원수가 똑같을 필요는 없습니다.

③ 각 모둠의 수조에 담긴 볼 풀 공을 국자에 담고, 다음 모둠

의 수조로 옮긴 뒤 되돌아옵니다.

도움말 바다 모둠은 수증기 모둠으로, 수증기 모둠은 구름 모둠으로, 구름 모둠은 비 모둠으로, 비 모둠은 바다 모둠으로 이동하면서 놀이합니다.

④ 다음 주자에게 국자를 전달하고, 뒤로 가서 차례를 기다립니다.

도움말 국자를 전달할 때 눈이나 얼굴에 부딪히지 않도록 주의합니다.

⑤ 정해진 시간 동안 반복한 뒤 수조에 볼 풀 공이 가장 적게 남은 모둠이 이깁니다.

도움말 빈 수조에 공을 옮겨 담으면서 공의 개수를 세어 볼 수 있습니다.

질문

- 볼 풀 공 전체의 개수는 어떻게 변했는지 이야기해 보아요.

나의 답 변하지 않았습니다.

1 물은 돌고 돌아요

과학 102~104쪽

궁금해요

아리가 받은 엽서 속 사진에는 모두 무엇이 있는지 생각해 봅시다.

질문 이 사진들의 공통점은 무엇일까요?

예시 답안 사진에 모두 물이 있습니다.

해 보기 물의 이동 과정 알아보기

● **무엇을 준비할까요?**

그림 도구, 도화지(『과학』 부록 124쪽)

● **과정을 알아볼까요?**

❶ 화살표를 따라 아리가 어떻게 여행하는지 살펴봅시다.

➲ 바다에서 증발하여 하늘로 올라갑니다. / 하늘에서 응결하여 구름이 됩니다. / 구름에서 비나 눈이 되어 산으로 떨어집니다. / 산의 계곡을 지나 강이나 호수로 흘러갑니다. / 호수에서 땅속으로 들어가 지하수가 됩니다. / 나무뿌리로 흡수되었다가 잎에서 수증기가 되어 나옵니다. / 땅속을 여행하다가 바다로 다시 돌아옵니다.

❷ 각 장소에서 아리의 상태가 어떻게 변하는지 이야기해 봅시다.

➲ 바다에서 아리는 액체 상태입니다. / 액체 상태의 아리는 공기 중으로 증발하여 수증기(기체 상태)로 변합니다. / 기체 상태의 수증기였던 아리는 하늘로 올라가 응결하여 물(액체 상태)로 변하면서 구름이 됩니다. / 구름에서 작은 물방울(액체 상태)이나 고체 상태인 아리는 비나 눈이 되어 내립니다. / 땅에 내린 액체 상태의 물은 강을 지나 바다로 흘러가는데, 이때는 상태가 변하지 않고 액체 상태 그대로 바다로 흘러갑니다. / 땅속으로 스며든 액체 상태의 물은 식물의 뿌리로 흡수되었다가 잎에서 수증기(기체 상태)가 되어 나옵니다. 도움①

❸ 그림에서 물이 여행하는 모습을 더 찾아봅시다.

➲ 물이 증발하여 안개가 되었습니다. / 들판의 꽃잎에 이슬이 맺혀 있습니다. / 물이 호수를 이루고 땅속으로 스며들어 지하수가 됩니다. / 지하수는 바다로 흘러갑니다. / 화산에서 수증기가 나옵니다.

❹ 물의 이동 과정을 생각하며 도화지에 아리의 다음 여행 이야기를 글, 그림, 만화 등 다양한 방법으로 표현해 봅시다. 도움②

➲ **물의 이동에 따른 상태 변화**

교과서 속 핵심 개념

● **물이 이동할 때의 특징**

• 물은 상태가 변하면서 지구 곳곳을 이동함.

• 지구의 어느 한 곳에서 물의 양이 변화하더라도 물은 돌고 돌기 때문에 지구 전체로 보면 그 양은 보존됨.

도움 ① 증발과 응결

- 증발: 물의 표면에서 액체인 물이 기체인 수증기로 변하는 현상입니다.
- 응결: 기체인 수증기가 액체인 물로 상태가 변하는 현상입니다. 안개, 이슬, 구름 등은 공기 중의 수증기가 응결하여 생긴 것입니다.

도움 ② 만화로 표현한 아리의 다음 여행 이야기

정답과 해설 5쪽

교과서 개념 확인 문제

1 다음 그림 (가), (나), (다)에 해당하는 물의 상태를 써 봅시다.

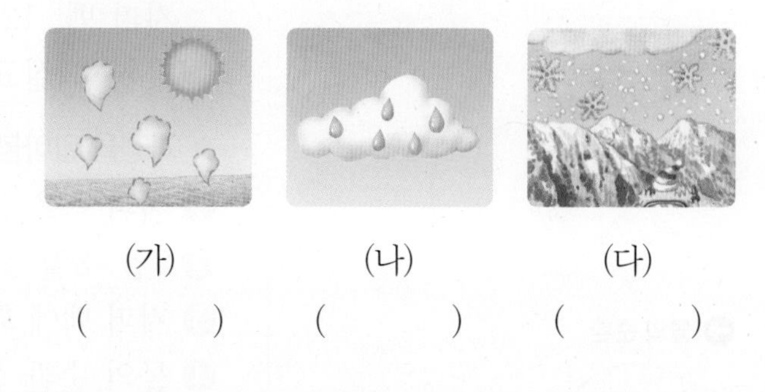

(가) (　　　)　　(나) (　　　)　　(다) (　　　)

2 다음 설명 중 옳지 않은 것은 어느 것입니까? (　　　)

① 물은 증발하여 수증기가 됩니다.
② 바다에서 물의 상태는 액체입니다.
③ 하늘로 올라간 수증기가 응결하여 구름이 됩니다.
④ 구름에서 무게가 충분히 무거워진 물은 비나 눈이 되어 내립니다.
⑤ 땅속으로 스며든 액체 상태의 물은 고체 상태의 얼음으로 바뀌어 강이나 바다로 흘러갑니다.

3 다음을 읽고 알맞은 말을 골라 ○표시를 해 봅시다.

(1) 물이 지구 곳곳을 이동할 때 머무는 장소와 위치에 따라 물의 상태가 (변합니다 , 변하지 않습니다).
(2) 물은 돌고 돌기 때문에 지구 전체 물의 양은 (늘어납니다 , 줄어듭니다 , 보존됩니다).

과학 105쪽

탐구 활동 돌고 도는 물의 순환 모형 만들기

자세한 해설은 150~151쪽에 있어요.

● **무엇을 준비할까요?**

지퍼 백, 12색 유성 펜, 파란색 식용 색소를 섞은 물, 셀로판테이프, 가위, 화살표 붙임딱지(『실험 관찰』 꾸러미 76쪽)

● **과정을 알아볼까요?**

❶ 지퍼 백을 이용하여 물의 순환 실험 장치를 만들어 봅시다.
❷ 2일~3일 동안 지퍼 백 안쪽의 변화를 관찰해 봅시다.
❸ 지퍼 백에 화살표 붙임딱지를 붙여 물의 순환 과정을 표시해 봅시다.
❹ 물의 순환 실험 결과를 생각하며 실제 지구에서의 물의 순환 과정을 추리해 봅시다. 도움❶

● **관찰 내용 및 결과를 정리해요**

➲ 1일째: 지퍼 백 안쪽 유리창과 맞닿은 부분에 작은 물방울이 맺힙니다.
2일째: 지퍼 백 안쪽에 맺힌 물방울의 크기가 점점 커집니다. 몇몇의 물방울은 흘러내립니다.
3일째: 물방울이 더 많이 흘러내립니다. 물이 흘러내린 모습이 비가 온 듯합니다.

➲ 지퍼 백 안에 있던 물이 증발하여 수증기가 됩니다. 시간이 지나면 수증기가 응결하여 지퍼 백 안쪽 면에서 물방울로 맺혀 흘러내립니다. 실제 지구에서도 바다, 강, 호수의 물이 증발하여 수증기가 되고 수증기가 하늘로 올라가 응결하여 구름이 됩니다. 구름 속의 물은 비나 눈이 되어 땅으로 내립니다.

➲ **물의 순환**

교과서 속 핵심 개념

● **물의 순환** 도움❷

물이 상태가 변하면서 지표면, 공기, 생명체 등을 끊임없이 돌고 도는 현상

● **물의 순환 과정**

① 바다, 강, 호수, 땅에 있던 물은 공기 중으로 증발하여 수증기가 됨.
② 수증기는 하늘로 올라가 응결하여 구름이 됨.
③ 구름 속의 물은 비나 눈이 되어 내림.
④ 땅에 내린 물은 강을 지나 바다로 흘러감.
⑤ 땅속으로 스며든 물은 식물의 뿌리로 흡수되었다가 잎에서 수증기가 되어 나옴.

도움 ① 물의 순환 실험 결과와 자연 현상의 비교

지퍼 백 안쪽 면에서 물의 증발과 응결 현상이 반복됨을 관찰할 수 있습니다. 이러한 물의 순환 모형을 실제 지구에 있는 바다, 구름, 비, 강, 나무 등에 적용할 수 있습니다.

도움 ② 물의 순환

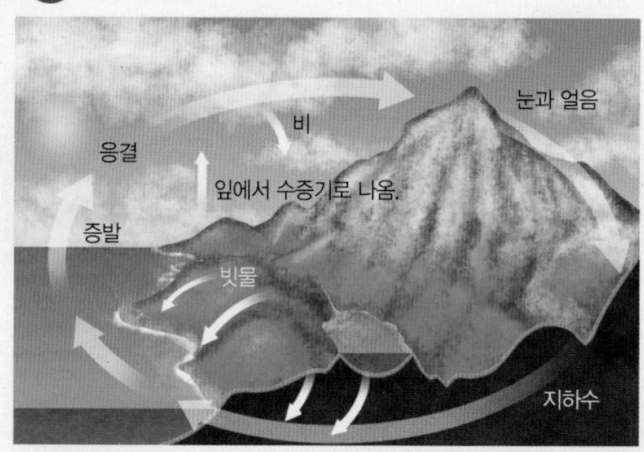

지구에 있는 물은 수증기나 물, 얼음과 같이 기체, 액체, 고체로 상태가 변하면서 끊임없이 돌고 돕니다. 이렇게 물이 지표면, 공기, 생명체 등을 끊임없이 돌고 도는 현상을 '물의 순환'이라고 합니다. 바다에 있던 물이 증발하면 수증기가 됩니다. 하늘로 올라간 수증기는 응결하여 구름이 되고, 구름 속의 물방울이 무거워지면 비나 눈이 되어 떨어집니다. 땅으로 떨어진 비는 강과 계곡과 같이 지표면을 흐르다가 바다로 돌아가거나 지하로 들어가 지하수가 됩니다. 물은 식물이 생명을 유지하는 데 사용되었다가 식물의 잎에서 수증기로 나옵니다. 물은 이러한 과정을 끊임없이 반복하면서 돌고 돕니다.

스스로 확인해요

- **물이 상태가 변하면서 순환하는 과정을 설명할 수 있어요.**
  도움말 물이 순환하는 각 장소에서 물의 상태가 어떻게 변하는지 설명합니다.
- **물의 순환 모형을 만들어 물이 순환하는 과정을 추리했어요.**
  도움말 실제 지구에서의 물의 순환 과정을 추리하여 설명합니다.

정답과 해설 5쪽

교과서 개념 확인 문제

1 **다음 빈칸에 들어갈 알맞은 말을 써 봅시다.**

물의 상태가 변하면서 지표면, 공기, 생명체 등을 끊임없이 돌고 도는 현상을 (　　)(이)라고 합니다.

(　　　　　　)

2 **오른쪽 그림은 파란색 식용 색소를 탄 물을 지퍼 백에 넣고 지퍼 백의 입구를 닫은 다음 지퍼 백을 햇빛이 잘 드는 유리창에 고정한 모습입니다. 다음 설명 중 옳지 않은 것은 어느 것입니까?** (　　)

① 맺힌 물방울이 아래로 떨어집니다.
② 지퍼 백 안쪽에 물방울이 생깁니다.
③ 지퍼 백 안에 있는 물은 증발하여 수증기가 됩니다.
④ 지퍼 백에 맺힌 물방울은 지퍼 백을 뚫고 밖으로부터 스며들어 왔습니다.
⑤ 지퍼 백 안의 수증기가 응결하여 지퍼 백 안쪽 면에서 물방울로 맺힙니다.

3 **다음은 물의 순환 과정에 대한 설명입니다. 빈칸에 들어갈 알맞은 말을 써 봅시다.**

- 물이 증발하여 (㉠)이/가 됩니다.
- 수증기가 응결하여 (㉡)이/가 되고, (㉡) 속의 물방울이 무거워지거나 차가워지면 비나 (㉢)이/가 되어 내립니다.
- 땅속으로 스며든 (㉣)은/는 식물의 뿌리로 흡수되었다가 잎에서 (㉠)이/가 되어 나옵니다.

㉠ (　　　　), ㉡ (　　　　)
㉢ (　　　　), ㉣ (　　　　)

실험 관찰

관찰 추리

실험 관찰 58~59쪽

1 물은 돌고 돌아요

탐구 활동 돌고 도는 물의 순환 모형 만들기

탐구 활동 도움말

이 탐구 활동은 지퍼 백을 이용하여 물의 순환 실험 장치를 만들어 실제 지구에서의 물의 순환 과정을 추리하는 활동입니다.

『실험 관찰』 꾸러미 69쪽 붙임딱지를 붙여요.

가위를 사용할 때 조심해요.

무엇을 준비할까요?

준비물에 ◯ 표시를 하면서 확인해 봅시다.

지퍼 백

12색 유성 펜

파란색 식용 색소를 섞은 물

셀로판테이프

가위

화살표 붙임딱지 (『실험 관찰』 꾸러미 76쪽)

주의! 셀로판테이프를 가위로 자를 때 다치지 않도록 조심해요.

1 지퍼 백을 이용하여 물의 순환 실험 장치를 만들어 봅시다.

❶ 지퍼 백에 태양, 구름, 육지, 나무 등을 유성 펜으로 그립니다.

❷ 파란색 식용 색소를 탄 물을 지퍼 백에 $\frac{1}{5}$ 정도 넣고, 지퍼 백의 입구를 꼭 닫습니다.

도움말

지퍼 백에 물을 넣을 때는 모둠원과 협력하여 물을 쏟지 않도록 주의합니다.

❸ 지퍼 백을 햇빛이 잘 드는 유리창에 셀로판테이프로 붙입니다.

보충해설

너비가 넓은 테이프를 이용하여 지퍼 백을 유리창에 단단히 고정합니다.

2 2일~3일 동안 지퍼 백 안쪽의 변화를 관찰해 봅시다.

예시 답안

지퍼 백 안쪽의 변화

1일째: 00월 00 일	2일째: 00 월00 일	3일째: 00월 00 일
지퍼 백 안쪽 유리창과 맞닿은 부분에 작은 물방울이 생깁니다.	• 지퍼 백 안쪽에 맺힌 물방울의 크기가 점점 커집니다. • 일부 물방울은 흘러내립니다.	• 물방울이 더 많이 흘러내립니다. • 물이 흘러내린 모습이 비가 온 듯합니다.

보충해설

• 2일~3일 이상 물의 순환 실험 장치를 설치해 두고 지퍼 백 안쪽의 변화를 관찰합니다.

3 지퍼 백에 화살표 붙임딱지를 붙여 물의 순환 과정을 표시해 봅시다.

예시 답안

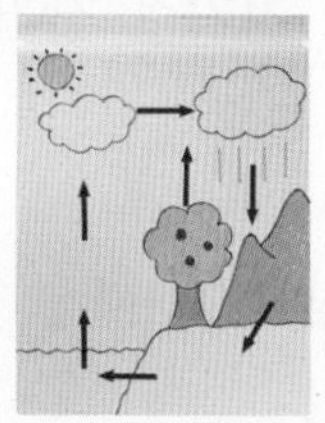

도움말

지퍼 백 겉면에 물의 순환 과정을 화살표 붙임딱지를 이용하여 붙입니다.

4 물의 순환 실험 결과를 생각하며 실제 지구에서의 물의 순환 과정을 추리해 봅시다.

예시 답안

지퍼 백 안에 있던 물이 증발하여 수증기가 되고 시간이 지나면 수증기가 응결하여 지퍼 백 안쪽 면에서 물방울이 맺혀 흘러내립니다. 실제 지구에서도 바다, 강, 호수의 물이 증발하여 수증기가 되고 수증기가 하늘로 올라가 응결하여 구름이 됩니다. 구름 속의 물이 비나 눈이 되어 땅으로 내립니다.

이렇게 ㅇㅇ 정리해요

'물의 순환 실험'을 하며 알게 된 점을 정리해 봅시다.

물이 상태가 변하면서 끊임없이 돌고 도는 현상을 [물의 순환] (이)라고 합니다.

2 물은 소중해요

과학 106~107쪽

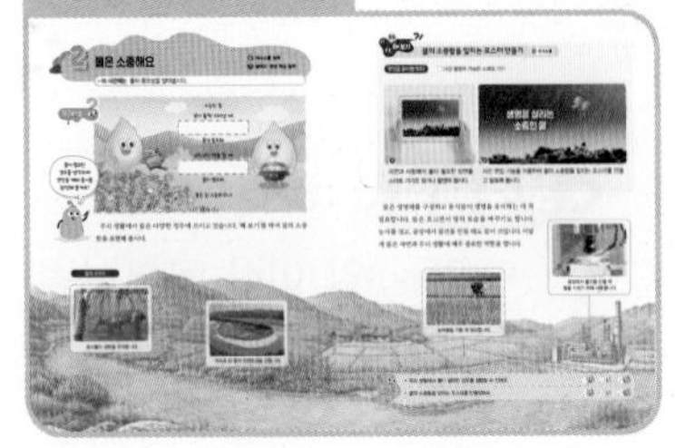

➲ 일상생활에서 물이 없을 때 불편한 점

궁금해요

자연과 우리 생활에서 물이 쓰이는 경우를 생각하며 동시를 완성해 보고, 물의 소중함을 생각해 봅시다.

질문 물이 필요한 경우를 생각하며 빈칸을 채워 동시를 완성해 볼까요?

예시 답안
- 나무가 무럭무럭 자랄 때 / 달그락달그락 설거지할 때
- 열매가 주렁주렁 열릴 때 / 사각사각 팥빙수를 만들 때

해 보기 물의 소중함을 알리는 포스터 만들기

● **무엇을 준비할까요?**

사진 촬영이 가능한 스마트 기기

● **과정을 알아볼까요?**

❶ 자연과 사람에게 물이 필요한 장면을 스마트 기기로 찾거나 촬영해 봅시다.

예시 답안
- 새싹이 자라는 사진을 찾아보았습니다.
- 오아시스에서 물을 먹는 낙타 사진을 찾았습니다.
- 물을 마시는 친구의 사진을 찍었습니다.

❷ 사진 편집 기능을 이용하여 물의 소중함을 알리는 포스터를 만들고 발표해 봅시다.

예시 답안
- 새싹이 자라는 사진에 '생명을 살리는 소중한 물'이라는 문구를 적어 포스터를 만들었습니다.
- 오아시스에서 물을 먹는 낙타 사진에 '내가 아낀 물, 먼 나라의 생명을 지키는 힘'이라는 문구를 적어 포스터를 만들었습니다.
- 물을 마시는 친구 사진에 '친구를 쑥쑥 자라게 해 주는 고마운 물'이라는 문구를 적어 포스터를 만들었습니다.

교과서 속 핵심 개념

● **물의 중요성** 도움①
- 생명체를 구성함.
- 동식물의 생명을 유지함.
- 땅의 모습을 바꾸어 계곡과 강 등의 자연환경을 만듦.
- 농작물을 기를 때 필요함.
- 공장에서 물건을 만들 때 필요함.

도움 1 물의 중요성

(1) **생명체 구성:** 지구에 살고 있는 생명체의 몸은 많은 부분이 물로 이루어져 있습니다. 갈증이 날 때 오이나 배를 먹으면 갈증을 해결할 수 있는데, 그 까닭은 과일이나 채소와 같은 식물들은 대부분 물로 이루어져 있기 때문입니다. 상추는 97 %, 토마토는 93 %가 물로 이루어져 있습니다. 몹시 건조한 지역에 사는 선인장도 대부분 물로 이루어져 있습니다. 또, 사람은 몸무게의 60~70 %가 물로 이루어져 있습니다. 침, 눈물, 땀, 오줌, 피 등의 주성분도 물입니다. 생태학자들의 연구에 따르면 지구의 모든 생명체에 있는 물의 총량은 지구의 모든 강과 하천의 물을 합친 양의 절반 가까이 된다고 합니다.

(2) **생명 유지:** 동물, 식물, 미생물은 물이 없이는 생명을 유지할 수 없습니다. 실제로 우리 몸에서 물이 1~2 %만 부족해도 갈증을 느끼고 5 %를 잃으면 혼수상태에 빠지며 12 %를 잃으면 사망하게 됩니다.

스스로 확인해요

- **우리 생활에서 물이 필요한 경우를 설명할 수 있어요.**
  도움말 일상생활에서 물을 사용한 경우를 떠올려 물이 필요한 경우를 설명합니다.
- **물의 소중함을 알리는 포스터를 만들었어요.**
  도움말 포스터를 만드는 과정에서 물의 소중함이 잘 드러나게 포스터를 만들었는지 스스로 평가합니다.

정답과 해설 5쪽

교과서 개념 확인 문제

1 **다음 그림에서 알 수 있는 물의 중요성은 어느 것입니까? (　　　)**

① 동식물의 생명을 유지합니다.
② 음식을 보관할 때 필요합니다.
③ 농작물을 키울 때 필요합니다.
④ 공장에서 물건을 만들 때 필요합니다.
⑤ 계곡과 강 등의 자연환경을 만듭니다.

2 **다음 보기 중 우리 주변에서 물이 필요한 예를 2가지 골라 기호를 써 봅시다.**

보기

㉠ 농작물를 기를 때	㉡ 일기를 쓸 때
㉢ 설거지를 할 때	㉣ 고추를 말릴 때

(　　　　　　　　　)

3 **다음 동시에서 빈칸에 들어갈 말로 알맞지 않은 것은 어느 것입니까? (　　　)**

① 동물이 자랄 때
② 계곡이 만들어질 때
③ 사각사각 팥빙수를 만들 때
④ 스마트폰으로 전화를 할 때
⑤ 스팀다리미로 옷을 다릴 때

3 물이 부족해요

과학 108~109쪽

궁금해요

아이샤가 보낸 편지를 읽고 물이 부족한 나라에서 일어날 수 있는 문제점을 살펴본 뒤 아이샤를 도울 방법을 생각해 봅시다.

질문 편지를 읽고 아이샤를 도울 수 있는 방법을 생각해 볼까요?

예시 답안
- 일상생활에서 물 절약을 실천합니다.
- 가뭄이 계속되는 나라에서 깨끗한 물을 얻을 수 있도록 기술을 연구합니다.

➡ 사용할 수 있는 물의 부족

탐구 활동 물 부족 현상을 해결하기 위한 방법 토의하기

자세한 해설은 156~157쪽에 있어요.

● 무엇을 준비할까요?

스마트 기기, 물 부족 원인 붙임딱지(『실험 관찰』 꾸러미 69쪽), 붙임쪽지

● 과정을 알아볼까요?

❶ 그림을 보며 물이 부족한 원인을 생각해 보고, 알맞은 붙임딱지를 찾아 붙여 봅시다. 도움 ①

❷ 물을 효과적으로 이용할 수 있는 방법을 조사하고, 물 부족 현상을 해결하기 위한 방법을 토의해 봅시다. 도움 ②

❸ 물 부족 현상을 해결하기 위해 내가 실천할 수 있는 일을 1가지 정하여 붙임쪽지에 써 봅시다.

❹ 붙임쪽지를 학급 게시판에 붙이고 실천해 봅시다.

● 관찰 내용 및 결과를 정리해요

➡ 물 부족 현상의 원인을 알아보고 해결 방법을 찾아 일상생활에서 실천합니다.

➡ 민물이란?

➡ 해수 담수화 기술이란?

교과서 속 핵심 개념

● 물 부족의 원인과 물 부족 현상을 해결하기 위한 방법

물 부족의 원인	물 부족 현상을 해결하기 위한 방법 도움 ③
• 지구에 있는 물은 대부분 바닷물이라서 사용할 수 있는 민물의 양이 매우 적음. • 비가 아주 적게 오거나 특정 시기에만 오는 지역은 물을 보존하기 어려움. • 물을 이용하는 인구가 크게 증가함. • 산업이 발달하면서 물의 사용량이 크게 늘어남. • 물을 낭비함.	• 바닷물을 민물로 만들어 사용할 수 있는 물의 양 늘리기 • 빗물 저금통에 빗물을 저장하여 물을 효과적으로 사용하기 • 세면대에서 사용한 물을 걸러 변기의 물로 재사용하기 • 양치할 때 물을 컵에 받아 물의 사용량 줄이기

도움 ① 세계의 물 부족 현상
2017년에 세계 보건 기구(WHO)에서 발표한 보고서에 따르면 2017년 기준으로 약 5.7억 명이 아직도 안전하게 마실 물을 이용할 수 없으며 약 14억 명의 인구가 기본적인 위생 시설도 없이 생활하고 있다고 합니다.

도움 ② 물의 효과적인 이용을 조사하기 위한 홈페이지
물정보포털 홈페이지(https://www.water.or.kr/)

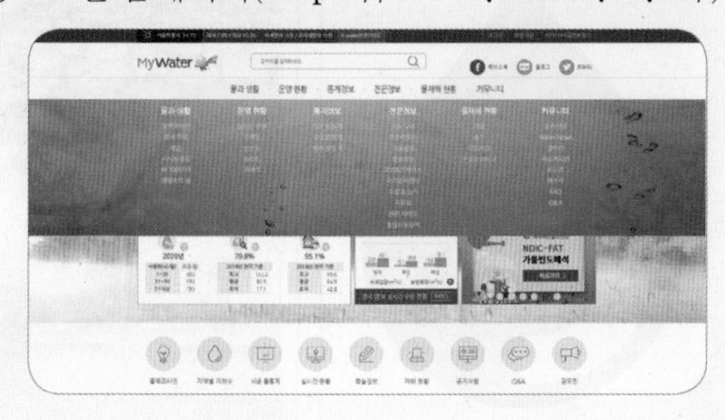

도움 ③ 물 부족 현상을 해결하기 위한 또 다른 방법
- 샤워 시간을 줄입니다.
- 절수형 샤워기 헤드를 사용합니다.
- 빨랫감을 한 번에 모아서 세탁합니다.
- 수돗물이 새지 않도록 수도꼭지를 완전히 잠급니다.
- 설거지할 때 설거지통에 물을 받아 놓고 사용합니다.

스스로 확인해요

- **물 부족 현상을 해결하기 위한 방법을 설명할 수 있어요.**
  도움말 사용 가능한 물의 양을 늘리는 방법, 물을 절약하는 방법 등을 설명합니다.
- **생활 속에서 물 절약을 실천하기 위한 마음을 가져요.**
  도움말 물 절약을 실천했는지 스스로 평가합니다.

정답과 해설 5쪽

교과서 개념 확인 문제

1 다음은 물이 부족한 원인에 대한 설명입니다. 빈칸에 들어갈 알맞은 말을 써 봅시다.

- 지구에 있는 물은 대부분 (㉠)(이)라서 사용할 수 있는 (㉡)의 양은 매우 적습니다.
- 물을 이용하는 (㉢)이/가 크게 증가하였습니다.

㉠ ( ), ㉡ ( ), ㉢ ( )

2 다음을 읽고 옳은 것은 ○표시를, 옳지 않은 것은 ×표시를 해 봅시다.

(1) 인구가 증가하고 산업이 발달하면서 물의 사용량은 계속 늘어나고 있습니다. ( )
(2) 사용한 물을 즉시 하수구로 흘러가게 하면 물을 절약할 수 있습니다. ( )
(3) 바닷물을 민물로 만들면 사용할 수 있는 물의 양을 늘릴 수 있습니다. ( )

3 다음 보기 중 물 부족 현상을 해결하기 위해 우리가 실천할 수 있는 방법으로 옳지 않은 것을 골라 기호를 써 봅시다.

보기
㉠ 물을 계속 틀어 놓고 샤워합니다.
㉡ 양치할 때 컵에 물을 받아 사용합니다.
㉢ 빗물 저금통을 이용해 화단에 물을 줍니다.
㉣ 세면대에서 사용한 물을 걸러 변기의 물로 재사용합니다.

( )

실험 관찰

의사소통

실험 관찰 60~61쪽

3 물이 부족해요

탐구 활동: 물 부족 현상을 해결하기 위한 방법 토의하기

탐구 활동 도움말

이 탐구 활동은 물 부족 현상의 원인을 찾고 그 해결 방법을 모둠원과 토의하여 실천하는 활동입니다.

『실험 관찰』 꾸러미 69쪽 붙임딱지를 붙여요.

스마트 기기는 필요할 때만 사용해요.

무엇을 준비할까요?

준비물에 ○ 표시를 하면서 확인해 봅시다.

스마트 기기

물 부족 원인 붙임딱지 (『실험 관찰』 꾸러미 69쪽)

붙임쪽지

1 그림을 보며 물이 부족한 원인을 생각해 보고, 알맞은 붙임딱지를 찾아 붙여 봅시다.

예시 답안

지구에 있는 물은 대부분 바닷물이라서 사용할 수 있는 민물의 양은 매우 적습니다.

(출처: 환경부, 2021, p. 13)

비가 아주 적게 오거나 특정 시기에만 오는 지역은 물을 보존하기 어렵습니다.

세계 인구수 (단위: 명)

1960년	1980년	2000년	2020년
30억	45억	61억	78억

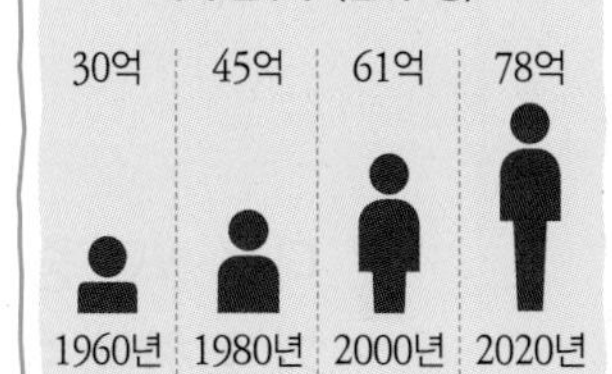

물을 이용하는 인구가 크게 증가하였습니다.

(출처: 장래 인구, 2020. 10. 06.)

산업이 발달하면서 물의 사용량이 크게 늘었습니다.

물을 낭비합니다.

보충해설

농업, 공업, 서비스업 등에 많은 물이 사용되고 있으며, 이때 발생하는 폐수는 정화되는 데 시간이 오래 걸리므로 깨끗한 물이 부족하게 됩니다.

2 물을 효과적으로 이용할 수 있는 방법을 조사하고, 물 부족 현상을 해결하기 위한 방법을 토의해 봅시다.

도움말

물을 효과적으로 이용할 수 있는 방법을 조사할 때 사용 가능한 물의 양을 늘리는 방법, 물을 절약하는 방법 등을 스마트 기기로 찾습니다.

'물정보포털' 홈페이지에서 물을 효과적으로 이용할 수 있는 방법을 조사할 수 있어요.

물 부족 현상을 해결하는 방법

예시 답안

- 사용할 수 있는 물의 양을 늘리는 방법
- 물을 절약하는 방법
- 또 다른 방법

• 댐이나 저수지를 만듭니다.
• 빗물 저금통에 빗물을 모아 사용합니다.
• 바닷물을 마실 수 있는 물로 바꾸는 해수 담수화 기술을 개발합니다.
• 비누칠할 때는 샤워기를 틀어 놓지 않습니다.
• 변기의 물탱크에 물을 채운 병을 넣습니다.
• 식기에 묻은 음식 찌꺼기는 휴지로 먼저 닦은 후 세척합니다.
• 샴푸나 세제를 적게 사용합니다.
• 양치할 때는 컵을 사용합니다.
• 한번 사용한 물을 모아서 청소할 때 사용합니다.
• 세면대에서 사용한 물을 걸러 변기의 물로 재사용합니다.

스마트 기기로 물 절약 방법, 빗물 저금통 등을 찾아보아요.

3 물 부족 현상을 해결하기 위해 내가 실천할 수 있는 일을 1가지 정하여 붙임쪽지에 써 봅시다.

예시 답안 욕조에 물을 받아 놓고 목욕하기보다는 간단하게 샤워하고, 샤워 시간을 줄이겠습니다.

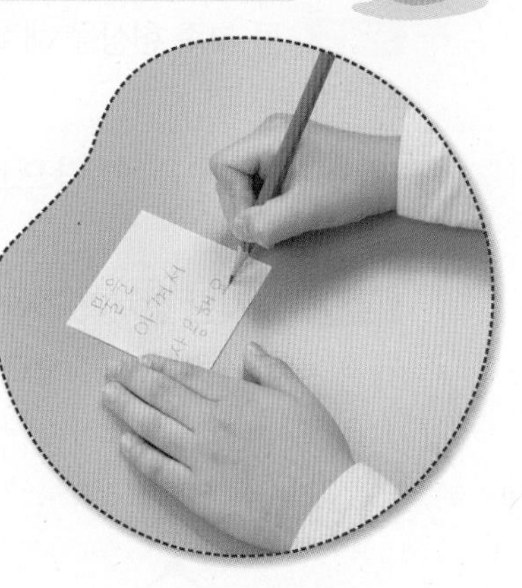

4 붙임쪽지를 학급 게시판에 붙이고 실천해 봅시다.

이렇게 ㅇㅇ 정리해요

물 부족 현상을 해결하기 위한 방법을 한 가지 써 봅시다.

예시 답안
양치할 때 물을 컵에 받아 사용합니다.

4 과학으로 물 부족 현상을 해결해요

과학 110~111쪽

➲ 물 부족 현상을 해결하기 위한 창의적인 방법

▲ 솔라볼 ▲ 워터콘

궁금해요

나미브 사막에 사는 사막딱정벌레 이야기를 읽고 사막딱정벌레가 물을 얻기 위해 물의 순환을 어떻게 이용하는지 생각해 봅시다.

질문 사막딱정벌레의 등껍질에 맺힌 물은 어디에서 왔을까요? 도움 ①

예시 답안 아침 안개가 사막딱정벌레의 등껍질에 있는 돌기에 물방울로 맺혔기 때문에 맺힌 물은 안개에서 왔습니다.

해 보기 물 부족 현상을 해결하기 위한 창의적인 방법 조사하기

- **무엇을 준비할까요?**

스마트 기기, 그림 도구

- **과정을 알아볼까요?**

① 솔라볼과 워터콘 사진을 참고하여 물 부족 현상을 해결하기 위해 창의적인 방법을 활용한 사례를 조사해 봅시다.

도움말 물 부족 현상을 해결하기 위한 장치에서 물의 순환을 어떻게 이용하고 있는지 찾아봅시다.

② 조사한 내용을 그림으로 나타내고, 과학적 원리가 무엇인지 설명해 봅시다.

도움말 조사한 장치의 과학적 원리를 그림에 직접 표시하여 물의 순환 과정이 어떻게 이용되었는지 구체적으로 설명합니다.

➲

그림	내가 조사한 장치
	이름: 워터콘
	과학적 원리: 검은색 바닥에 바닷물을 부은 뒤 콘을 씌우면 바닥에 있는 물이 증발하여 수증기가 되고 수증기가 워터콘 벽면에서 응결하여 깨끗한 물을 모을 수 있다.

교과서 속 핵심 개념

- **물 부족 현상을 해결하기 위해 창의적인 방법을 활용한 사례** 도움 ②
  - 솔라볼, 워터콘, 안개 수집기 등은 물의 순환 과정과 지역의 특성을 활용함.
  - 안개 수집기: 안개 수집기의 촘촘한 그물망에 안개 속의 물방울이 맺혀 깨끗한 물을 모을 수 있음.

도움 ① 사막딱정벌레가 물을 얻을 수 있는 과학적 원리

사막딱정벌레는 공기 중에 있는 수증기나 안개로부터 수분을 모아 물을 얻습니다. 딱정벌레가 수분을 모을 수 있는 비결은 차가운 등껍질에 있습니다. 차가운 음료수병을 실온에 내놓으면 병 표면에 물방울이 생기는 것과 같이 공기 중에 있는 수분이 사막딱정벌레의 차가운 등껍질의 돌기에 닿으면 물방울이 맺히게 됩니다.

도움 ② 물 부족 현상을 해결하기 위한 과학적이고 창의적인 방법

 ▲ 솔라볼	깨끗하지 않은 물을 솔라볼에 넣고 햇빛에 놓아두면 물이 증발하여 수증기가 됩니다. 수증기가 솔라볼 위쪽에 있는 물을 모으는 곳에서 응결하면 깨끗한 물을 모을 수 있습니다.
 ▲ 워터콘	오염된 물을 워터콘에 넣고 햇빛에 놓아두면 물이 증발하여 수증기가 됩니다. 수증기가 워터콘 벽면에서 응결하면 깨끗한 물을 모을 수 있습니다.
 ▲ 히포 롤러	물을 기르기 위해서 양동이를 머리에 이고 먼 길을 여러 번 오가는 문제를 해결하기 위한 창의적인 장치입니다. 일반 양동이의 5배 이상인 90 L의 물을 쉽게 운반할 수 있습니다.
 ▲ 라이프스트로우	오염된 물을 깨끗하게 해 주는 휴대용 정수 빨대입니다. 라이프스트로우의 필터는 오염된 물에 사는 미생물과 기생충을 걸러 낼 수 있습니다. 배터리 충전이나 필터 교환 없이 약 4,000 L의 물을 걸러 마실 수 있습니다.

스스로 확인해요

- **조사한 장치의 과학적 원리를 설명할 수 있어요.**
  도움말 조사한 장치에서 물의 순환이 어떻게 이루어졌는지 설명합니다.
- **물 부족 현상을 해결하기 위한 창의적인 방법을 조사했어요.**
  도움말 스마트 기기를 이용하여 물 부족 현상을 해결할 수 있는 창의적인 방법과 과학적 원리를 조사합니다.

정답과 해설 5쪽

교과서 개념 확인 문제

1 다음 사진에서 깨끗한 물을 얻기 위해 사용한 과학적 원리를 선으로 연결해 봅시다.

(1)  •

(2)  •

(3) •

• ㉠ 안개 속의 물방울 모으기

• ㉡ 증발과 응결

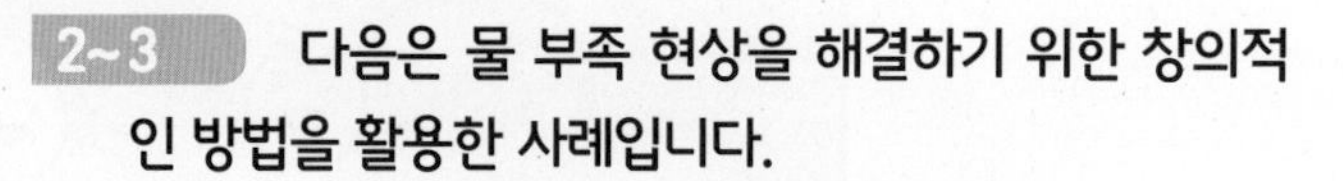

2~3 다음은 물 부족 현상을 해결하기 위한 창의적인 방법을 활용한 사례입니다.

2 위 사진 속 장치의 이름은 무엇인지 써 봅시다.

( )

3 다음은 위 사진 속 장치의 과학적 원리에 대한 설명입니다. 빈칸에 들어갈 알맞은 말을 써 봅시다.

> 이 장치의 촘촘한 ( )에 안개 속의 물방울이 맺히면 깨끗한 물을 모을 수 있습니다.

( )

과학 112~113쪽

물 발자국은 무엇일까요?

초콜릿 한 조각을 먹을 때 눈에 보이지 않는 엄청난 양의 물을 쓰고 있다는 사실을 알고 있나요? 100 g 초콜릿 한 개가 만들어지기까지는 1,720 L 정도의 많은 물이 사용돼요.

농장에서 카카오를 재배할 때, 공장에서 초콜릿으로 가공할 때, 만들어진 초콜릿을 운반할 때도 물이 필요해요.

이렇게 제품을 생산, 운반, 사용, 폐기할 때까지 사용한 물의 총량을 '물 발자국'이라고 해요.

(출처: 제품(식품)의 물 발자국, 2017.)

과학 더하기 도움말

과학 더하기의 내용은 '물 발자국'이라는 개념을 소개하며, 우리가 사용하는 물의 양이 얼마나 많은지에 대한 정보를 알려 주고 있습니다.

과학 더하기 해설

• 물 발자국의 종류

'물 발자국'은 그 성격에 따라 녹색, 청색, 회색으로 나뉩니다. 녹색 물 발자국은 농작물을 기르는 데 소비된 빗물을 뜻하고, 청색 물 발자국은 제품의 생산과 공급 과정에서 소비된 물을 뜻하며, 회색 물 발자국은 오염된 물을 뜻합니다. 우리는 식품뿐만 아니라 양말(920 L), 운동화(4,720 L), 자동차(1,443,000 L)를 생산할 때도 심지어 이메일을 보낼 때도 보이지 않는 물을 사용하고 있습니다.

• 물 발자국 네트워크

'www.waterfootprint.org/en/'에 접속하면 물 발자국

물 발자국을 줄이려면 어떻게 해야 할까요?

물 발자국을 왜 줄여야 할까요?

외국에서 수입한 초콜릿을 먹었다면 우리는 초콜릿을 생산한 지역의 물을 사용한 것이나 마찬가지예요. 우리가 물 발자국을 줄이면 물이 부족한 나라에 살고 있는 사람들과 지구에 함께 살아가는 동식물이 물을 조금 더 사용할 수 있어요. 물 발자국을 줄이는 생활 속 작은 실천은 지구를 함께 살아가고 있는 모든 생명에 대한 배려예요.

질문

- **우리 생활에서 물 발자국을 줄이기 위해 실천할 수 있는 방법을 더 생각해 보아요.**

▶ 물건을 아껴서 사용합니다.
▶ 꼭 필요한 물건만 삽니다.
▶ 물건이 고장 나거나 낡아지면 수리하여 사용합니다.
▶ 남은 음식은 버리지 않고 필요한 곳에 활용합니다.
▶ 음식을 남기지 않도록 먹을 양만 요리합니다.

의 개념, 제품별 물 발자국, 국가별 물 발자국, 하루에 사용한 물 발자국 계산 등 물 발자국과 관련된 자료를 검색할 수 있습니다.

• 물 발자국 환경 성적 표지

우리나라와 여러 나라에서 물 발자국 환경 성적 표지를 제품에 표시하고 있습니다. 환경 성적 표지 인증 제품은 자발적으로 제품의 환경성 정보를 공개한 제품이므로 환경적 신뢰도가 높습니다. 물 발자국 환경 성적 표지가 있는 제품에는 제품의 제조 전 단계, 제조 단계, 사용 단계, 폐기 단계 등의 단계에서 사용한 물의 양을 합산한 총량이 적혀 있어서 제품의 물 발자국을 알 수 있습니다.

그림으로 정리하기 해설

❶ 물의 순환이란 물이 상태가 변하면서 지표면, 공기, 생명체 등을 끊임없이 돌고 도는 현상입니다.

❷ 물은 생명체를 구성하고, 동식물이 생명을 유지하는 데 꼭 필요합니다.

❸ 물은 흐르면서 땅의 모습을 바꾸어 계곡과 강 등의 자연환경을 만듭니다.

❹ 인구의 증가는 물 부족 현상의 주요 원인 중 하나입니다.

❺ 사용 가능한 물의 양 늘리기 예: 바닷물을 민물로 만드는 기술 개발하기, 빗물 저금통에 빗물 저장하기 등

• 민물: 소금 성분이 거의 없어 먹는 물로 사용할 수 있습니다.

❻ 물 절약하기 예: 양치할 물을 컵에 받아 사용하기, 세수를 하거나 손을 씻으려고 비누칠할 때 수도꼭지 잠그기, 샴푸나 세제 적게 사용하기, 절수형 샤워기 헤드 사용하기, 세면대에서 사용한 물을 변기의 물로 재사용하기 등

❼ 안개 수집기는 물의 순환 과정과 안개가 많은 지역의 특성을 활용한 기술입니다. 안개 수집기의 그물망에 안개 속의 물방울이 맺히면 깨끗한 물을 모을 수 있습

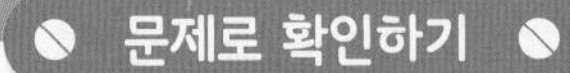

문제로 확인하기

❶ 다음은 물의 순환 과정에 관한 설명입니다. 빈칸에 들어갈 말을 찾아 색칠해 봅시다.

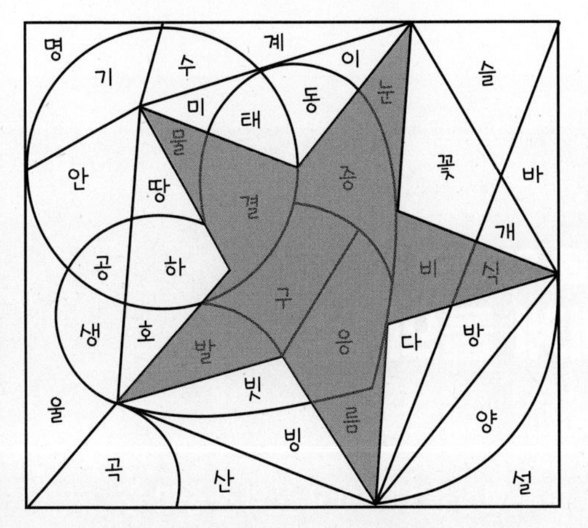

(1) 바닷물이 [증][발]하여 수증기가 됩니다.

(2) 수증기가 하늘로 올라가 [응][결]하여 [구][름]이/가 됩니다.

(3) 구름 속의 물방울이 무거워지거나 차가워지면 [비](이)나 [눈]이/가 되어 내립니다.

(4) 물은 [식][물]의 뿌리로 흡수되었다가 잎에서 수증기가 되어 나옵니다.

❷ 물 부족 현상의 원인과 해결 방법으로 옳은 것에는 ○ 표시를, 옳지 않은 것에는 × 표시를 해 봅시다.

(1) 인구가 증가하면서 지구 전체에 있는 물의 양이 점차 늘어나고 있습니다. (×)

(2) 물 부족 현상을 해결하기 위해 빗물을 받아 사용하거나, 물을 절약하여 사용합니다. (○)

과학 글쓰기

❸ '구슬비' 가락에 맞추어 물의 순환이나 물의 중요성을 나타내는 노랫말을 지어 봅시다.

도움말: 선정한 주제에 해당하는 내용을 포함해서 노랫말을 지어야 합니다.

도전! 창의 융합

물의 소중함을 알려요!

물의 소중함을 알리는 '물 사랑 알림 활동'에 참여해 봅시다.

『실험 관찰』 62쪽

니다. 안개 수집기와 비슷한 원리를 이용한 기술에는 와카워터가 있고, 물의 증발과 응결 현상을 이용한 기술에는 솔라볼, 워터콘 등이 있습니다.

문제로 확인하기 해설

❷ 물 부족 현상의 원인과 해결 방법을 물의 순환 과정과 함께 생각하며 판단하는 문제입니다.

(1) 인구가 증가하면서 물의 사용량은 계속 늘어나고, 사용할 수 있는 물의 양은 줄어들고 있습니다. 사용할 수 있는 물이 줄어들고 있더라도 지구 전체로 보면 물의 양은 보존됩니다.

(2) 물 부족 현상을 해결하기 위해 빗물 저금통에 빗물을 받아 사용할 수 있습니다.

과학 글쓰기 해설

물의 순환, 물의 중요성뿐만 아니라 물 부족 현상의 원인, 물 부족 현상을 해결하기 위한 방법, 물 부족 현상을 해결하기 위해 창의적인 방법을 활용한 사례 등을 주제로 노랫말을 지어 볼 수 있습니다.

실험 관찰

실험 관찰 62~63쪽

도전! 창의 융합 도움말

'세계 물의 날'은 인구가 늘어나고 경제 활동이 증가하면서 물이 오염되어 전 세계적으로 먹는 물이 부족해지자 물 부족 문제의 심각성을 국제 사회에 알리기 위해 국제 연합(UN)이 정한 날로 매년 3월 22일입니다. 이 활동을 하면서 물의 소중함을 다시 한번 생각해 봅시다.

도전! 창의 융합

물의 소중함을 알려요!
3월 22일 세계 물의 날
'물 사랑 알림 활동'

유엔(UN)에서는 점차 심각해지는 물 부족 현상을 해결하고 물의 소중함을 알리기 위해 매년 3월 22일을 '세계 물의 날'로 정했습니다. '세계 물의 날'을 앞두고 물의 소중함을 알리는 '물 사랑 알림 활동'에 참여해 보아요.

① 물의 소중함을 알릴 수 있는 사진, 포스터, 신문 기사, 광고, 동시 등을 전시해요.
② 물의 소중함을 알릴 수 있는 손 팻말을 만들어요.
③ 전시 자료와 손 팻말을 활용하여 '물 사랑 알림 활동'을 해 보아요.

세계 물의 날 5행시

세 수할 때 물을
계 속 틀어 놓지 말아요.
물 을 아껴 쓰는 일은 우리의
의 무예요. 물을
날 마다 아껴서 사용해요.

또 어떤 5행시를 지을 수 있을까?

물 사랑 사진

사진 제목: 눈사람이 된 물

전시와 활동을 할 때 『과학』 106~107쪽, 110~111쪽 활동 결과물을 이용할 수 있어요.

도움말

『과학』 106~107쪽 '해 보기'에서 만든 '물의 소중함을 알리는 포스터'를 출력하여 전시하거나 『과학』 110~111쪽 '해 보기'에서 조사한 장치의 그림과 과학적 원리를 '물 사랑 알림 활동'을 하는 데 활용할 수 있습니다.

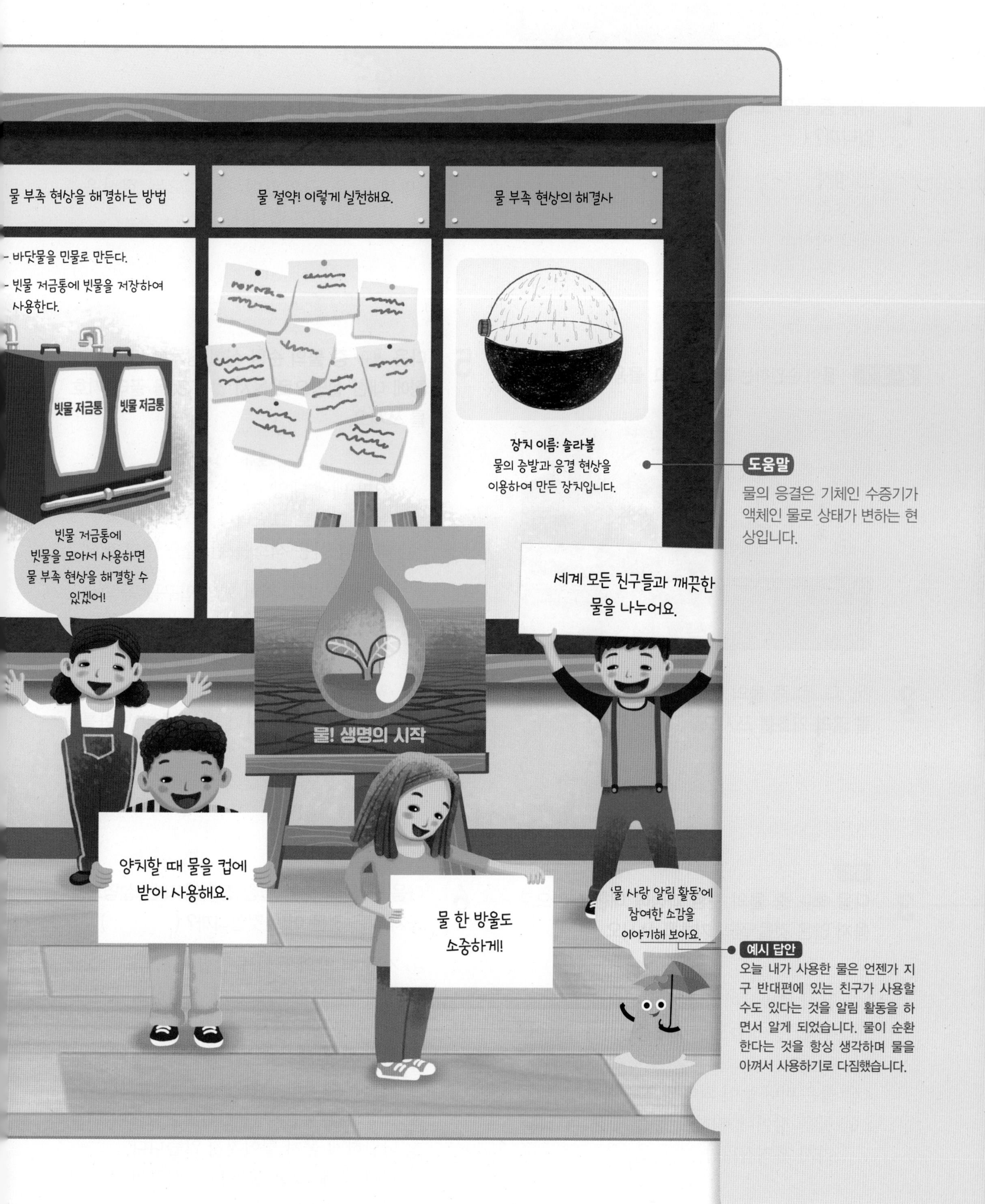

도움말

물의 응결은 기체인 수증기가 액체인 물로 상태가 변하는 현상입니다.

예시 답안

오늘 내가 사용한 물은 언젠가 지구 반대편에 있는 친구가 사용할 수도 있다는 것을 알림 활동을 하면서 알게 되었습니다. 물이 순환한다는 것을 항상 생각하며 물을 아껴서 사용하기로 다짐했습니다.

교과서 평가 문제

1 다음 중 물의 모습이 고체 상태인 곳은 어느 것입니까? (　　　)

① 빙하　② 바다
③ 호수　④ 구름
⑤ 오아시스

2~3 물이 순환하는 과정을 보고, 물음에 답하시오.

2 ㉠, ㉡, ㉢ 중 물의 상태가 나머지와 다른 하나를 골라 기호를 쓰시오.

(　　　　　　)

중요

3 다음 보기 중 물의 순환 과정에 대한 설명으로 옳지 않은 것을 골라 기호를 쓰시오.

보기

㉠ 물이 증발하여 수증기가 됩니다.
㉡ 수증기는 하늘로 올라가 증발하여 구름이 됩니다.
㉢ 물은 비나 눈이 되어 땅으로 내려옵니다.
㉣ 물은 강이나 지하수 등을 통해 바다로 다시 흘러갑니다.

(　　　　　　)

4 다음 빈칸에 들어갈 알맞은 말을 쓰시오.

물이 상태가 변하면서 지표면, 공기, 생명체 등을 끊임없이 돌고 도는 현상을 (　　)(이)라고 합니다.

(　　　　　　)

5 다음 보기 중 물의 순환 실험 장치를 만드는 과정에 대한 설명으로 옳지 않은 것을 골라 기호를 쓰시오.

보기

㉠ 지퍼 백에 태양, 구름, 육지, 나무 등을 유성 펜으로 그립니다.
㉡ 파란색 식용 색소를 탄 물을 지퍼 백에 $\frac{1}{5}$ 정도 넣고, 지퍼 백의 입구를 꼭 닫습니다.
㉢ 지퍼 백을 그늘지고 차가운 벽에 셀로판테이프로 붙입니다.
㉣ 2일~3일 동안 지퍼 백 안쪽의 변화를 관찰해 봅시다.

(　　　　　　)

6 다음 중 물의 순환 실험 장치에 대한 설명으로 옳지 않은 것은 어느 것입니까? (　　　)

① 지퍼 백 안의 물이 증발합니다.
② 지퍼 백 안의 수증기가 응결하여 물방울로 맺힙니다.
③ 지퍼 백 안에서 물은 기체 상태와 액체 상태로 변하면서 순환합니다.
④ 물방울이 맺힌 부분은 물방울들끼리 더욱 단단하게 뭉쳐 떨어지지 않습니다.
⑤ 지퍼 백에 맺힌 물방울은 시간이 지나면서 서로 뭉쳐 크기가 점점 커집니다.

7 오른쪽 그림에서 알 수 있는 물의 중요성은 어느 것입니까? (   )

① 농작물을 기를 때 필요합니다.
② 음식을 보관할 때 필요합니다.
③ 공장에서 물건을 만들 때 필요합니다.
④ 계곡과 강 등의 자연환경을 만듭니다.
⑤ 동식물의 생명을 유지하는 데 필요합니다.

중요

8 다음 중 우리 생활에서 물 부족 현상을 해결하기 위해 할 수 있는 일로 옳지 않은 것은 어느 것입니까? (   )

① 샤워 시간을 절반으로 줄입니다.
② 빗물 저금통에 빗물을 저장합니다.
③ 양치할 때 물을 컵에 받아 사용합니다.
④ 사용한 물을 즉시 하수구로 흘러가게 합니다.
⑤ 바닷물을 민물로 만들어 사용할 수 있는 물의 양을 늘립니다.

9 세계 여러 나라에서 물 부족 현상이 나타나는 원인으로 옳은 것은 어느 것입니까? (   )

① 세계 인구가 줄어들었기 때문입니다.
② 물 절약을 위해 모두가 노력하기 때문입니다.
③ 지구에 있는 물은 대부분 민물이기 때문입니다.
④ 산업 발달로 물의 사용량이 늘어났기 때문입니다.
⑤ 지역과 기후에 상관없이 이용할 수 있는 물의 양이 일정하기 때문입니다.

서술형 문제

10 다음 그림을 보고, 물음에 답하시오.

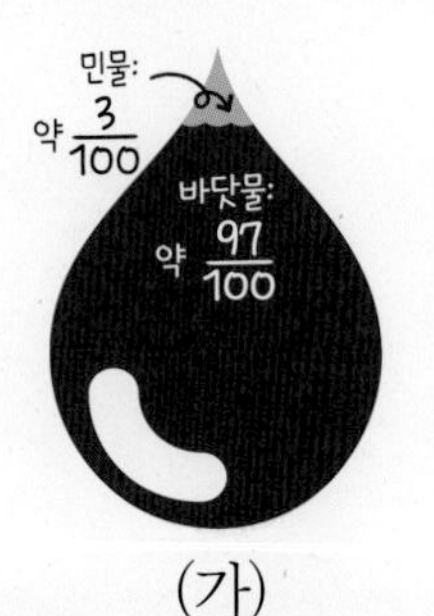

(가)

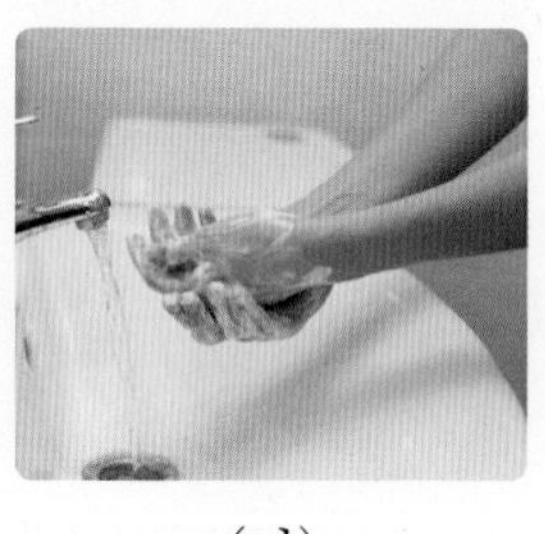

(나)

(1) 그림 (가)와 (나)에서 물이 부족한 원인을 각각 쓰시오.

(가) ______________________

(나) ______________________

(2) 그림 (가)와 (나)에서 물 부족 현상을 해결하기 위한 방법을 각각 1가지씩 쓰시오.

(가) ______________________

(나) ______________________

서술형 문제

11 다음 그림을 보고, 물음에 답하시오.

(1) 위와 같이 물 부족 현상을 해결하기 위한 과학적이고 창의적인 장치 이름을 1가지 쓰시오.

____

(2) (1)에서 쓴 장치가 물을 모으는 과학적 원리를 쓰시오.

____

우리학교 시험대비 평가 문제

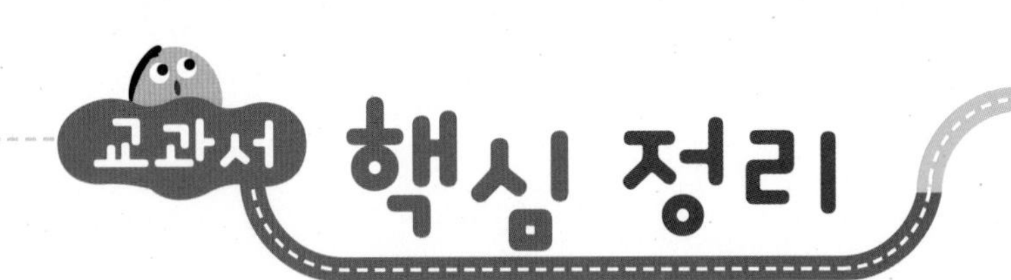

1 학교 안 식물을 탐험해요

학교 안에서 볼 수 있는 식물의 예	
식물 카드에 있는 식물	회양목, 주목, 무궁화, 단풍나무, 닭의장풀, 나팔꽃, 맥문동, 강아지풀, 괭이밥, 서양민들레, 진달래
식물 카드에 없는 식물	토끼풀, 향나무

2 비슷한 잎끼리 분류해 볼까요?

잎의 생김새	분류 기준
• 잎몸: 잎을 이루는 넓은 부분 • ❶ ______: 잎몸과 줄기 사이에 있는 부분 • 잎맥: 잎몸에서 선처럼 보이는 것	잎의 전체적인 모양, 가장자리 모양, 잎맥 모양 등 생김새의 공통점과 차이점을 이용하여 ❷ ______을/를 정하여 분류함.

3 우리 주변의 식물은 어떻게 겨울을 보낼까요?

(1) ❸ ______: 생물이 오랜 기간에 걸쳐 자신이 살고 있는 곳의 환경에 살기 알맞게 변하는 것

(2) 우리 주변의 식물이 겨울을 나는 모습

❹ ______(으)로만 겨울을 나는 식물	씨, 땅속 부분으로 겨울을 나는 식물	씨, 땅속 부분, 땅 위 부분으로 겨울을 나는 식물
한해살이풀 예 나팔꽃, 강아지풀, 닭의장풀, 봉선화, 명아주, 해바라기 등	여러해살이풀 예 서양민들레, 갈대, 제비꽃, 수련, 애기부들, 애기똥풀, 구절초 등	나무 예 단풍나무, 벚나무, 느티나무, 무궁화, 개나리, 소나무, 동백나무 등

4 연못이나 강에 사는 식물은?

(1) 연못이나 강에 사는 식물의 종류

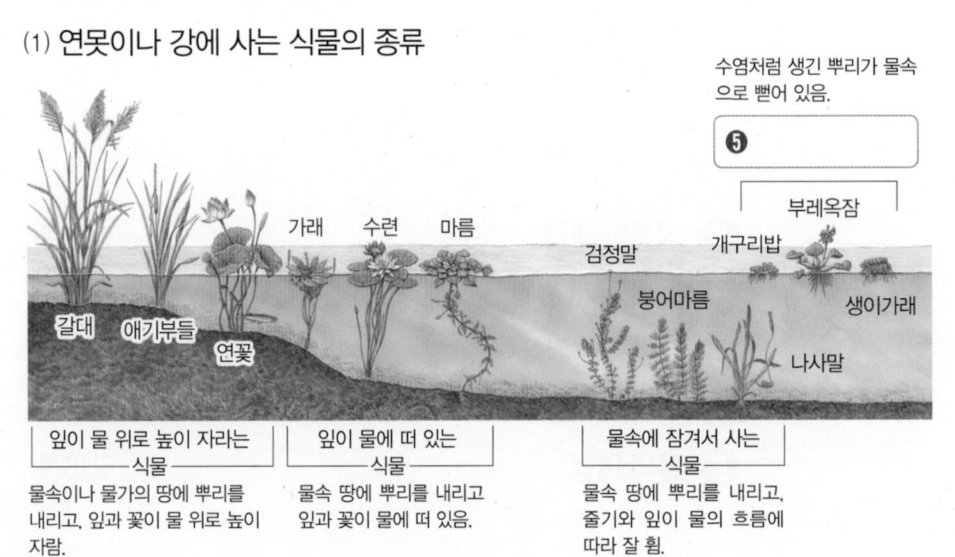

잎이 물 위로 높이 자라는 식물: 물속이나 물가의 땅에 뿌리를 내리고, 잎과 꽃이 물 위로 높이 자람.

잎이 물에 떠 있는 식물: 물속 땅에 뿌리를 내리고 잎과 꽃이 물에 떠 있음.

물속에 잠겨서 사는 식물: 물속 땅에 뿌리를 내리고, 줄기와 잎이 물의 흐름에 따라 잘 휨.

❶ 잎자루 ❷ 기준 ❸ 적응 ❹ 씨 ❺ 물에 떠서 사는 식물

(2) 부레옥잠이 물에 뜰 수 있는 까닭: 부레옥잠은 ❻ [   ]에 있는 ❼ [   ]에 공기가 들어 있어 물에 뜰 수 있음.

5 덥고 비가 많이 오는 곳에 사는 식물은?

종류	바나나, 고사리, 야자나무, 몬스테라 등
특징	• 식물의 잎이 일 년 내내 푸름. • 잎이 길고 끝이 뾰족한 모양이 많으며, 잘 휘어져서 빗방울을 쉽게 흘려보냄. • 햇빛이 강하고 비가 많이 와서 매우 ❽ [ ] 자라는 나무가 많음. • 여러 종류의 식물이 햇빛을 많이 받기 위해 ❾ [ ]을/를 이루며 살아감.

6 이런 곳에서도 식물이 살아요

사막에 사는 식물	• 잎이나 줄기가 ❿ [ ] 물을 잘 저장할 수 있음. • 적게 내리는 비를 빠르게 흡수하거나, 깊은 땅속에 있는 물을 흡수할 수 있음. • 식물이 오랜 기간에 걸쳐 ⓫ [ ]한 환경에 적응한 것임. • 종류: 여러 종류의 선인장, 아데니움, 알로에, 용설란 등
극지방에 사는 식물	• 키가 ⓬ [ ] 뭉쳐 살아서 낮은 기온과 차고 강한 바람을 견딜 수 있음. • 깊은 땅속은 일 년 내내 얼어 있기 때문에 땅속 깊이 뿌리를 내리지 않음. • 식물이 오랜 기간에 걸쳐 ⓭ [ ] 환경에 적응한 것임. • 종류: 남극좀새풀, 남극구슬이끼, 북극종꽃나무, 북극이끼장구채 등

7 식물에게 배워요

식물	활용한 식물의 특징	활용한 예
우엉 열매	열매 끝에 갈고리 모양의 가시가 있어 여러 가지 물체에 달라붙기 좋음.	찍찍이
⓮ [ ]	잎에 작고 둥근 돌기가 많이 나 있어 물이 스며들지 않음.	물이 스며들지 않는 천
선인장	⓯ [ ]에 물을 많이 저장하고, 줄기 속의 물이 밖으로 빠져나가지 않도록 함.	선인장의 생김새를 활용한 건축물
단풍나무 열매	열매에 날개가 있어 높은 곳에서 떨어질 때 뱅글뱅글 돌면서 천천히 떨어짐.	헬리콥터의 회전 날개

❻ 잎자루 ❼ 공기주머니 ❽ 크게 ❾ 층 ❿ 굵어 ⓫ 건조 ⓬ 작고 ⓭ 추운 ⓮ 연꽃잎 ⓯ 줄기

정답과 해설 6쪽

1 식물의 잎을 보면 선처럼 보이는 것이 있는데, 이것을 (잎몸 , 잎맥)이라고 합니다.

2 잎의 (   )을/를 관찰할 때는 잎의 전체적인 모양, 잎의 가장자리 모양, 잎맥의 모양 등을 관찰합니다.

3 잎을 분류할 때 사람마다 기준이 다르거나 감정을 쓴 것은 (   )(으)로 적합하지 않습니다.

4 (나무 , 여러해살이풀 , 한해살이풀)은/는 씨와 땅속 부분으로 겨울을 나는 식물입니다.

5 연못이나 강에 사는 식물 중 ㉠ (갈대 , 검정말)은/는 잎이 물 위로 높이 자라는 식물이고, ㉡ (연꽃 , 붕어마름)은 잎이 물속에 잠겨서 사는 식물입니다.

6 물이 많은 곳에 사는 식물은 잎이나 뿌리 또는 줄기에 (   )이/가 들어 있는 부분이 있습니다.

7 덥고 비가 많이 오는 곳에 사는 식물이 층을 이루며 사는 까닭은 최대한 (   )을/를 많이 받기 위해서입니다.

8 사막에 사는 식물은 비를 빠르게 흡수할 수 있도록 ㉠ (뿌리 , 줄기)가 얕고 넓게 퍼져 있거나, 땅속 깊은 곳에 있는 물을 흡수할 수 있도록 ㉡ (뿌리 , 줄기)가 땅속 깊게 뻗어 있습니다.

9 극지방에 사는 식물은 추위와 차고 강한 바람을 견디기 위해 키가 ㉠ (작고 , 크고), 서로 ㉡ (뭉쳐 , 흩어져) 삽니다.

10 우엉 열매의 생김새를 활용하여 찍찍이를 만든 것과 같이 식물의 생김새와 (   )을/를 모방하여 활용할 수 있습니다.

정답과 해설 6쪽

1 다음을 읽고 옳은 것에 ○표시를, 옳지 않은 것에 ×표시를 하시오.

(1) 잎을 직접 따야 할 때는 잎자루까지 채집합니다. ( )

(2) '잎의 색깔이 아름다운가?'는 잎을 분류하는 기준이 될 수 있습니다. ( )

(3) 강아지풀은 잎의 모양이 길고 가장자리에 털이 있습니다. ( )

(4) 식물의 생김새나 생활 방식은 그 식물이 사는 곳의 환경에 적응하며 달라집니다. ( )

2 씨로만 겨울을 나는 식물을 다음 보기 에서 모두 골라 기호를 쓰시오.

보기

㉠ ▲ 봉선화
㉡ ▲ 해바라기
㉢ ▲ 무궁화
㉣ ▲ 동백나무

( )

3 오른쪽은 부레옥잠의 잎자루를 가로로 자른 모습입니다. ㉠ 안에 들어 있는 것은 무엇입니까?

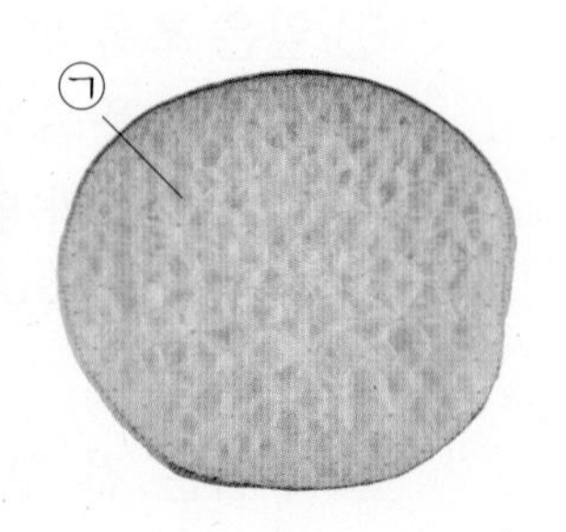

( )

4 다음 식물이 생활하는 환경을 보기 에서 골라 각각 기호를 쓰시오.

(1) 
▲ 개구리밥

(2) 
▲ 아데니움

(3) 
▲ 북극이끼장구채

(4) 
▲ 고사리

보기

㉠ 물이 많은 곳
㉡ 덥고 비가 많이 오는 곳
㉢ 비가 아주 적게 오는 곳
㉣ 기온이 낮으며, 차고 강한 바람이 부는 곳

(1) ( ) (2) ( )
(3) ( ) (4) ( )

5 오른쪽과 같은 우엉 열매의 특징을 활용하여 만든 것을 보기 에서 모두 골라 기호를 쓰시오.

보기

㉠ ▲ 장난감
㉡ ▲ 물에 뜨는 국자
㉢ ▲ 태양광 발전기
㉣ ▲ 찍찍이

( )

1 다음 중 식물을 채집할 때 주의할 점으로 옳지 않은 것은 어느 것입니까? (　　　　)

① 땅에 떨어진 잎을 채집합니다.
② 다치지 않게 주의하며 채집합니다.
③ 잎은 필요한 것보다 많이 채집합니다.
④ 다른 가지나 잎이 다치지 않도록 합니다.
⑤ 나무에 직접 올라가서 채집하지 않습니다.

2 오른쪽 그림은 잎의 생김새입니다. 다음 설명에 해당하는 부분의 기호와 이름을 쓰시오.

> 잎의 가장 중요한 부분으로, 잎을 이루는 넓은 부분입니다.

(　　　　　　　　　　)

3 다음 중 단풍나무의 잎을 관찰한 결과로 옳지 않은 것은 어느 것입니까? (　　　　)

① 잎자루가 있습니다.
② 잎이 손바닥 모양입니다.
③ 잎이 깊게 갈라져 있습니다.
④ 잎의 전체적인 모양이 둥급니다.
⑤ 잎의 가장자리는 톱니 모양입니다.

중요

4 다음 중 식물의 잎을 분류하는 기준으로 적합하지 않은 것은 어느 것입니까? (　　　　)

① 잎이 한 개인가?
② 잎에 광택이 있는가?
③ 잎의 모양이 귀여운가?
④ 잎맥이 그물 모양인가?
⑤ 잎의 전체적인 모양이 길쭉한가?

5 다음 중 식물이 겨울을 나는 모습을 옳게 설명한 사람을 골라 이름을 쓰시오.

> • 혜원: 은행나무는 씨로만 겨울을 납니다.
> • 수민: 괭이밥은 땅속 부분만 살아남아 겨울을 납니다.
> • 초은: 갈대는 씨뿐만 아니라 땅속 부분도 살아남아 겨울을 납니다.

(　　　　　　　　　　)

중요

6 다음 중 부레옥잠의 겉모양과 물에 떠 있는 모습을 관찰한 내용으로 옳지 않은 것은 어느 것입니까? (　　　　)

① 잎은 초록색이고 매끈합니다.
② 줄기가 풍선처럼 부풀어 있습니다.
③ 잎은 잎몸과 잎자루로 이루어져 있습니다.
④ 뿌리는 물속에 있고, 잎은 물 위에 떠 있습니다.
⑤ 뿌리는 긴 뿌리에 검은색 잔뿌리가 촘촘하게 나 있습니다.

중요

7 강이나 연못에 사는 다음 식물과 각 식물의 특징을 선으로 연결하시오.

(1) 수련 • • ㉠ 물에 떠서 사는 식물

(2) 연꽃 • • ㉡ 잎이 물에 떠 있는 식물

(3) 개구리밥 • • ㉢ 잎이 물 위로 높이 자라는 식물

8 다음과 같은 식물의 공통적인 특징으로 옳지 않은 것은 어느 것입니까? (　　　)

▲ 코코야자

▲ 대추야자

① 키가 크고 곧게 자랍니다.
② 꼭대기 부분에서만 잎이 납니다.
③ 잎이 길고 끝이 뾰족한 모양입니다.
④ 그늘지고 물기가 많은 곳에서 잘 자랍니다.
⑤ 잎이 잘 휘어져서 빗방울을 흘려보내기 좋습니다.

9 다음과 같이 알로에를 가로로 자른 면에 화장지를 붙이면 화장지에 무엇이 묻어나는지 쓰시오.

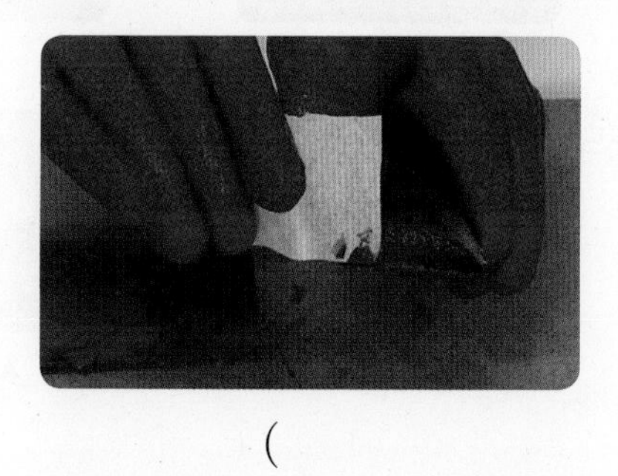

(　　　　　　　　　　)

10 오른쪽 선인장과 같이 잎이 가시 모양이어서 사막에 살기에 좋은 점으로 옳은 것을 2가지 고르시오. (　　,　　)

① 물을 흡수하기 쉽습니다.
② 물을 잘 빼앗기지 않습니다.
③ 햇빛을 잘 받을 수 있습니다.
④ 물을 많이 저장할 수 있습니다.
⑤ 동물에게 먹히지 않도록 자신을 보호할 수 있습니다.

중요

11 다음 중 극지방에 사는 식물의 특징으로 옳은 것을 2가지 고르시오. (　　,　　)

① 키가 작습니다.
② 줄기가 굵습니다.
③ 가시가 많습니다.
④ 주로 나무가 많습니다.
⑤ 뿌리를 얕게 내립니다.

12 다음은 우리 생활에서 식물의 특징을 활용한 예입니다. 빈칸에 들어갈 알맞은 말을 쓰시오.

헬리콥터 회전 날개는 (　　　　) 열매의 생김새를 활용하여 만들었습니다.

(　　　　　　　　　　)

성취도 평가 문제 2회

1~2 다음 여러 가지 식물 잎을 보고, 물음에 답하시오.

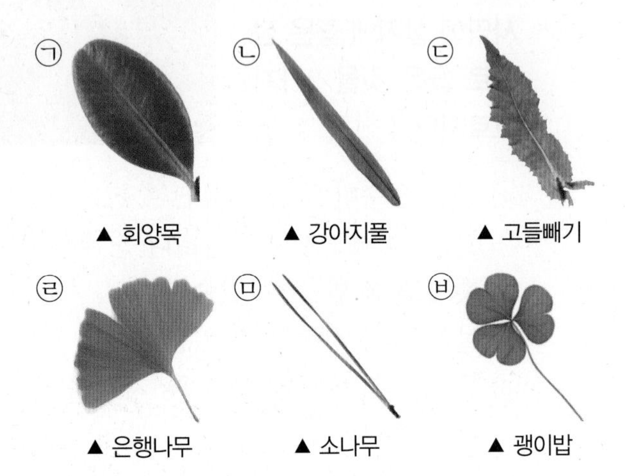

▲ 회양목 ▲ 강아지풀 ▲ 고들빼기
▲ 은행나무 ▲ 소나무 ▲ 괭이밥

1 위 잎의 생김새를 관찰한 결과로 옳지 않은 것은 어느 것입니까? (　　　)

① ㉠ – 잎자루가 있습니다.
② ㉡ – 잎맥이 나란한 모양입니다.
③ ㉢ – 잎의 가장자리가 톱니 모양입니다.
④ ㉣ – 잎의 전체적인 모양이 부채 모양입니다.
⑤ ㉤ – 잎몸이 깊게 갈라져 있습니다.

중요

2 위 식물의 잎을 다음과 같이 (가)와 (나) 두 무리로 분류한 기준은 어느 것입니까? (　　　)

(가) 그렇다.	(나) 그렇지 않다.

① 잎의 크기가 큰가?
② 잎자루가 있는가?
③ 잎몸이 갈라져 있는가?
④ 잎맥의 모양이 나란한가?
⑤ 잎의 끝 모양이 뾰족한가?

3 다음 두 식물이 겨울을 나는 방법을 보기 에서 골라 기호를 각각 쓰시오.

▲ 소나무 ▲ 서양민들레

보기
㉠ 씨　㉡ 씨, 땅속 부분
㉢ 씨, 땅속 부분, 땅 위 부분

(가) (　　　　) (나) (　　　　)

중요

4 오른쪽과 같이 부레옥잠의 잎자루를 잘라 비눗방울 액을 묻혀 눌러 보는 실험을 통해 부레옥잠의 잎자루에 무엇이 들어 있다는 것을 알 수 있는지 쓰시오.

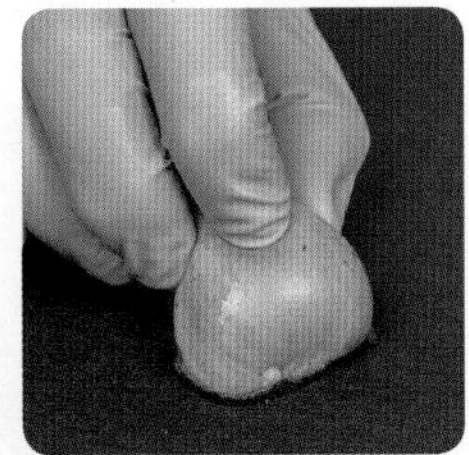

(　　　　　　　　)

5 다음 중 잎이 물 위로 높이 자라는 식물이 아닌 것을 골라 기호를 쓰시오.

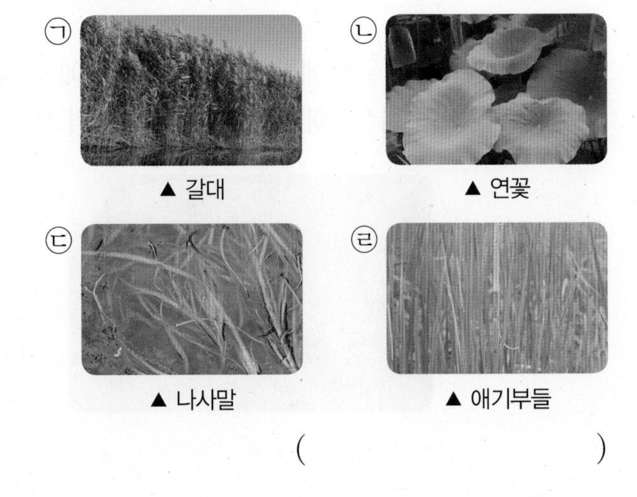

▲ 갈대 ▲ 연꽃
▲ 나사말 ▲ 애기부들

(　　　　　　　　)

중요

6 오른쪽과 같은 바나나가 덥고 비가 많이 오는 환경에 적응한 특징에 대한 설명으로 옳은 것은 어느 것입니까? (　　　)

① 넓은 잎은 빗방울을 모으기 알맞습니다.
② 큰 나무 아래 그늘진 곳에서 잘 자랍니다.
③ 잎이 길고 뾰족하여 햇빛을 적게 받습니다.
④ 잎이 잘 휘어져 빗방울을 쉽게 흘려보냅니다.
⑤ 줄기 꼭대기 부분에만 잎이 나서 줄기에 물을 많이 저장할 수 있습니다.

7 다음 중 비가 아주 적게 오는 곳에 살기 알맞게 적응한 식물을 2가지 고르시오. (　　,　　)

① 검정말　　② 알로에
③ 나사말　　④ 선인장
⑤ 단풍나무

중요

8 오른쪽 아데니움의 줄기가 굵은 까닭으로 옳은 것은 어느 것입니까? (　　　)

▲ 아데니움

① 줄기에 물을 저장하기 때문입니다.
② 줄기에 공기를 저장하기 때문입니다.
③ 줄기가 햇빛을 많이 받기 때문입니다.
④ 줄기를 통해 물을 흡수하기 때문입니다.
⑤ 줄기를 통해 많은 양의 물을 내보내기 때문입니다.

9 다음과 같은 환경에 살기 적합한 식물을 보기에서 모두 골라 기호를 쓰시오.

- 차고 강한 바람이 붑니다.
- 봄과 여름이 매우 짧습니다.
- 깊은 땅속은 일 년 내내 얼어 있습니다.

보기

㉠ ▲ 사과나무
㉡ ▲ 북극버들
㉢ ▲ 남극구슬이끼
㉣ ▲ 용설란

(　　　　　　　　)

10 다음 중 우엉 열매가 동물의 털이나 사람의 옷에 잘 붙을 수 있는 까닭으로 옳은 것은 어느 것입니까? (　　　)

① 열매가 작고 단단합니다.
② 열매가 물에 젖지 않습니다.
③ 열매가 바람을 타고 잘 날아갑니다.
④ 열매의 가시 끝이 갈고리 모양입니다.
⑤ 열매에 작은 털이 빽빽하게 나 있습니다.

11 오른쪽 건축물은 어떤 식물의 생김새를 모방하여 활용한 것인지 골라 기호를 쓰시오.

㉠ 
▲ 대나무

㉡ 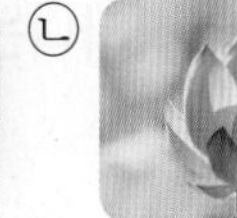

▲ 연꽃

㉢ 
▲ 우엉

(　　　　　　　　)

서술형 · 사고력 문제

1 식물 카드를 이용하여 식물이 겨울을 나는 모습을 알아보는 빙고 게임을 하고 있습니다. 다음 빙고 판을 보고, 물음에 답하시오. 총 8점

• 한해살이풀은 씨로만 겨울을 나고, 여러해살이풀은 씨와 땅속 부분으로 겨울을 납니다. 나무는 씨, 땅속 부분, 땅위 부분으로 겨울을 납니다.

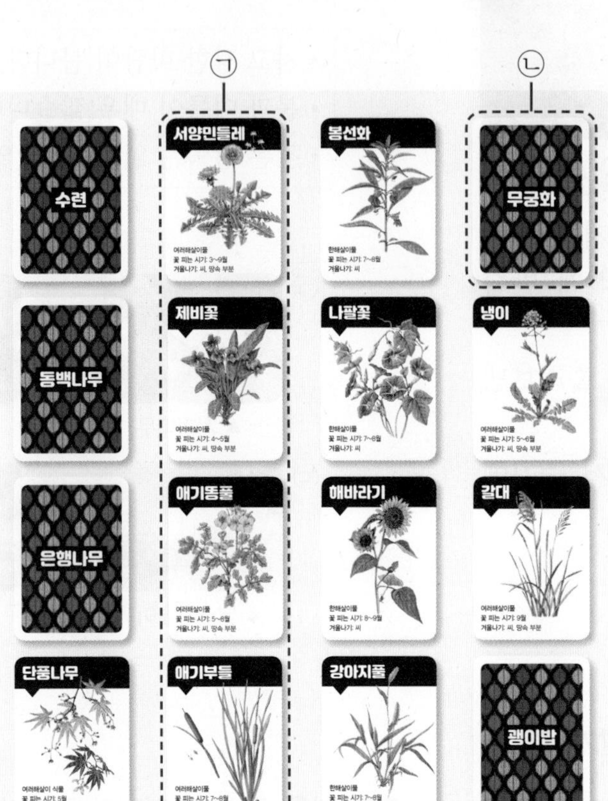

(1) 위 빙고 판에서 ㉠줄에 있는 식물이 겨울을 나는 방법을 쓰시오. 4점

(2) 위 빙고 판에서 ㉡ 카드를 뒤집으려고 할 때 말해야 하는 식물의 이름과 그 식물이 겨울을 나는 모습을 쓰시오. 4점

2 오른쪽과 같이 자른 부레옥잠의 잎자루에 비눗방울 액을 묻혀 누를 때 나타나는 현상을 쓰시오. 4점

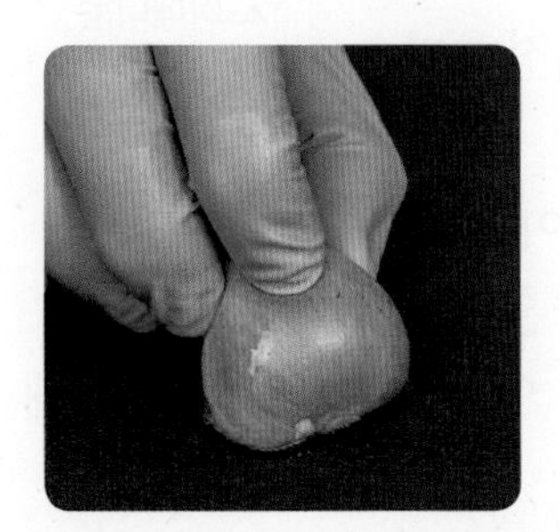

도움말

• 부레옥잠의 잎자루에는 공기주머니가 있으며, 이 공기주머니에 공기가 들어 있습니다.

3 다음 알로에를 보고, 물음에 답하시오. 총 8점

▲ 알로에 잎의 겉모양

▲ 알로에를 자른 모습

(1) 알로에 잎의 겉모양의 특징을 2가지 쓰시오. 4점

(2) 알로에를 자른 모습을 보고 알로에가 사막에 살 수 있는 까닭을 2가지 쓰시오. 4점

도움말
- 사막은 비가 아주 적게 오는 환경입니다. 이러한 환경에서 식물이 살아가기 위해서는 물을 잘 저장할 수 있고, 물이 마르는 것을 막을 수 있어야 합니다.

4 다음 우엉 열매와 장난감, 찍찍이의 모습을 관찰하여 공통점을 쓰시오. 4점

▲ 우엉 열매

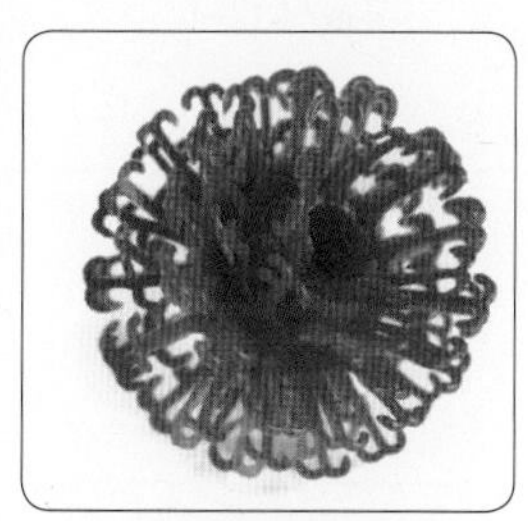
▲ 장난감

▲찍찍이

도움말
- 장남감과 찍찍이는 우엉 열매의 특징을 활용하여 만든 물건입니다.

수행 평가

1 다음은 여러 가지 식물의 잎입니다. 잎을 분류할 수 있는 다양한 기준을 정하여 분류하시오.

㉠ ▲ 담쟁이넝쿨

㉡ ▲ 괭이밥

㉢ ▲ 연꽃잎

㉣ ▲ 강아지풀

㉤ ▲ 단풍나무

㉥ ▲ 벚나무

분류 기준 1	
그렇다.	그렇지 않다.

분류 기준 2	
그렇다.	그렇지 않다.

분류 기준 3	
그렇다.	그렇지 않다.

도움말

• 사람마다 다르게 생각할 수 있는 기준은 분류 기준이 될 수 없습니다.

2 다음 연못이나 강에 사는 식물을 보고, 물음에 답하시오.

(1) 위의 부레옥잠과 같이 물에 떠서 사는 식물의 특징을 2가지 쓰시오.

(2) 다음은 위의 붕어마름과 같은 식물이 물속의 환경에 적응한 모습에 대한 설명입니다. 빈칸에 들어갈 알맞은 말을 각각 쓰시오.

> 붕어마름과 같이 물속에 잠겨서 사는 식물은 물속 땅에 (㉠)을/를 내리고, 줄기와 잎이 물의 흐름에 따라 잘 (㉡).

㉠ ( ) ㉡ ( )

(3) 위의 연못이나 강에 사는 식물 중 붕어마름, 수련, 갈대의 공통점을 1가지 쓰시오.

도움말

- 물이 많은 환경에 사는 식물은 식물의 생활 방식에 따라 서로 다른 특징이 있습니다.

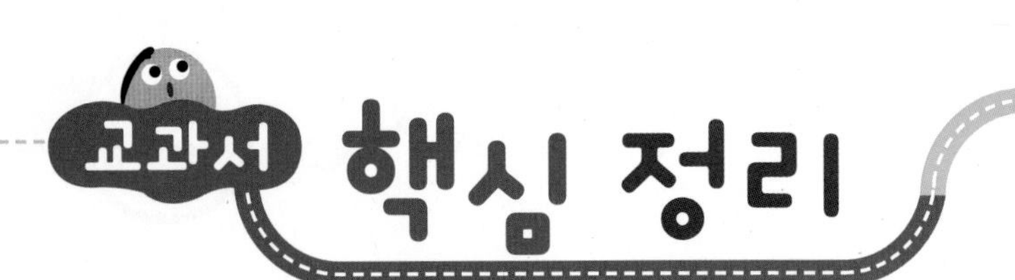

1 물은 모습이 변해요

(1) 물의 상태 변화: ❶ ______ 인 물, ❷ ______ 인 얼음, ❸ ______ 인 수증기가 서로 다른 상태로 변하는 것

(2) 물, 얼음, 수증기

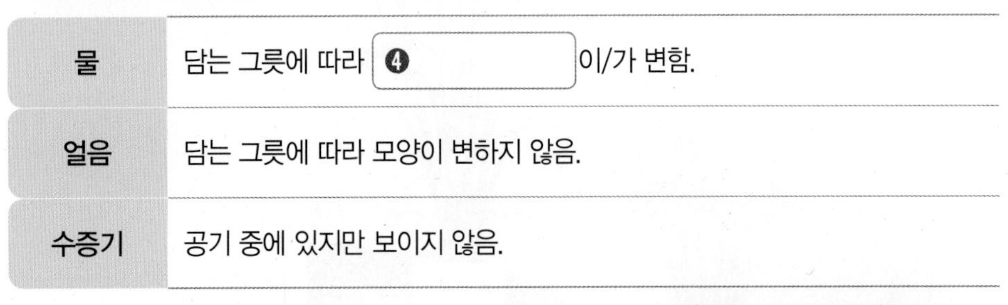

물	담는 그릇에 따라 ❹ ______ 이/가 변함.
얼음	담는 그릇에 따라 모양이 변하지 않음.
수증기	공기 중에 있지만 보이지 않음.

▲ 물

▲ 얼음

▲ 수증기

(3) 염화 코발트 종이: ❺ ______ 을/를 확인할 때 염화 코발트 종이를 사용할 수 있음. 염화 코발트 종이에 물이 묻으면 ❻ ______ 색 염화 코발트 종이가 ❼ ______ 색으로 변함.

2 물이 얼면 부피가 변해요

(1) 물이 얼 때 부피와 무게 변화: 물이 얼 때 ❽ ______ 이/가 늘어나고, ❾ ______ 은/는 변하지 않음.

(2) 얼음이 녹을 때 부피와 무게 변화: 얼음이 녹을 때 ❿ ______ 이/가 줄어들고, ⓫ ______ 은/는 변하지 않음.

❶ 액체 ❷ 고체 ❸ 기체 ❹ 모양 ❺ 물 ❻ 푸른 ❼ 붉은 ❽ 부피 ❾ 무게 ❿ 부피 ⓫ 무게

2 단원

3 물이 사라졌어요

(1) ⑫ ______ : 액체가 표면에서 기체로 변하는 현상

(2) **운동장에 물로 그린 그림:** 시간이 지나면서 물이 수증기로 변해서 그림이 사라짐.

4 물을 끓여 보아요

(1) ⑬ ______ : 액체가 표면과 속에서 기체로 변하는 현상

(2) **물이 끓을 때 나타나는 현상:** 물속에서 기포가 생겨 올라와 물 표면에서 터지는 것을 볼 수 있음.

(3) **물의 끓음과 관련된 예:** 옥수수를 삶을 때나 차를 끓일 때 물이 끓는 모습을 볼 수 있음.

▲ 물의 끓음

5 물이 나타났어요

(1) ⑭ ______ : 기체인 수증기가 액체인 물이 되는 현상

(2) **차가운 시약병 표면에 생기는 변화:** 차가운 시약병 표면에 생긴 물방울은 공기 중에 있던 ⑮ ______ 이/가 ⑯ ______ (으)로 변한 것임.

(3) **물의 응결과 관련된 예**

▲ 풀잎에 맺힌 이슬

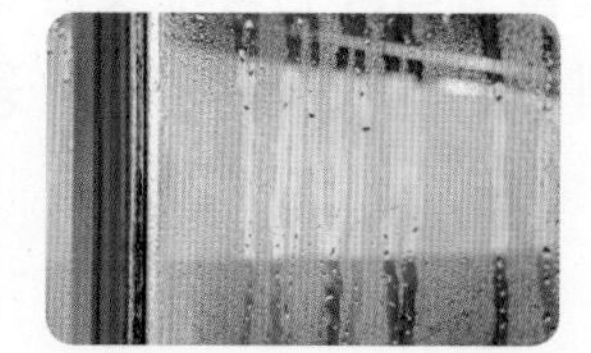
▲ 유리창 안쪽에 맺힌 물방울

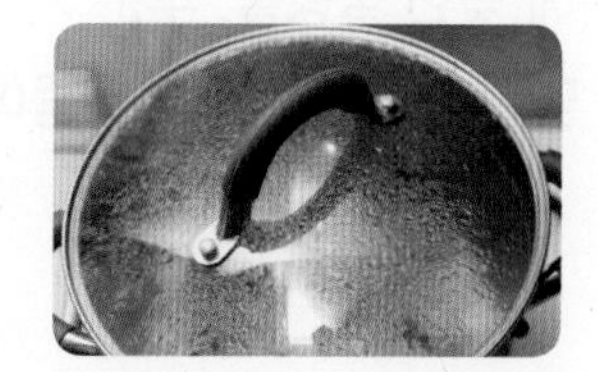
▲ 냄비 뚜껑 안쪽에 맺힌 물방울

6 물의 상태 변화를 활용해요

(1) **물의 상태 변화를 활용한 예:** 물이 수증기로 상태 변화하여 만두를 익히는 만두 찌기, 물이 얼음으로 상태 변화하여 눈을 만드는 기계, 물이 ⑰ ______ (으)로 상태 변화하여 구겨진 옷을 펴는 스팀다리미 등

▲ 만두 찌기

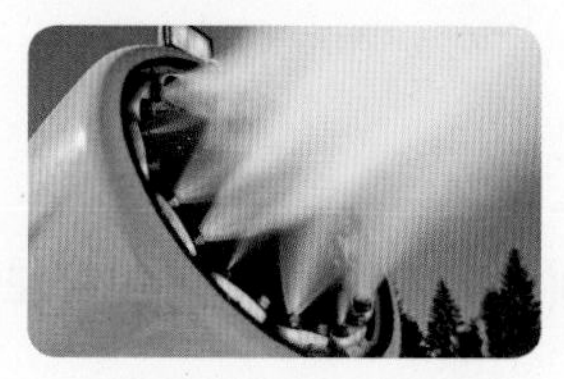
▲ 눈 만드는 기계

▲ 스팀다리미

⑫ 증발 ⑬ 끓음 ⑭ 응결 ⑮ 수증기 ⑯ 물 ⑰ 수증기

정답과 해설 8쪽

1 액체인 물, 고체인 얼음, 기체인 수증기가 서로 다른 상태로 변하는 것을 물의 (   )(이)라고 합니다.

2 물이 얼 때 부피가 ㉠ (늘어나고 , 줄어들고), 얼음이 녹을 때 부피가 ㉡ (늘어납니다 , 줄어듭니다).

3 물이 얼 때 무게가 (줄어듭니다 , 변하지 않습니다 , 늘어납니다).

4 액체가 표면에서 기체로 변하는 현상을 ㉠ (증발 , 끓음)이라고 하고, 액체가 표면과 속에서 기체로 변하는 현상을 ㉡ (증발 , 끓음)이라고 합니다.

5 차가운 컵 표면에 물방울이 생기는 것처럼 기체인 수증기가 액체인 물이 되는 현상을 (   )(이)라고 합니다.

6 가열한 냄비 뚜껑 안쪽에 맺힌 물방울, 추운 겨울철 유리창 안쪽에 맺힌 물방울, 이른 아침 풀잎에 맺힌 이슬 등은 공기 중에 있던 (   )이/가 응결하여 생긴 것입니다.

7 스팀 청소기는 물이 (수증기 , 얼음)(으)로 변하는 물의 상태 변화를 활용한 것입니다.

8 스케이트장은 물이 (수증기 , 얼음)(으)로 변하는 물의 상태 변화를 활용하여 만듭니다.

9 스팀다리미는 ㉠ (   )이/가 ㉡ (   )(으)로 변하는 물의 상태 변화를 활용한 것입니다.

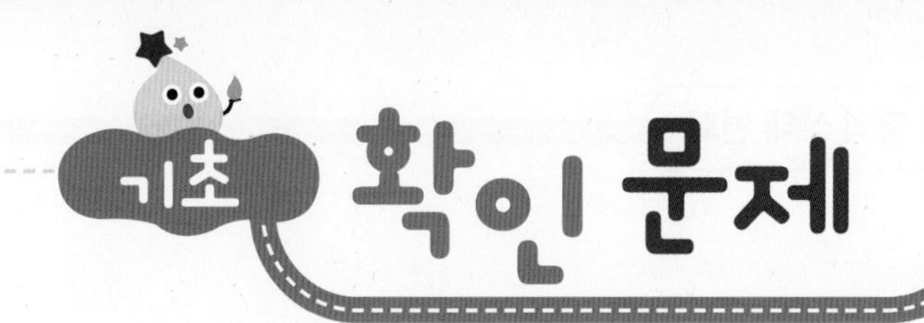

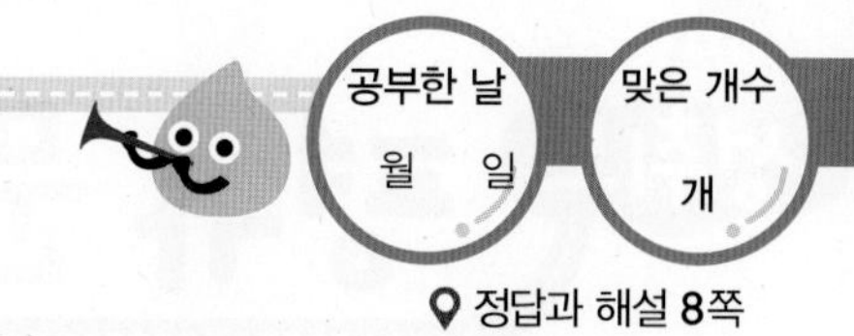

정답과 해설 8쪽

1 물, 얼음, 수증기의 상태를 선으로 연결하시오.

(1) 

• • ㉠ 고체

(2) 

• • ㉡ 액체

(3) 

• • ㉢ 기체

2 다음은 물이 얼거나 얼음이 녹을 때 부피와 무게의 변화를 비교한 것입니다. 빈칸에 >, =, < 중 알맞은 것을 골라 쓰시오.

(1)

	물이 얼기 전		물이 언 후
(가)	부피		부피
(나)	무게		무게

(2)

	얼음이 녹기 전		얼음이 녹은 후
(가)	부피		부피
(나)	무게		무게

3 다음은 증발 현상에 대한 설명입니다. ( ) 안에 들어갈 알맞은 말에 ○표시를 하시오.

물의 증발은 ㉠(고체 , 액체 , 기체)가 ㉡(표면 , 물속)에서 ㉢(고체 , 액체 , 기체)로 변하는 현상입니다. 운동장에 물로 그림을 그리고 난 뒤 시간이 지나면 물이 사라지는 까닭은 물이 ㉣(수증기 , 얼음)(으)로 변했기 때문입니다.

4 다음을 읽고 옳은 것은 ○표시를, 옳지 않은 것은 ×표시를 하시오.

(1) 차가운 컵 표면에 생긴 물방울처럼 기체인 수증기가 액체인 물이 되는 현상을 응결이라고 합니다. ( )

(2) 물을 가열할 때처럼 액체가 표면과 물속에서 기체로 변하는 현상을 증발이라고 합니다. ( )

(3) 옥수수를 삶거나 차를 끓일 때 물의 끓음을 볼 수 있습니다. ( )

5 오른쪽의 차가운 음료수 컵 표면에 생긴 물질이 염화 코발트 종이의 색깔을 붉은색으로 변화시켰습니다. 이것으로 알 수 있는 사실은 무엇입니까? ( )

① 컵 표면에 생긴 물질은 물입니다.
② 컵 표면에 생긴 물질은 기름입니다.
③ 컵 표면에 생긴 물질은 흰색입니다.
④ 컵 표면에 생긴 물질은 음료수입니다.
⑤ 컵 표면에 생긴 물질에서는 달콤한 냄새가 납니다.

6 다음 보기 는 물의 상태 변화를 활용한 다양한 예입니다. 물이 수증기로 상태 변화하는 예를 모두 골라 기호를 쓰시오.

보기

㉠ 스팀 청소기	㉡ 슬러시 기계
㉢ 만두 찌기	㉣ 눈 만드는 기계
㉤ 스팀다리미	㉥ 스케이트장

( )

2 단원

성취도 평가 문제 1회

1 다음은 물, 얼음, 수증기에 대한 설명입니다. ㉠~㉢에 해당하는 물의 상태를 각각 쓰시오.

㉠ (　　　)	㉡ (　　　)	㉢ (　　　)
• 고체입니다. • 모양이 일정합니다.	• 액체입니다. • 흐르는 성질이 있습니다.	• 기체입니다. • 일정한 모양이 없습니다.

중요

2 다음 보기 에서 물의 상태 변화에 대한 설명으로 옳은 것을 골라 기호를 쓰시오.

보기

㉠ 물, 얼음, 수증기는 서로 다른 상태로 변할 수 있습니다.

㉡ 물이 고체 상태로 변하면 수증기가 됩니다.

㉢ 수증기는 공기 중에 있고, 눈으로 볼 수 있습니다.

(　　　　　)

중요

3 다음 설명 중 옳은 것을 2가지 고르시오. (　,　)

① 얼음이 녹으면 부피와 무게가 모두 늘어납니다.

② 물이 얼면 부피와 무게가 모두 줄어들어듭니다.

③ 물이 얼면 부피가 늘어나고, 무게는 변하지 않습니다.

④ 얼음이 녹으면 부피가 줄어들고, 무게는 변하지 않습니다.

⑤ 얼음이 녹으면 부피가 늘어나고, 무게는 변하지 않습니다.

4 다음은 물이 얼 때의 무게 변화를 알아보기 위한 실험 과정을 순서 없이 나열한 것입니다. 순서에 맞게 기호를 쓰시오.

㉠ 물이 완전히 언 시험관의 무게를 측정합니다.

㉡ 시험관 속 물을 얼립니다.

㉢ 시험관에 물을 절반 정도 붓고 마개를 닫은 뒤 무게를 측정합니다.

㉣ 물이 얼기 전 시험관의 무게와 비교합니다.

(　　) → (　　) → (　　) → (　　)

5 다음과 관련 있는 현상은 무엇인지 쓰시오.

• 설거지해 놓은 그릇에 있던 물이 시간이 지나면 보이지 않습니다.

• 운동으로 흘린 땀이 시간이 지나면 마릅니다.

• 물에 젖은 옷이 시간이 지나면 마릅니다.

(　　　　　)

6 다음 중 (가) 생선을 말릴 때와 (나) 빨래를 말릴 때 나타나는 물의 상태 변화를 옳게 짝 지은 것은 어느 것입니까? (　　　)

(가) 생선을 말릴 때

(나) 빨래를 말릴 때

	(가)	(나)
①	고체 → 액체	액체 → 기체
②	고체 → 액체	고체 → 액체
③	고체 → 기체	고체 → 액체
④	액체 → 기체	고체 → 액체
⑤	액체 → 기체	액체 → 기체

중요

7 다음 보기 에서 증발과 끓음에 대한 설명으로 옳지 않은 것을 골라 기호를 쓰시오.

보기
㉠ 증발과 끓음은 모두 액체에서 기체로 변하는 현상입니다.
㉡ 끓음은 증발보다 물이 더 빨리 줄어듭니다.
㉢ 물이 증발할 때는 표면과 물속에서 모두 물이 수증기로 변합니다.

( )

8 다음 중 응결 현상에서 일어나는 물의 상태 변화를 옳게 설명한 것은 어느 것입니까? ( )

① 고체인 얼음이 액체인 물이 됩니다.
② 액체인 물이 고체인 얼음이 됩니다.
③ 액체인 물이 기체인 수증기가 됩니다.
④ 기체인 수증기가 액체인 물이 됩니다.
⑤ 고체인 얼음이 기체인 수증기가 됩니다.

9 기체인 수증기가 응결하여 생긴 물에 대한 설명으로 옳은 것은 어느 것입니까? ( )

① 물은 하얀색입니다.
② 물은 차갑고 단단합니다.
③ 물은 담는 그릇에 따라 모양이 변합니다.
④ 물은 얼음으로 변할 수 없습니다.
⑤ 물은 수증기로 변할 수 없습니다.

10 다음 ㉠과 ㉡에 들어갈 알맞은 말을 옳게 짝 지은 것은 어느 것입니까? ( )

스팀 청소기는 (㉠)이/가 (㉡)(으)로 상태 변화하는 것을 활용합니다.

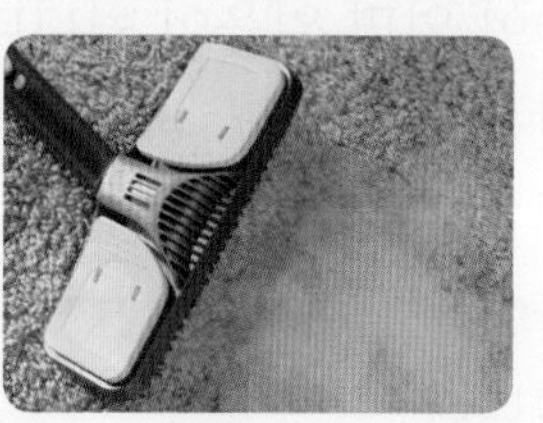

	㉠	㉡
①	물	수증기
②	물	얼음
③	수증기	물
④	수증기	얼음
⑤	얼음	물

11 다음 보기 에서 물이 얼음으로 상태 변화하는 것을 활용한 예를 2가지 골라 기호를 쓰시오.

보기
㉠ 물에 물감을 섞어 얼리면 얼음 물감이 됩니다.
㉡ 찜기에서 옥수수를 찝니다.
㉢ 스키장에서 눈 만드는 기계를 사용합니다.

( )

12 다음 중 끓음, 응결, 증발 현상의 예를 옳게 연결한 것은 어느 것입니까? ( )

① 끓음 – 빨래가 마릅니다.
② 끓음 – 운동장에 물로 그린 그림이 사라집니다.
③ 증발 – 달걀을 삶을 때 물이 끓습니다.
④ 응결 – 물이 얼면 얼음이 됩니다.
⑤ 응결 – 냉장고에서 꺼낸 물병의 표면에 물방울이 맺힙니다.

중요

1 다음 중 설명이 옳지 않은 것은 어느 것입니까? ( )

① 물의 세 가지 상태에는 얼음, 물, 수증기가 있습니다.
② 물이 얼면 얼음이 됩니다.
③ 얼음이 닿으면 염화 코발트 종이의 색깔이 붉은색으로 변합니다.
④ 물이 끓을 때 발생하는 수증기는 하얀색입니다.
⑤ 물, 얼음, 수증기는 모두 같은 물질입니다.

2 다음과 같은 실험으로 알 수 있는 사실을 2가지 고르시오. (,)

(1) 시험관에 물을 적당히 붓고 마개를 닫은 뒤 물의 높이를 표시합니다.
(2) 전자저울로 시험관의 무게를 측정합니다.
(3) 시험관 속 물을 얼립니다.
(4) 물이 완전히 얼면 시험관 속 얼음의 높이를 얼기 전 물의 높이와 비교합니다. 또, 물이 언 시험관의 무게를 측정하고 물이 얼기 전 시험관의 무게와 비교합니다.

① 물이 얼면 부피가 늘어납니다.
② 물이 얼면 부피가 줄어듭니다.
③ 물이 얼면 무게가 늘어납니다.
④ 물이 얼면 무게가 줄어듭니다.
⑤ 물이 얼어도 무게는 변하지 않습니다.

3 다음 ( ) 안에 들어갈 알맞은 말을 보기 에서 각각 골라 기호를 쓰시오.

물이 든 비커를 전열 기구 위에 놓고 가열하면 물속에서 기포가 발생합니다. 이렇게 물이 끓을 때 발생하는 기포는 물이 (①)(으)로 변한 것입니다. 이처럼 액체가 표면과 속에서 기체로 변하는 현상을 (②)(이)라고 합니다. 물이 끓기 전과 비교하였을 때 물이 끓은 후에 물의 높이가 (③). 그 까닭은 (④)입니다.

보기
㉠ 낮아집니다
㉡ 수증기
㉢ 끓음
㉣ 물이 끓으면서 수증기로 변하여 공기 중으로 흩어졌기 때문

① ( ) ② ( )
③ ( ) ④ ( )

4 다음 보기 중 증발 현상이 아닌 것을 골라 기호를 쓰시오.

보기
㉠ 수채화를 그린 뒤 시간이 지나면 물감이 마릅니다.
㉡ 라면을 끓일 때 물속에서 기포가 생겨 올라옵니다.
㉢ 바닷가에서 오징어를 말립니다.

( )

5 다음 중 옳게 말한 사람의 이름을 쓰시오.

- 민국: 물이 증발할 때는 끓을 때보다 물이 빠르게 줄어듭니다.
- 규린: 물이 끓을 때는 증발할 때보다 물이 빠르게 줄어듭니다.

( )

6~7 다음 실험 과정을 읽고, 물음에 답하시오.

(1) 시약병에 물과 얼음을 넣고 마개를 닫은 뒤 전자저울로 무게를 측정합니다.
(2) 15분 정도 시간이 지난 다음 시약병의 무게를 다시 측정합니다.
(3) 15분 전에 측정한 무게와 비교합니다.

6 다음은 실험 결과입니다. ( ) 안에 들어갈 알맞은 말에 ○표시를 하시오.

15분이 지났을 때 시약병의 무게는 처음 측정했던 무게보다 (가벼워 , 무거워)졌습니다.

중요

7 위 6번과 같은 결과가 나타난 까닭으로 옳은 것은 어느 것입니까? ( )

① 시약병 속의 물이 밖으로 새어 나왔기 때문입니다.
② 물속에 있던 수증기가 물이 되었기 때문입니다.
③ 손에 있던 물이 시약병에 묻었기 때문입니다.
④ 시약병 표면에 있었던 보이지 않는 물방울들이 모였기 때문입니다.
⑤ 공기 중에 있던 수증기가 물방울이 되어 시약병 표면에 달라붙었기 때문입니다.

중요

8 다음 중 물의 상태 변화에 대한 설명으로 옳은 것은 어느 것입니까? ( )

① 끓음과 증발은 기체가 액체로 변하는 현상입니다.
② 증발은 액체의 표면과 속에서 액체가 기체로 변하는 현상입니다.
③ 응결은 액체인 물이 고체인 얼음으로 변하는 현상입니다.
④ 물이 끓으면 기체인 수증기가 됩니다.
⑤ 젖은 머리카락이 마르는 것은 우리 주변에서 볼 수 있는 응결 현상의 예입니다.

9 다음 설명 중 옳지 <u>않은</u> 것은 어느 것입니까? ( )

① 응결 현상이 일어나면 수증기가 물이 됩니다.
② 증발 현상이 일어나면 물이 수증기가 됩니다.
③ 물이 얼면 액체가 고체로 상태 변화합니다.
④ 물이 끓으면 물이 눈에 보이는 하얀색 물방울로 상태 변화합니다.
⑤ 이른 아침 풀잎에 맺힌 이슬은 공기 중에 있던 수증기가 응결한 것입니다.

10 물, 얼음, 수증기 중 ( ) 안에 들어갈 알맞은 말을 쓰시오.

슬러시 기계는 (㉠) 이/가 (㉡)(으)로 변하는 물의 상태 변화를 활용합니다.

㉠ ( )
㉡ ( )

서술형 · 사고력 문제

1 **다음을 보고, 물음에 답하시오.** 총 9점

▲ 얼음

▲ 물

▲ 수증기

(1) 얼음, 물, 수증기는 액체, 고체, 기체 중 각각 어떤 상태인지 쓰시오. 3점

(2) 얼음, 물, 수증기의 특징을 각각 쓰시오. 6점

도움말
- 물은 얼음이나 수증기로 상태가 변할 수 있습니다.

2 **오른쪽은 물을 얼렸을 때와 얼음을 녹였을 때의 모습입니다. 물음에 답하시오.** 총 8점

▲ 물

얼림. →
← 녹임.

▲ 얼음

(1) 물을 얼렸을 때 부피와 무게의 변화를 쓰시오. 4점

(2) 얼음을 녹였을 때 부피와 무게의 변화를 쓰시오. 4점

도움말
- 물이 얼면 부피가 변합니다.

3 **다음을 보고, 물음에 답하시오.** 총 8점

(가) 운동장에 물로 그림을 그렸는데, 시간이 지나니 그림의 일부가 사라졌습니다.

(나) 물을 가열하였는데, 시간이 지나니 물이 줄어들었습니다.

(1) (가)는 무엇과 관련된 현상인지 쓰고, 이 현상을 이용한 예를 2가지 쓰시오. 4점

(2) (가)와 (나) 현상의 공통점과 차이점을 각각 쓰시오. 4점

- 공통점:
- 차이점:

도움말

- 액체가 표면에서 기체로 변하는 현상을 증발이라고 하고, 액체가 표면과 속에서 기체로 변하는 현상을 끓음이라고 합니다.

4 **오른쪽은 물의 상태 변화를 활용한 예입니다. 물음에 답하시오.** 총 7점

(1) 가습기에서 일어나는 물의 상태 변화를 쓰시오. 3점

(2) 가습기에서와 같은 물의 상태 변화를 활용한 예를 2가지 쓰시오. 4점

- 물의 상태 변화는 우리 생활에서 다양하게 활용합니다.

수행 평가

1 **아래와 같은 방법으로 물을 가열하여 끓일 때 물의 표면과 물속에서 나타나는 변화를 관찰하는 실험을 하였습니다. 물음에 답하시오.**

물이 끓을 때 일어나는 변화 관찰하기

- 비커에 물을 절반 정도 붓고 유성 펜으로 물의 높이를 표시합니다.
- 물이 든 비커를 전열 기구 위에 놓고 가열하면서 시간 간격을 두고 사진을 찍습니다.
- 물이 끓기 시작한 후 2~3분이 지날 때까지 계속 가열하면서 변화를 관찰해 봅시다.
- 전열 기구를 끄고 물의 높이를 처음과 비교해 봅시다.

(1) 위 실험에서 물이 끓기 전과 끓을 때 나타나는 현상을 쓰고, 물의 높이를 처음과 비교한 뒤 그 까닭을 쓰시오.

물이 끓기 전	물이 끓을 때
①	②

③ 물의 높이 변화: ______________________

④ 까닭: ______________________

(2) 물의 증발과 끓음 현상을 그림으로 그려 비교해 보고, 증발과 끓음의 공통점과 차이점으로 (　　) 안에 들어갈 알맞은 말에 ○표시를 하시오.

구분		증발	끓음
그림		①	②
공통점		③ 물이 (얼음 , 수증기)(으)로 상태가 변합니다.	
차이점	변화가 일어나는 곳	물 표면	물 표면, 물속
	물이 줄어드는 빠르기	④ 끓음보다 (느립니다 , 빠릅니다).	⑤ 증발보다 (느립니다 , 빠릅니다).

도움말

- 물이 증발할 때와 끓을 때의 변화를 관찰하여 차이점을 찾고, 두 현상을 구분할 수 있어야 합니다.

2 **다음은 시약병에 물과 얼음을 넣고 시간이 지난 뒤 변화를 관찰하는 모습입니다. 물음에 답하시오.**

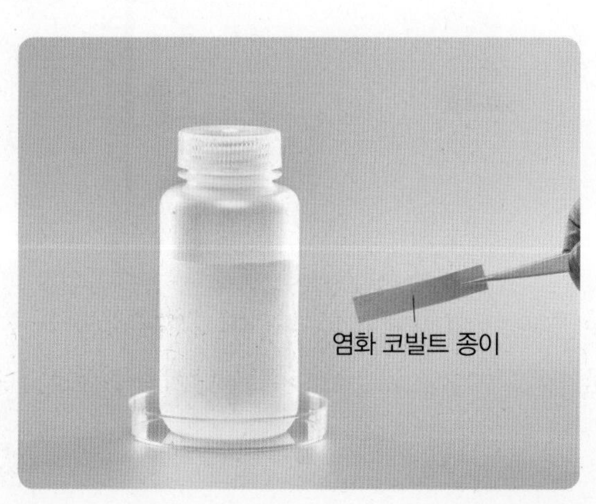

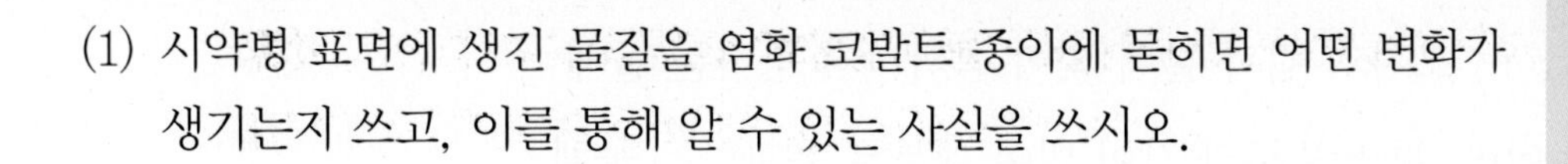

(1) 시약병 표면에 생긴 물질을 염화 코발트 종이에 묻히면 어떤 변화가 생기는지 쓰고, 이를 통해 알 수 있는 사실을 쓰시오.

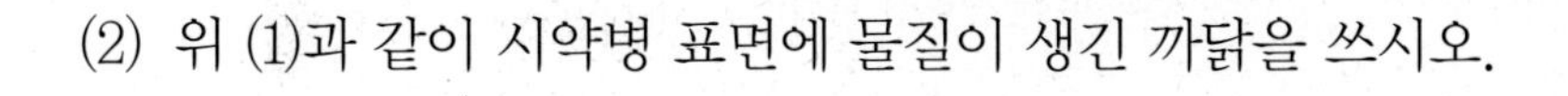

(2) 위 (1)과 같이 시약병 표면에 물질이 생긴 까닭을 쓰시오.

도움말

• 시약병 표면에 생긴 변화는 응결 현상과 관계가 있습니다.

1 그림자를 만들어 보아요

(1) 그림자가 생기는 조건: ❶ [ ], 물체, 스크린이 순서대로 있어야 함.

(2) 그림자가 생기는 위치: 그림자는 물체의 뒤쪽 스크린에 생김.

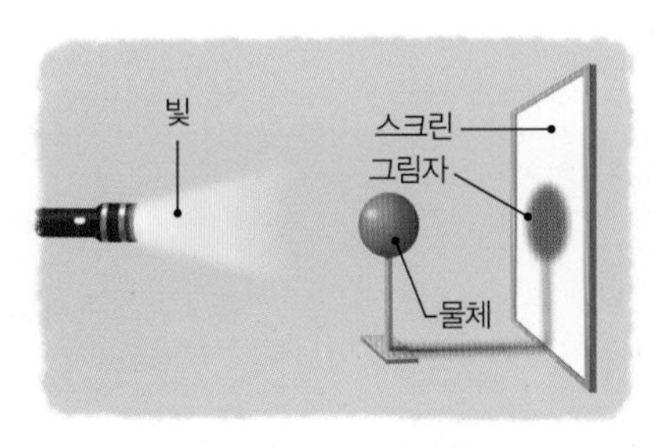

▲ 그림자가 생기는 조건

2 그림자의 진하기가 달라요

(1) 불투명한 물체: 책, 옷, 도자기 컵과 같이 빛이 통과하지 못하는 물체

(2) 투명한 물체: 유리 어항, 투명 필름과 같이 빛이 대부분 통과하는 물체

(3) 불투명한 물체와 투명한 물체의 그림자 비교

물체	❷ [ ]한 물체: 종이 인형	❸ [ ]한 물체: 투명 필름 인형
그림자 모양	종이 인형 모양과 같음.	투명 필름 인형 모양과 같음.
그림자 진하기	❹ [ ] 선명한 그림자 ➡ 빛이 불투명한 물체를 만나면 빛이 통과하지 못하기 때문	❺ [ ] 흐릿한 그림자 ➡ 빛이 나아가다가 투명한 물체를 만나면 빛이 대부분 통과하기 때문

3 그림자로 물체를 추리해 보아요

(1) 빛의 ❻ [ ]: 태양이나 전등에서 나온 빛이 곧게 나아가는 성질

(2) 그림자의 모양: 빛이 직진하다가 물체를 통과하지 못하면 스크린에 물체의 모양과 비슷한 그림자가 생김. 빛을 비추는 방향이나 물체가 놓인 방향에 따라 그림자의 모양이 달라지기도 함.

(3) 물체의 모양과 그림자의 모양이 비슷한 까닭: 빛이 ❼ [ ]하기 때문이다.

❶ 빛 ❷ 불투명 ❸ 투명 ❹ 진하다 ❺ 연하다 ❻ 직진 ❼ 직진

4 그림자의 크기가 달라졌어요

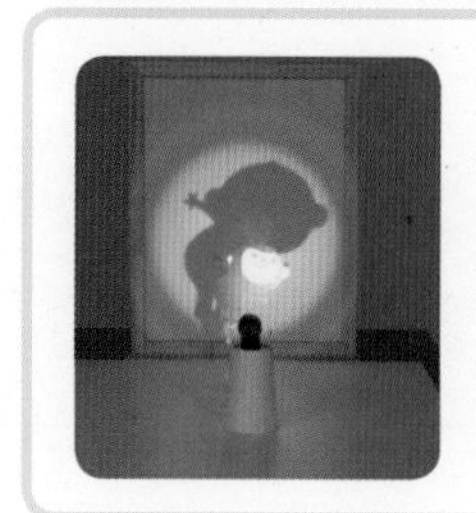

손전등을 물체에 가깝게 할 때
➡ 그림자의 크기가 ❽ [　　　　].

손전등을 물체에 멀게 할 때
➡ 그림자의 크기가 ❾ [　　　　].

5 거울로 보면 바뀐 것이 있어요

- 거울에 비친 물체의 색깔: 실제 물체의 색깔과 같음.
- 거울에 비친 물체의 모습: 물체의 ❿ [　　　　] 은/는 바뀌어 보이지 않지만 ⓫ [　　　　] 이/가 바뀌어 보임.
- 구급차 앞부분의 글자를 좌우로 바꾸어 쓴 까닭: 앞에 달리던 차의 거울에 구급차 앞부분의 모습이 비추어 보일 때, 좌우로 바꾸어 쓴 글자가 다시 좌우가 바뀌어 똑바로 보이기 때문임.

6 빛이 거울을 만나면 어떻게 될까요?

- 빛의 ⓬ [　　　　] : 빛이 나아가다가 물체나 거울에 부딪쳐 방향을 바꾸어 되돌아 나가는 현상
- ⓭ [　　　　] : 빛의 반사를 이용해 물체의 모습을 비추는 도구

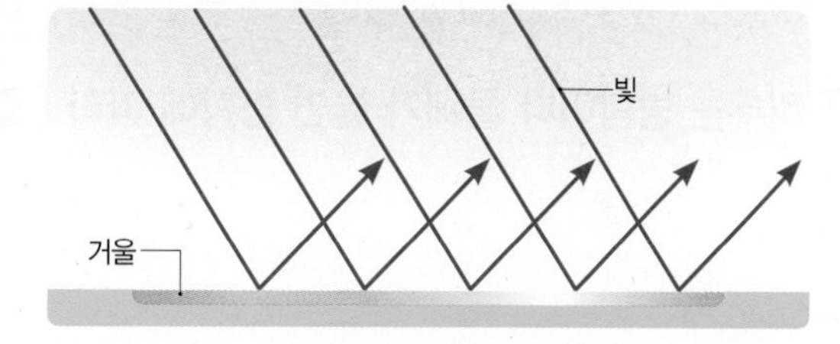

▲ 거울에서의 빛의 반사

7 주변에서 거울을 찾아보아요

거울을 이용한 예	쓰임새
옷 가게 거울	옷 입은 모습 보기
승강기 안 거울	자신의 모습(옷과 얼굴) 보기
자동차 뒷거울	다른 자동차의 위치 보기
치과용 거울	입 안쪽의 보이지 않는 이 보기
무용실 거울	무용하는 자신의 모습 보기
손거울	자신의 얼굴 보기

▲ 자동차 뒷거울

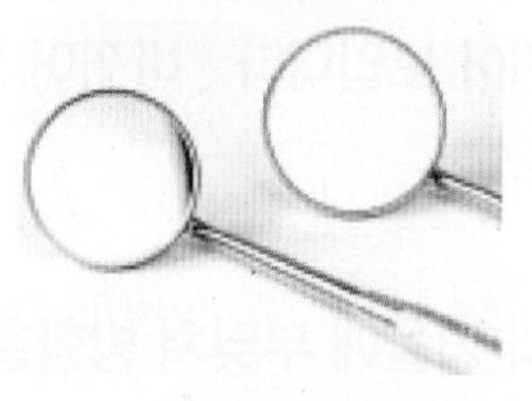
▲ 치과용 거울

❽ 커짐 ❾ 작아짐 ❿ 상하 ⓫ 좌우 ⓬ 반사 ⓭ 거울

정답과 해설 10쪽

1 그림자가 생기기 위해 필요한 것은 (　　　　), 물체, 스크린입니다.

2 책, 옷, 도자기 컵과 같이 빛이 통과하지 못하는 물체를 (불투명한 , 투명한) 물체라고 합니다.

3 투명한 물체의 그림자는 (연하고 흐릿합니다 , 진하고 선명합니다).

4 태양이나 전등에서 나온 빛이 곧게 나아가는 성질을 빛의 (　　　　)(이)라고 합니다.

5 빛이 직진하다가 물체를 만나 통과하지 못하면 스크린에 물체의 모양과 비슷한 (　　　　)이/가 생깁니다.

6 그림자의 모양은 빛을 비추는 방향이나 물체가 놓인 방향에 따라 (같습니다 , 달라집니다).

7 손전등을 물체에 가깝게 하면 그림자의 크기가 ㉠ (커지고 , 작아지고), 손전등을 물체에서 멀게 하면 그림자의 크기가 ㉡ (커집니다 , 작아집니다).

8 거울에 비친 물체의 색깔은 실제 물체의 색깔과 (같습니다 , 다릅니다).

9 거울에 비친 물체의 좌우는 ㉠ (바뀌어 보이지만 , 바뀌어 보이지 않지만), 물체의 상하는 ㉡ (바뀌어 보입니다 , 바뀌어 보이지 않습니다).

10 빛이 나아가다가 물체나 거울에 부딪쳐 방향을 바꾸어 되돌아 나가는 현상을 빛의 (　　　　)(이)라고 합니다.

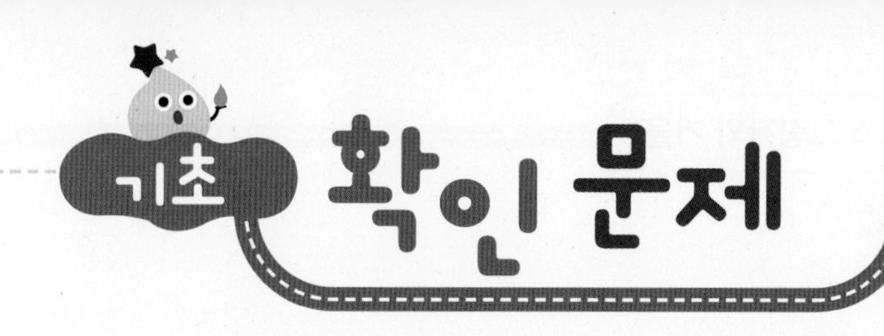

공부한 날 월 일 | 맞은 개수 개

정답과 해설 10쪽

1 다음을 읽고 알맞은 말에 ○표시를 하시오.

빛이 나아가다가 투명한 물체를 만나면 빛이 대부분 통과해 (진한 , 연한) 그림자가 생깁니다.

2 손전등, 네모 모양의 종이, 스크린을 차례로 놓고 손전등을 켜보았습니다. 스크린에 생기는 그림자는 어떤 모양입니까? ( )

① 원 모양 ② 별 모양
③ 세모 모양 ④ 네모 모양
⑤ 하트 모양

3 다음 중 그림자의 크기를 바꾸려 할 때, 바꾸어야 할 조건은 어느 것입니까? ( )

① 물체의 색깔
② 스크린의 크기
③ 손전등의 밝기
④ 물체의 투명한 정도
⑤ 손전등과 물체 사이의 거리

4 다음을 읽고 알맞은 말에 ○표시를 하시오.

물체의 실제 모습과 거울에 비친 모습을 비교해 보면 거울에 비친 물체의 모습은 (색깔 , 상하 , 좌우)이/가 바뀌어 보입니다.

5 다음 보기 에서 거울에 대한 설명으로 옳지 않은 것을 골라 기호를 쓰시오.

보기
㉠ 빛은 나아가다가 거울에 부딪치면 방향이 바뀝니다.
㉡ 빛은 나아가다가 거울에 부딪치면 거울을 통과합니다.
㉢ 거울은 빛의 반사를 이용해 물체의 모습을 비추는 도구입니다.

( )

6 다음에서 설명하는 물체는 어느 것입니까? ( )

- 불투명한 물체입니다.
- 머리에 쓰는 물건이고, 햇빛을 막아 줍니다.

① 책 ② 모자
③ 도자기 ④ 색안경
⑤ 유리 어항

7 다음과 같은 거울은 주변에서 어떤 쓰임새로 활용하고 있습니까? ( )

① 옷 입은 모습 보기
② 내부 공간을 넓게 보기
③ 다른 자동차의 위치 보기
④ 무용하는 자신의 모습 보기
⑤ 입 안쪽의 보이지 않는 이 보기

3 단원

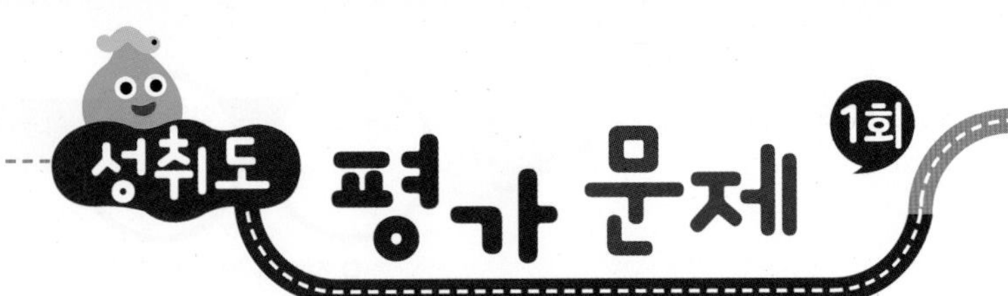

1 다음 ㉠, ㉡, ㉢ 중 어느 위치에 공을 놓아야 손전등의 빛을 비췄을 때 그림자가 생기는지 기호를 쓰시오.

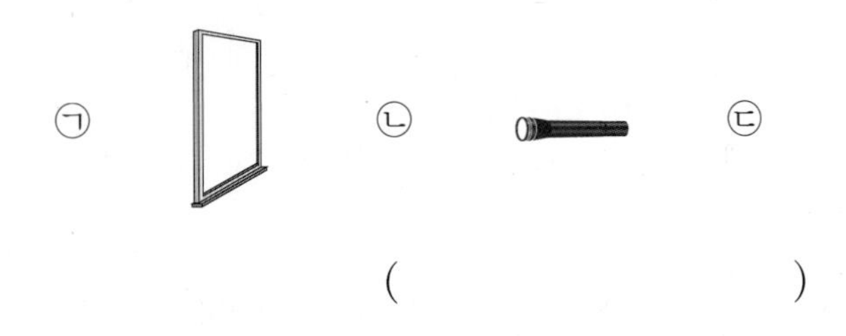

(　　　　　　　)

2 다음 도자기 컵과 유리컵에 각각 손전등으로 빛을 비췄을 때 연한 그림자가 생기는 컵은 어느 것인지 기호를 쓰시오.

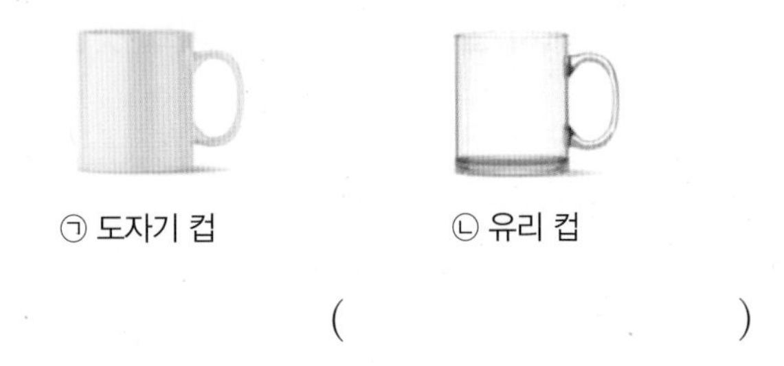

(　　　　　　　)

3 다음 중 빛이 대부분 통과하는 물체는 어느 것입니까? (　　　　)

① 모자　② 양산
③ 그늘막　④ 색안경
⑤ 휴대 전화 액정 보호 필름

4 다음 중 연한 그림자가 생기는 까닭으로 옳은 것은 어느 것입니까? (　　　　)

① 빛이 물체를 만나 사라지기 때문입니다.
② 빛이 물체를 만나 색이 바뀌기 때문입니다.
③ 빛이 물체를 통과하지 못하기 때문입니다.
④ 빛이 물체를 대부분 통과하기 때문입니다.
⑤ 빛이 물체를 만나 전부 반사되기 때문입니다.

5 다음 보기 중 물체 모양과 그림자 모양이 비슷한 까닭으로 옳은 것의 기호를 쓰시오.

보기
㉠ 빛이 직진하기 때문입니다.
㉡ 빛이 물체를 통과하기 때문입니다.
㉢ 빛이 그림자가 생기는 데 영향을 주지 않기 때문입니다.

(　　　　　　　)

중요
6 다음 중 그림자에 대한 설명으로 옳지 않은 것은 어느 것입니까? (　　　　)

① 그림자는 빛이 물체를 통과할 때 생깁니다.
② 그림자는 빛이 직진하기 때문에 생깁니다.
③ 그림자는 빛, 물체, 스크린이 있어야 생깁니다.
④ 빛이 불투명한 물체를 만나면 그림자가 생깁니다.
⑤ 물체의 투명도에 따라 그림자의 진하기가 달라집니다.

7 다음과 같이 컵을 놓은 방향을 바꾸며 빛을 비추어 보았습니다. 이때 생기는 그림자를 선으로 연결해 보시오.

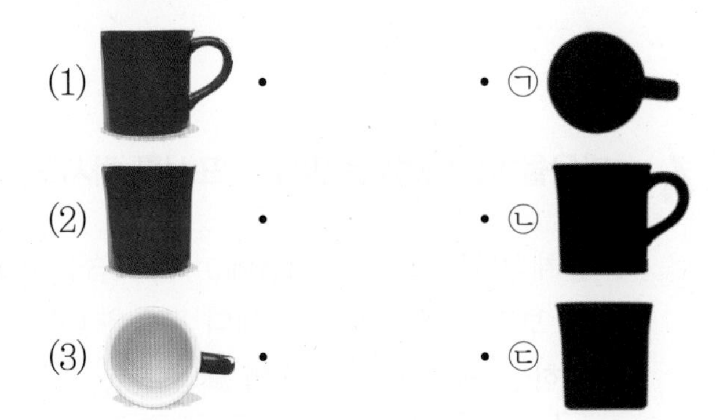

중요

8 다음과 같이 스크린, 물체, 손전등 순으로 놓고 손전등을 화살표 방향으로 움직였을 때 스크린에 생기는 그림자에 대한 설명으로 옳은 것을 보기 에서 골라 기호를 쓰시오.

보기
㉠ 그림자에 변화가 없습니다.
㉡ 그림자의 크기가 처음에 비해 커집니다.
㉢ 그림자의 크기가 처음에 비해 작아집니다.

( )

9 다음 글자를 거울에 비춰 보았습니다. 거울에 비친 모습으로 옳은 것을 보기 에서 골라 기호를 쓰시오.

안녕하세요.

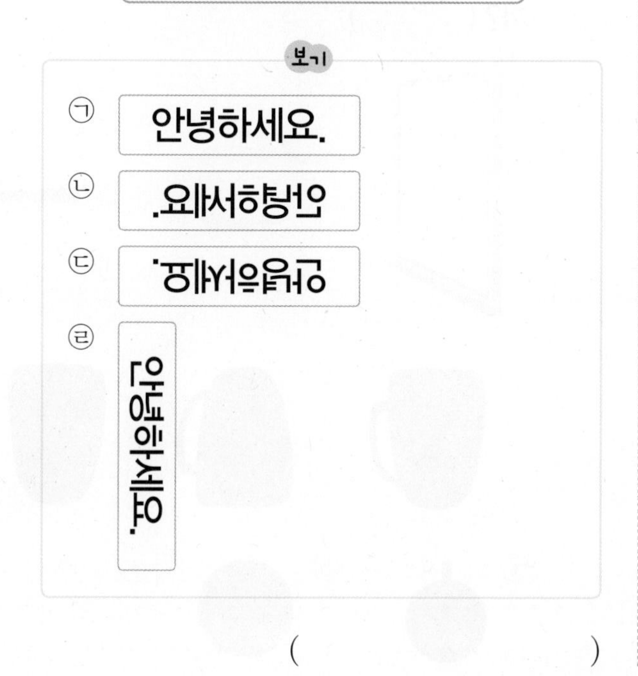

( )

중요

10 손전등의 빛을 거울에 비추어 보았습니다. 손전등의 빛이 나아가는 모습으로 옳은 것을 보기 에서 골라 기호를 쓰시오.

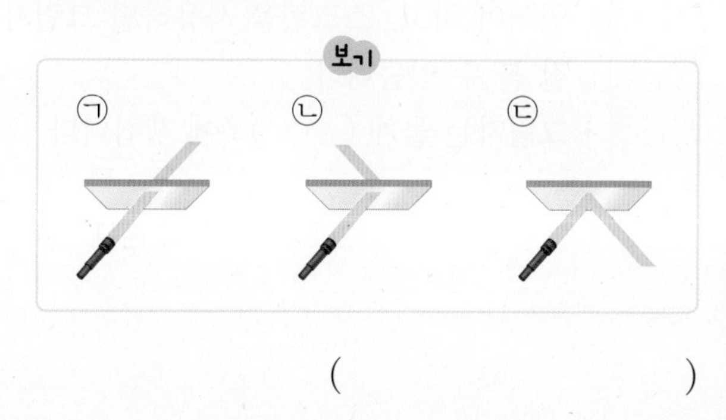

( )

11 다음 빈칸에 들어갈 알맞은 내용을 보기 에서 골라 쓰시오.

빛이 나아가다가 거울에 부딪치면 거울에서 빛의 (㉠)이/가 바뀝니다. 이러한 성질을 빛의 (㉡)(이)라고 합니다.

보기
방향, 색깔, 크기, 직진, 반사, 통과

㉠ ( ), ㉡ ( )

12 다음 중 우리 생활에서 거울을 이용한 예로 적절하지 않은 것은 어느 것입니까? ( )

① 머리 모양 보기
② 옷을 입은 모습 보기
③ 다른 자동차의 위치 보기
④ 무용하는 자신의 모습 보기
⑤ 햇빛으로부터 눈을 보호하기

3 단원

1 다음 빈칸에 들어갈 알맞은 말을 쓰시오.

> • 그림자를 만들려면 (㉠)와/과 물체가 있어야 하고, 스크린을 사용하면 그림자를 잘 볼 수 있습니다.
> • 그림자는 물체 (㉡)쪽에 생깁니다.

㉠ (　　　), ㉡ (　　　)

2 다음 두 컵에 손전등으로 빛을 비추었을 때 빛이 통과하는 모습을 선으로 연결해 보시오.

(1) 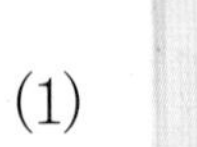  • 　　• ㉠ 빛이 대부분 통과합니다.

▲ 도자기 컵

(2)   • 　　• ㉡ 빛이 통과하지 못합니다.

▲ 유리컵

중요

3 다음 중 도자기 컵과 유리컵에 손전등의 빛을 비추었을 때 생기는 그림자에 대한 설명으로 옳지 않은 것은 어느 것입니까? (　　　)

① 유리컵의 그림자는 연하고 흐릿합니다.
② 도자기 컵의 그림자는 진하고 선명합니다.
③ 도자기 컵의 모양과 그림자의 모양은 비슷합니다.
④ 손전등의 빛을 비추는 방향이 바뀌어도 유리컵의 그림자는 항상 같습니다.
⑤ 손전등의 빛을 비추는 방향이 바뀌면 도자기 컵의 그림자는 바뀔 수 있습니다.

4 다음 중 특정 물체를 불투명한 물체와 투명한 물체로 나누는 기준으로 옳은 것은 어느 것입니까? (　　　)

① 물체의 크기
② 물체의 모양
③ 물체의 색깔
④ 물체의 냄새
⑤ 빛이 물체를 통과하는 정도

5 다음 빈칸에 들어갈 알맞은 말을 쓰시오.

> 빛은 (　　)하는 성질이 있기 때문에 물체에 빛이 닿는 단면과 같은 모양의 그림자가 물체 뒤쪽에 있는 스크린에 생깁니다.

(　　　　　　)

6 다음과 같이 도자기 컵에 손전등의 빛을 비추었을 때 생기는 그림자의 모습은 어느 것입니까? (　　　)

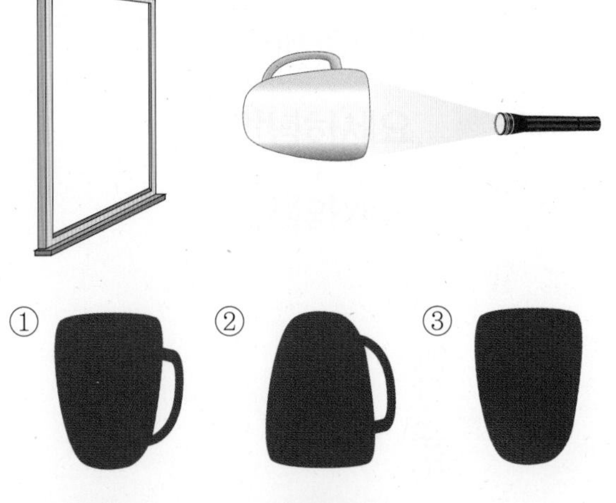

7 다음 보기 중 그림자가 나타나는 상황으로 옳은 것을 골라 기호를 쓰시오.

보기
㉠ 햇빛이 비치는 낮에 운동장의 그네
㉡ 햇빛과 가로등이 없는 밤에 운동장의 철봉
㉢ 구름이 햇빛을 가린 낮에 운동장에 있는 정글짐

( )

중요
8 다음과 같이 손전등, 물체, 스크린 순으로 놓고 손전등을 화살표 방향으로 움직였을 때 스크린에 생기는 물체의 그림자에 대한 설명으로 옳은 것은 어느 것입니까? ( )

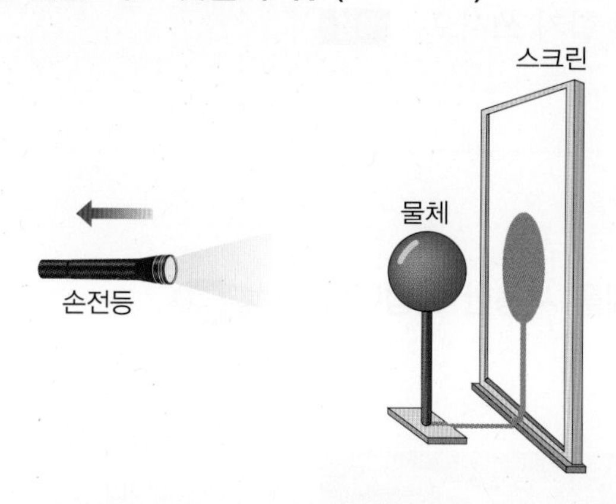

① 그림자에 변화가 없습니다.
② 그림자가 처음에 비해 진해집니다.
③ 그림자의 상하 모양이 바뀌어 보입니다.
④ 그림자의 크기가 처음에 비해 커집니다.
⑤ 그림자의 크기가 처음에 비해 작아집니다.

9 다음 글자 중 거울에 비추었을 때 모양이 변하지 않는 글자를 모두 골라 쓰시오.

가, 너, 우, 므, 시

( )

중요
10 거울에 비친 물체의 모습에 대한 설명으로 옳은 것은 어느 것입니까? ( )

① 물체의 좌우가 바뀌어 보입니다.
② 물체의 상하가 바뀌어 보입니다.
③ 물체가 사라져 보이지 않게 됩니다.
④ 실제 물체의 색깔과 다르게 보입니다.
⑤ 물체의 좌우, 상하가 모두 바뀌어 보입니다.

11 손전등을 켜 빛을 나아가게 하였습니다. 빛이 나아가는 길에 거울을 놓았을 때 일어나는 현상에 대한 설명으로 옳은 것을 어느 것입니까? ( )

① 빛이 거울을 통과합니다.
② 빛이 거울에 부딪쳐 사라집니다.
③ 빛이 거울을 만나 더 강해집니다.
④ 빛이 거울을 만나 색깔이 바뀝니다.
⑤ 빛이 거울에 부딪쳐 다른 방향으로 반사됩니다.

12 다음은 어떤 도구를 사용할 때의 상황입니다. 어떤 도구인지 쓰시오.

- 자신의 전체 모습을 볼 수 있습니다.
- 자신의 머리 모양을 볼 수 있습니다.
- 뒤쪽에서 오는 자동차를 볼 수 있습니다.
- 잘 보이지 않는 안쪽 이를 살펴볼 수 있습니다.

( )

3 단원

서술형 · 사고력 문제

1 그림에서 종이 인형과 스크린을 움직이지 않고 그대로 두었습니다. 물음에 답하시오. 총 8점

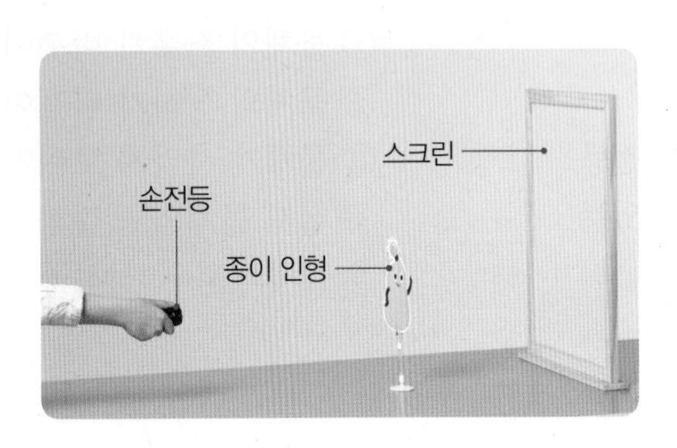

(1) 그림자의 크기를 크게 하려면 손전등을 어떻게 해야 할지 쓰시오. 4점

(2) 그림자의 크기를 작게 하려면 손전등을 어떻게 해야 할지 쓰시오. 4점

• 종이 인형과 손전등 사이의 거리에 따라 그림자의 크기가 달라집니다. 종이 인형과 손전등 사이의 거리가 가까워지면 그림자의 크기가 커지고, 거리가 멀어지면 그림자의 크기가 작아집니다.

2 그림은 우리 생활에서 불투명한 물체 또는 투명한 물체를 사용한 예입니다. 물음에 답하시오. 총 8점

▲ 휴대 전화 액정 보호 필름

▲ 유리 온실

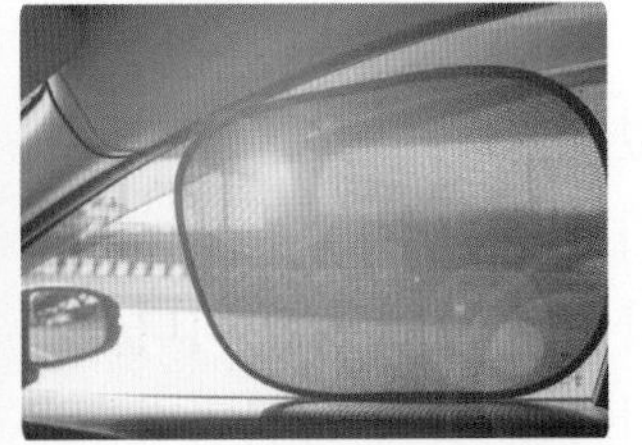
▲ 자동차 햇빛 가리개

(1) 위의 사진들 중 불투명한 물체를 사용한 것은 무엇인지 쓰시오. 3점

(2) 위의 (1)에서 생각한 물체가 어떻게 이용되는지 쓰시오. 5점

• 햇빛은 불투명한 물체를 만나면 통과하지 못하고, 물체 뒤편에 그림자가 생깁니다.

3 오른쪽 그림은 햇빛이 비칠 때 운동장에 생기는 그림자를 나타낸 것입니다. 물음에 답하시오. 총 8점

도움말
• 그림자가 생기려면 빛과 물체가 필요합니다. 햇빛을 구름이 가리면 운동장에서 빛이 사라진 상황이 됩니다.

(1) 위 상황에서 구름이 햇빛을 가린다면 운동장에 있는 그림자는 어떻게 될지 쓰시오. 4점

(2) 위의 (1)과 같은 결과가 나타나는 까닭을 쓰시오. 4점

4 다음과 같이 손전등의 빛을 거울에 비추어 보았습니다. 손전등에서 나온 빛은 화살표와 같이 직진하다가 거울에 부딪쳤습니다. 물음에 답하시오. 총 8점

도움말
• 빛이 나아가다가 거울을 만나면 방향을 바꾸어 되돌아 나가는 현상을 빛의 반사라고 합니다.

(1) 거울에 부딪친 손전등의 빛이 어떻게 될지 그림에 화살표(→)로 표시하시오. 4점

(2) 위의 (1)과 같은 결과가 나타나는 까닭을 빛의 성질과 연관 지어 쓰시오. 4점

수행 평가

1

친구들과 그림자 놀이를 하며 오른쪽과 같은 그림자를 만들었습니다. 물음에 답하시오.

(1) 손전등으로 아래와 같은 위치에서 빛을 비추었을 때, 오른쪽과 같은 그림자를 만들기 위해서 ㉠, ㉡ 위치에 무엇을 놓아야 하는지 보기 에서 골라 쓰시오.

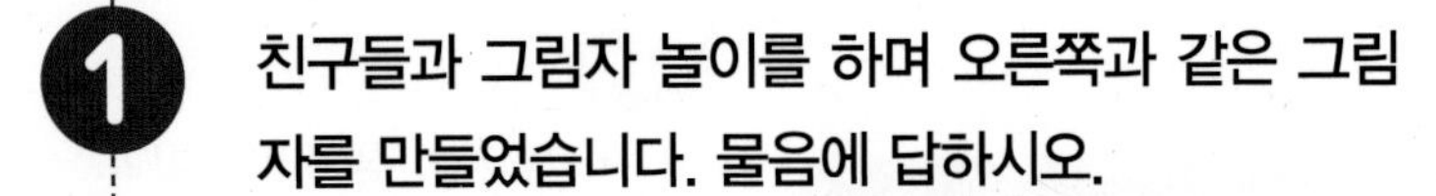

손전등 ㉠ (　　　) ㉡ (　　　)

보기

친구, 스크린

(2) 위의 (1)에서와 같이 답을 한 까닭을 쓰시오.

2

다음 물체에 빛을 비춰 보았습니다. 물음에 답하시오.

▲ 유리컵

▲ 투명 플라스틱 물병

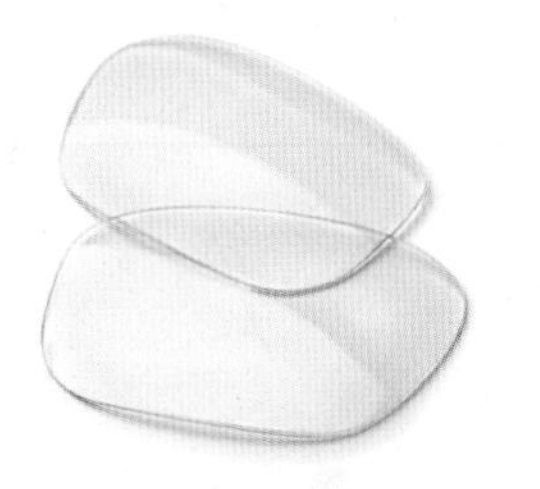
▲ 안경알

(1) 위의 물체에 빛을 각각 비추었을 때 생기는 그림자의 특징을 쓰시오.

(2) 위의 (1)과 같은 결과가 나오는 까닭을 빛이 통과하는 정도와 관련지어 쓰시오.

도움말

- 그림자가 생기는 조건을 알고 있어야 합니다.
- 빛이 나아가다가 투명한 물체를 만나면 어떤 그림자가 생기는지 설명해야 합니다.

3 스크린 앞에 있는 도자기 컵에 손전등으로 빛을 비추어 그림자를 만들었습니다. 물음에 답하시오.

(1) 도자기 컵과 스크린은 그대로 두고, 손전등의 위치를 바꾸어 보았습니다. 각각 그림자의 크기가 어떻게 되는지 쓰시오.

(가) 손전등을 도자기 컵에서 멀게 할 때	(나) 손전등을 도자기 컵에 가깝게 할 때

(2) 스크린과 손전등을 그대로 두고, 도자기 컵의 위치를 바꾸어 보았습니다. 각각 그림자의 크기가 어떻게 되는지 쓰시오.

(가) 도자기 컵을 손전등에서 멀게 할 때	(나) 도자기 컵을 손전등에 가깝게 할 때

4 다음은 119 구급차입니다. 구급차의 앞부분에 숫자가 왜 사진 속 모습과 같이 쓰여졌는지 그 까닭을 쓰시오.

도움말

- 스크린이 고정되어 있을 때 물체와 빛의 거리에 따라 그림자의 크기가 달라진다는 것을 알고 있어야 합니다.
- 구급차 앞에 달리는 자동차의 뒷거울에 구급차 앞부분의 모습이 어떻게 보일지 알고 있어야 합니다.

3 단원

1 화산 활동으로 어떤 물질이 나올까요?

(1) 마그마: 땅속 깊은 곳에서 암석이 녹아 ❶ ______ 상태로 있는 물질

(2) 화산: 땅속의 ❷ ______ 이/가 지표면으로 나오면서 만들어진 지형

(3) 화산 분출물의 종류

▲ 화산 가스(❸ ______)　▲ 용암(액체)

▲ 화산재(고체)　▲ ❹ ______ (고체)

2 마그마가 식으면 암석이 만들어져요

(1) 화성암: 액체 상태인 마그마가 식어서 만들어진 암석

(2) 현무암의 특징: 색깔이 ❺ ______ 알갱이의 크기가 작음.

(3) 화강암의 특징: 색깔이 밝고 알갱이의 크기가 큼.

(4) 현무암은 마그마가 지표 가까이에서 ❻ ______ 식어서 만들어지므로 알갱이의 크기가 작습니다. 화강암은 마그마가 땅속 깊은 곳에서 ❼ ______ 식어서 만들어지므로 알갱이의 크기가 큼.

3 화산 활동이 우리 생활에 영향을 줘요

● 화산 활동이 미치는 영향

구분	❽ ______	❾ ______
사례	• 화산 주변에 온천이나 관광지를 개발함. • 화산 주변 땅속의 열을 이용해 전기를 얻을 수 있음. • 화산재가 쌓여 기름지게 된 땅에서 농사를 지음.	• 화산재로 인해 비행기의 엔진이 고장 나 항공기 운항을 어렵게 함. • 용암이나 화산재가 마을과 농경지를 덮쳐 피해를 줌. • 산불이나 지진이 발생하기도 함.

❶ 액체 ❷ 마그마 ❸ 기체 ❹ 화산 암석 조각 ❺ 어둡고 ❻ 빠르게 ❼ 천천히(서서히) ❽ 이용 ❾ 피해

4 땅이 흔들려요

(1) ⑩ ____ 이/가 발생하는 원인: 지층이 오랫동안 지구 내부에서 발생하는 힘을 받아 끊어지고 흔들리면서 발생함.

(2) 지진 발생 모형실험과 실제 지진 발생 비교

지진 발생 모형실험	실제 지진 발생
⑪ ____	지층
양손으로 미는 힘	지구 내부에서 발생하는 힘
우드록이 끊어질 때의 떨림	⑫ ____

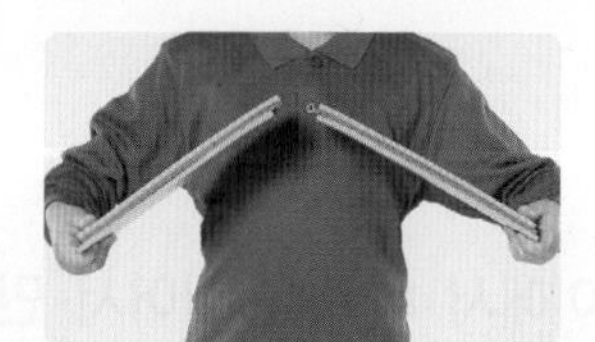
▲ 우드록이 끊어지는 현상

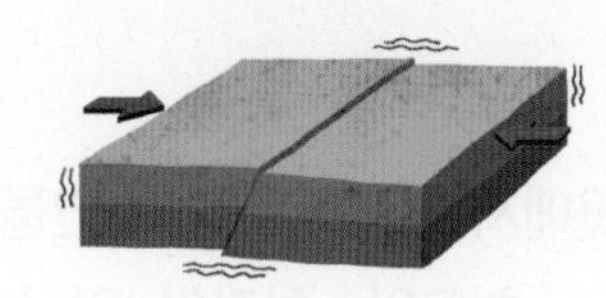
▲ 실제 자연 현상

5 지진으로 피해가 발생했어요

(1) 규모: 지진의 세기를 나타내는 것으로, 규모의 숫자가 ⑬ ____ 수록 강한 지진임.

(2) 지진으로 발생한 피해 사례 조사

⑭ ____	경상북도 포항시
날짜	2017년 11월 15일
⑮ ____	5.4
피해 내용	도로가 갈라지고 건물 외벽이 무너짐.

6 지진이 발생하면 어떻게 해야 할까요?

장소	지진 대처 방법
집	탁자 아래로 들어가 몸을 보호함.
⑯ ____	책상 아래로 들어가 책상 다리를 꼭 잡음.
대형 할인점	진열장에서 떨어지는 물건으로부터 몸을 보호함.
⑰ ____	가장 먼저 열리는 층에서 내린 뒤 계단을 이용하여 대피함.

⑩ 지진 ⑪ 우드록 ⑫ 지진 ⑬ 클 ⑭ 발생 지역 ⑮ 규모 ⑯ 학교 ⑰ 승강기

정답과 해설 13쪽

1 땅속 깊은 곳에서 암석이 녹아 액체 상태로 있는 물질은 (   )입니다.

2 땅속의 마그마가 지표면으로 나오면서 만들어진 지형은 (   )입니다.

3 마그마가 지표 가까이에서 빠르게 식어서 만들어졌으며 어두운색을 띠고 알갱이의 크기가 작은 암석은 (현무암 , 화강암)입니다.

4 마그마가 땅속 깊은 곳에서 서서히 식어서 만들어졌으며 밝은색을 띠고 알갱이의 크기가 큰 암석은 (현무암 , 화강암)입니다.

5 화산 주변 땅속의 높은 열을 이용하여 화산 주변에 (   )을/를 개발하기도 합니다.

6 (   )은/는 비행기의 엔진을 망가뜨려 항공기 운항을 어렵게 하지만, 오랜 시간이 지나면 땅을 기름지게 합니다.

7 지진이 발생하면 땅이 흔들리는데, 그 까닭은 지구 (내부 , 외부)에서 발생하는 힘 때문입니다.

8 지진이 발생하는 원인을 알아보는 실험에서 우드록이 끊어질 때의 떨림은 실제 지진에서 (지층 , 지진)을 나타냅니다.

9 (무게 , 규모)가 큰 지진이 발생하면 건물이나 도로가 부서져 재산이나 인명 피해가 발생하기도 합니다.

10 지진 피해를 줄이기 위한 대처 방법 중 떨어질 수 있는 물건은 (낮은 , 높은) 곳에 두고, 깨진 유리 조각에 다치지 않도록 실내화를 준비합니다.

정답과 해설 13쪽

1 다음 중 화산이 분출할 때 나오는 물질이 아닌 것은 어느 것입니까? ( )

① 용암
② 화산재
③ 현무암
④ 화산 가스
⑤ 화산 암석 조각

2 다음은 화성암에 대한 설명입니다. 옳은 것은 ○표시를, 옳지 않은 것은 ×표시를 하시오.

(1) 현무암은 화강암보다 암석의 색깔이 어둡습니다. ( )
(2) 화강암 표면에는 구멍이 많습니다. ( )
(3) 현무암은 화강암보다 땅속 깊은 곳에서 만들어진 암석입니다. ( )

3 다음은 화산 활동이 우리 생활에 영향을 주는 사례입니다. 빈칸에 들어갈 알맞은 말을 쓰시오.

- 화산 주변 땅속의 높은 열을 이용하여 (㉠)을/를 개발하여 관광 자원으로 이용할 수 있습니다.
- (㉡)은/는 오랜 시간이 지나면 땅을 기름지게 하여 농작물이 자라는 데 도움을 주기도 합니다.

㉠ ( ) ㉡ ( )

4 다음은 지진이 발생하는 과정을 순서 없이 나열한 것입니다. 지진이 발생하는 과정에 맞게 순서대로 나열하시오.

㉠ 지층이 휘어집니다.
㉡ 지층이 끊어지면서 땅이 흔들립니다.
㉢ 지층이 힘을 받습니다.

( ) → ( ) → ( )

5 지진 발생 모형실험 재료로 우드록 대신 사용할 수 있는 것을 골라 기호를 쓰시오.

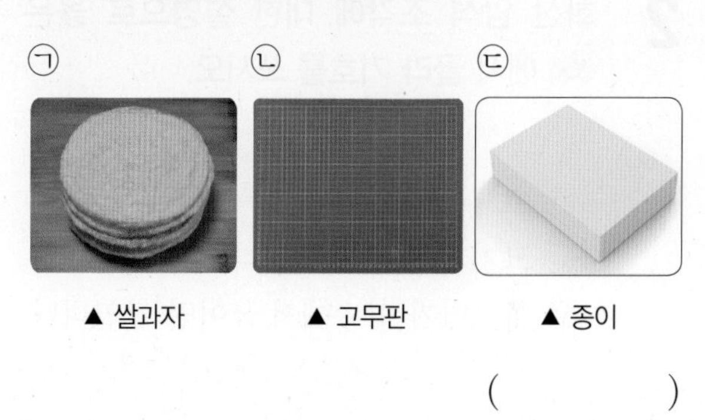

▲ 쌀과자 ▲ 고무판 ▲ 종이

( )

6 지진 대처 방법 중 집에 식탁이 있다면 어느 위치로 대피하는 것이 좋은지 ○표시를 하시오.

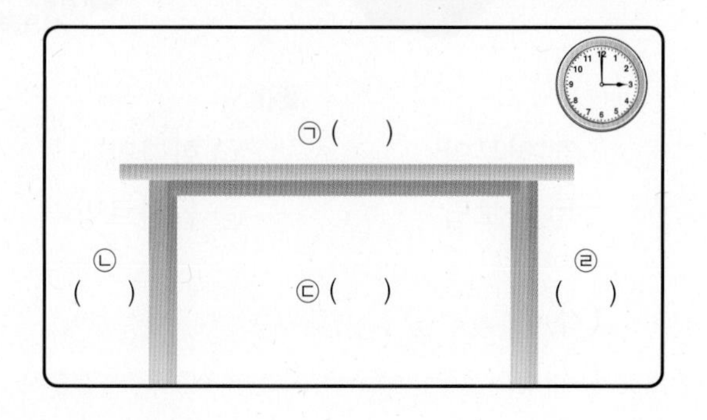

성취도 평가 문제 1회

중요

1 다음 중 화산 활동 모형 만들기 실험에 대한 설명으로 옳지 않은 것은 어느 것입니까? ( )

① 가열하기 전 모래는 지표를 나타냅니다.
② 가열하기 전 설탕은 땅속의 마그마를 나타냅니다.
③ 녹은 설탕이 모래를 뚫고 올라와 흐르는 것은 용암을 나타냅니다.
④ 마그마의 색을 붉게 나타내기 위해 설탕과 식용 색소를 섞어 사용합니다.
⑤ 비커를 가열하면 설탕이 녹기 시작하면서 공기 방울이 올라오는데, 이것은 화산 암석 조각을 나타냅니다.

2 화산 암석 조각에 대한 설명으로 옳은 것을 보기 에서 골라 기호를 쓰시오.

보기
㉠ 고체 상태입니다.
㉡ 크기가 모두 같습니다.
㉢ 마그마가 땅속에서 굳어진 것입니다.

( )

3 다음 두 암석의 이름과 우리 생활에 이용한 예를 보기 에서 골라 기호를 쓰시오.

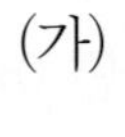
(가)

(나)

보기
㉠ 현무암　㉡ 화강암
㉢ 다보탑　㉣ 돌하르방

(가) (,)
(나) (,)

중요

4 다음은 과학 시간에 현무암을 관찰하면서 친구들이 나눈 대화 내용입니다. 현무암의 특징을 틀리게 말한 친구의 이름을 쓰시오.

• 지훈: 어두운 편인데, 작은 구멍이 있어.
• 유하: 색깔이 밝고, 돋보기로 보면 알갱이가 큰 것 같아.
• 정우: 맨눈으로는 알갱이가 잘 보이지 않아.

( )

5 다음은 화산 활동이 우리 생활에 미치는 영향에 대한 설명입니다. 빈칸에 들어갈 알맞은 말을 옳게 짝 지은 것은 어느 것입니까? ( )

화산 주변 땅속의 높은 (㉠)을 이용하여 화산 주변에 온천을 개발하거나 지열 발전으로 (㉡)을/를 얻을 수 있습니다.

	㉠	㉡		㉠	㉡
①	열	곡식	②	불	곡식
③	열	전기	④	불	전기
⑤	불	소득			

6 다음 빈칸에 들어갈 알맞은 말을 옳게 짝 지은 것은 어느 것입니까? ( )

(㉠)이/가 오랫동안 지구 내부에서 발생하는 힘을 받으면 끊어지고 흔들리면서 (㉡)이 발생합니다.

	㉠	㉡		㉠	㉡
①	지표	화산	②	지층	화산
③	지구	지진	④	지층	지진
⑤	마그마	지진			

중요

7 다음 중 지진과 지진의 규모에 대한 설명으로 옳지 않은 것은 어느 것입니까? (　　　)

① 우리나라에서도 크고 작은 규모의 지진이 발생합니다.
② 규모가 큰 지진이 발생하면 산사태가 일어나기도 합니다.
③ 지진의 규모가 작을수록 일반적으로 피해 정도도 작아집니다.
④ 규모는 얼마나 강한 지진이 발생했는지 숫자로 나타냅니다.
⑤ 규모 3.0의 지진이 규모 5.4의 지진보다 더 강한 지진입니다.

8 다음 중 지진 피해 사례를 조사할 때 조사할 내용으로 알맞지 않은 것은 어느 것입니까? (　　　)

① 지진의 규모
② 지진 지역 날씨
③ 지진이 발생한 지역
④ 지진이 발생한 날짜
⑤ 지진으로 인한 피해 내용

9 다음은 최근에 발생한 지진에 대해 조사한 것입니다. 지진의 세기가 강한 것부터 순서대로 옳게 나열한 것은 어느 것입니까? (　　　)

발생 지역	날짜	규모
(가) 필리핀 루손섬	2019년 4월 22일	6.1
(나) 경상북도 포항시	2017년 11월 15일	5.4
(다) 경상북도 경주시	2016년 9월 12일	5.8

① (가) − (나) − (다)　② (가) − (다) − (나)
③ (나) − (가) − (다)　④ (나) − (다) − (가)
⑤ (다) − (나) − (가)

10 지진 피해에 대한 설명으로 옳은 것을 보기 에서 모두 골라 기호를 쓰시오.

보기
㉠ 건물이 무너집니다.
㉡ 도로가 갈라집니다.
㉢ 사망자 및 부상자가 발생합니다.
㉣ 지진의 규모가 같으면 어느 지역에서나 피해 정도가 같습니다.

(　　　　　　)

중요

11 오른쪽 그림이 설명하는 지진 대처 방법은 어느 것입니까? (　　　)

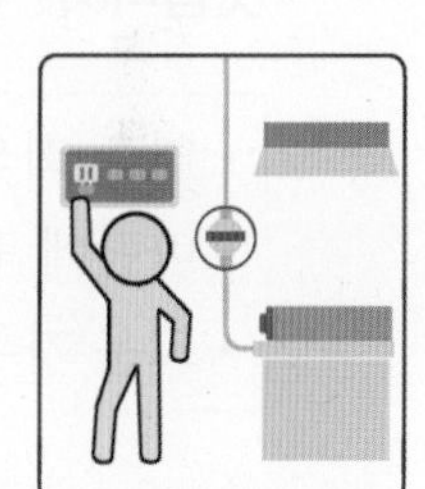

① 가스와 전기 차단하기
② 문을 열어 출구 확보하기
③ 승강기 대신 계단 이용하기
④ 식탁 밑에서 몸을 보호하기
⑤ 공원과 같은 넓은 곳으로 대피하기

12 다음 중 지진 대처 방법에 대한 설명으로 옳지 않은 것은 어느 것입니까? (　　　)

① 지진 대처 방법은 똑같으므로 하나만 제대로 배우면 됩니다.
② 과학관에서 지진 체험을 하고 대처 방법에 대해 배울 수 있습니다.
③ 지진 대처 방법 역할극을 통해 지진 대처 방법을 배울 수도 있습니다.
④ 비상용품은 미리 준비하고 집과 가까운 대피 장소를 미리 알아둡니다.
⑤ 학교에서 지진 대피 훈련을 할 때 참여하여 지진 대처 방법을 연습합니다.

성취도 평가 문제 2회

1 오른쪽은 화산 활동 모형 만들기 실험입니다. 실험에 사용한 재료 중 실제 화산 활동에서 지표를 나타내는 것은 어느 것입니까? (   )

① 설탕 ② 비커
③ 모래 ④ 식용 색소
⑤ 고체 연료

2 다음에서 설명하고 있는 화산 분출물은 어느 것입니까? (   )

- 옅은 회색입니다.
- 바람에 쉽게 날립니다.
- 고운 가루처럼 보입니다.

① 용암 ② 화산재
③ 마그마 ④ 화산 가스
⑤ 화산 암석 조각

중요

3 다음은 화산 분출물에 대한 설명입니다. 빈칸에 들어갈 알맞은 말을 보기 에서 골라 쓰시오.

(㉠)에는 여러 가지 가스가 많이 들어 있고, 단단한 암석이 누르고 있기 때문에 높은 압력을 받고 있습니다. (㉠)이/가 분출하듯이 지표로 나오는 것이 바로 이 때문입니다. 이렇게 (㉠)이/가 지표로 분출하면 (㉡)이/가 빠져나가고 (㉢)이/가 됩니다.

보기

용암, 마그마, 기체, 액체

㉠ (   ) ㉡ (   ) ㉢ (   )

4 다음 중 용암에 대한 설명으로 옳지 않은 것은 어느 것입니까? (   )

① 검붉은색입니다.
② 매우 뜨겁습니다.
③ 녹은 초콜릿처럼 보입니다.
④ 고체 상태의 화산 분출물입니다.
⑤ 지표면을 흐르면서 주변에 화재를 일으킵니다.

5 다음 중 마그마가 식어서 만들어지는 암석에 대한 설명으로 옳지 않은 것은 어느 것입니까? (   )

① 화강암은 밝은색입니다.
② 현무암은 어두운색입니다.
③ 현무암은 구멍이 없는 것도 있습니다.
④ 화강암은 돋보기로 관찰하면 알갱이가 잘 보이지 않습니다.
⑤ 현무암은 돋보기로 관찰하면 알갱이의 크기가 매우 작다는 것을 알 수 있습니다.

중요

6 다음 설명에서 빈칸에 들어갈 알맞은 말을 옳게 짝 지은 것은 어느 것입니까? (   )

마그마는 깊은 땅속에 있을 때보다 지표면에 가까울수록 (㉠) 식습니다. (㉡)은 마그마가 지표 가까이에서 빠르게 식어서 굳어진 암석입니다. 반대로 (㉢)은 마그마가 땅속 깊은 곳에서 서서히 식어서 굳어진 암석입니다.

	㉠	㉡	㉢
①	빨리	화강암	현무암
②	빨리	현무암	화강암
③	빨리	현무암	화성암
④	천천히	현무암	화강암
⑤	천천히	화강암	현무암

중요

7 다음 중 화산 활동의 피해 사례에 해당하는 것은 어느 것입니까? (   )

① 화산 주변에 온천을 개발합니다.
② 화산 주변의 열을 이용하여 지열 발전을 합니다.
③ 화산재가 쌓여 기름지게 된 땅에 농사를 짓습니다.
④ 화산재의 영향으로 호흡기 질병에 걸릴 수 있습니다.
⑤ 마그마로 만들어진 암석으로 작품을 만들거나 건축 자재로 사용하기도 합니다.

8 다음 빈칸에 들어갈 알맞은 말을 쓰시오.

양손으로 우드록을 수평으로 밀면서 휘어지거나 끊어지는 모습을 관찰하는 활동은 (   )이/가 발생하는 과정을 알아보기 위한 것입니다.

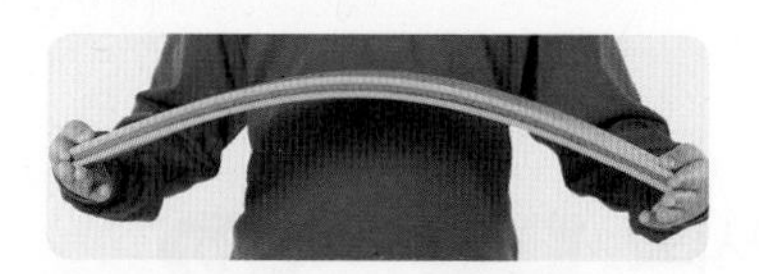

(   )

9 다음 중 지진 발생에 대한 설명으로 옳지 않은 것은 어느 것입니까? (   )

① 지층이 휘어지기도 합니다.
② 지층이 끊어지기도 합니다.
③ 지층이 끊어지면 땅이 흔들립니다.
④ 지진이 발생해서 유리창이 흔들리기도 합니다.
⑤ 짧은 시간에 지구 외부에서 발생하는 힘으로 땅이 흔들리는 것입니다.

10 다음은 지진 피해 사례를 알리는 신문 기사 내용입니다. 빈칸에 공통으로 들어갈 말은 어느 것입니까? (   )

○○신문
2019. 4. 23

〈필리핀에서 (   ) 6.1의 지진 발생〉

2019년 4월 22일 필리핀 루손섬에서 (   ) 6.1의 지진이 발생해 사망자와 부상자가 발생하고 집과 건물이 무너지는 등 심각한 피해가 생겼습니다. 한때 지진으로 인한 정전 때문에 구조 작업에 어려움을 겪기도 했습니다.

① 세기 ② 경보 ③ 규모
④ 진동 ⑤ 지진

중요

11 다음 중 지진이 발생했을 때 대처 방법으로 옳지 않은 것은 어느 것입니까? (   )

① 가스와 전기는 켜 둡니다.
② 계단을 이용해 신속하게 이동합니다.
③ 탁자 아래로 들어가 몸을 보호합니다.
④ 산과 떨어진 안전한 곳으로 대피합니다.
⑤ 떨어지는 물건으로부터 머리와 몸을 보호합니다.

12 지진이 발생했을 때 승강기 안에 있는 사람의 대처 방법으로 옳은 것을 보기 에서 골라 기호를 쓰시오.

보기
㉠ 승강기 안에 가만히 있습니다.
㉡ 승강기를 이용하여 옥상으로 대피합니다.
㉢ 모든 층의 버튼을 눌러 가장 먼저 열리는 층에서 내린 뒤 계단을 이용하여 대피합니다.

(   )

4 단원

서술형·사고력 문제

1 다음 암석을 보고, 물음에 답하시오. 총 8점

• 현무암과 화강암은 만들어진 위치에 따라 마그마가 식는 빠르기가 다르기 때문에 알갱이의 크기가 달라집니다.

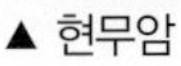
▲ 현무암

▲ 화강암

(1) 현무암을 화강암과 비교했을 때 다른 점을 2가지 쓰시오. 4점

(2) 현무암을 이루는 알갱이의 크기가 화강암과 다른 까닭을 쓰시오. 4점

2 다음은 화산 활동이 우리 생활에 주는 영향입니다. 물음에 답하시오. 총 8점

• 화산 활동은 우리 생활에 피해를 주기도 하지만 이로운 점도 있습니다.

(1) 화산 활동의 피해 사례를 2가지 쓰시오. 4점

(2) 화산 활동의 이용 사례를 2가지 쓰시오. 4점

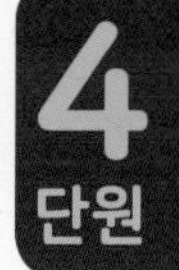

3 다음은 지진이 발생하는 과정 중 일부를 나타낸 것입니다. 물음에 답하시오. 총 6점

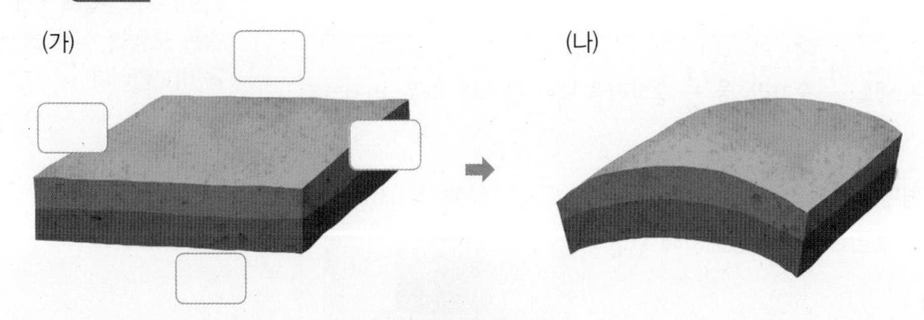

(1) 지층이 그림 (나)와 같이 휘어지려면 지구 내부에서 발생하는 힘이 작용해야 합니다. 지구 내부의 힘의 방향을 그림 (가)의 빈칸에 화살표로 표시하시오. 2점

(2) 우드록을 이용하여 지진이 발생하는 원인을 알아보는 실험과 실제 지진과의 차이점을 쓰시오. 4점

- 우드록이 휘어지거나 끊어져 나타나는 현상을 실제 자연 현상인 지진과 비교하여 이해합니다.

4 다음은 지진이 발생하였을 때 대처 방법입니다. 물음에 답하시오. 총 8점

㉠

㉡

(1) 위의 모습은 어느 장소에서의 지진 대처 방법인지 쓰시오. 2점

( )

(2) 위 ㉠, ㉡의 대처 방법에 대해 쓰시오. 6점

- 지진이 발생하면 머리를 보호하고 신속하게 대피해야 합니다.

수행 평가

1

다음은 화산 활동으로 어떤 물질이 나오는지 알아보는 실험을 나타낸 것입니다. 물음에 답하시오.

① 비커에 설탕 2숟가락, 식용 색소 $\frac{1}{4}$ 숟가락, 물 $\frac{1}{2}$ 숟가락을 넣어 잘 섞은 다음, 비커의 한쪽 구석에 모읍니다.
② 과정 ①의 비커에 모래를 평평하게 넣습니다.
③ 플라스틱 숟가락을 따라 물이 흐르게 하면서 모래 위에 천천히 물을 넣습니다.
④ 설탕이 있는 쪽에 고체 연료가 위치하도록 설치하고 고체 연료에 불을 붙입니다.

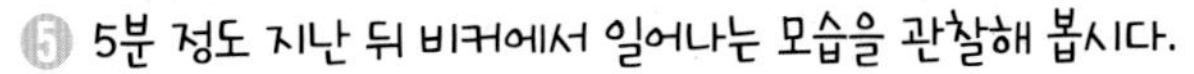

⑤ 5분 정도 지난 뒤 비커에서 일어나는 모습을 관찰해 봅시다.
⑥ 실제 화산이 분출하는 영상을 보고 화산 활동 모형과 비교해 봅시다.

(1) 위 실험에 대한 아래 실험 보고서의 빈칸에 들어갈 알맞은 말을 쓰시오.

[실험 보고서]

<table>
<tr><td>실험 주제</td><td>화산 활동으로 어떤 물질이 나올까요?</td></tr>
<tr><td>실험 준비물</td><td>설탕, 모래, 식용 색소, 스마트 기기, 보안경, 안전 장갑, 비커, 고체 연료, 고체 연료통, 실험용 장갑, 삼발이, 철망, 플라스틱 숟가락, 점화기, 물, 실험복</td></tr>
<tr><td>실험 결과 및 정리</td><td>설탕이 녹으면서 공기 방울이 올라오고, 녹은 설탕이 모래를 뚫고 올라와 흐릅니다.
<table>
<tr><td>화산 활동 모형</td><td>(㉠)</td><td>(㉡)</td><td>가열한 후에 모래를 뚫고 올라와 흐르는 설탕</td></tr>
<tr><td>실제 화산 활동</td><td>마그마</td><td>화산 가스</td><td>(㉢)</td></tr>
</table></td></tr>
</table>

㉠ (　　　　) ㉡ (　　　　) ㉢ (　　　　)

(2) 화산 활동으로 나오는 물질 중 액체 상태의 물질 이름을 쓰고, 그 특징을 1가지 써 봅시다.

• 물질 이름: (　　　　)

• 특징: ____________________

도움말

• 화산 활동으로 어떤 물질이 나오는지 생각해 보고, 화산 활동 모형과 실제 화산 활동을 비교합니다.

2 **오른쪽은 경주 불국사에 있는 문화재의 모습입니다. 물음에 답하시오.**

(1) 스마트 기기를 이용하여 문화재 이름을 찾아 쓰시오.

( )

(2) 스마트 기기를 이용하여 문화재를 만들 때 사용한 암석의 종류를 찾아 쓰시오.

( )

(3) 위 (2)의 답 암석의 특징을 2가지 써 봅시다.

도움말

• 화성암으로 만들었음을 알고, 화성암의 특징을 알아야 합니다.

3 **다음은 여러 장소에서 지진이 발생했을 때의 모습입니다. 한 곳을 선택하여 지진이 발생하여 흔들림이 있을 때와 흔들림이 잠시 멈추었을 때 대처하는 방법을 나누어 써 봅시다.**

▲ 집

▲ 교실

▲ 대형 할인점

지진 발생으로 흔들림이 있을 때	
흔들림이 잠시 멈추었을 때	

• 지진이 발생했을 때 장소와 상황에 따라 대처하는 방법을 알아야 합니다.

1 물은 돌고 돌아요

(1) 물이 이동할 때 특징: 물은 상태가 변하면서 지구 곳곳을 이동함. 지구의 어느 한 곳에서 물의 양이 변화하더라도 물은 돌고 돌기 때문에 지구 전체로 보면 그 양은 ❶ ______ 됨.

(2) ❷ ______: 물이 상태가 변하면서 지표면, 공기, 생명체 등을 끊임없이 돌고 도는 현상

(3) 물의 순환 과정

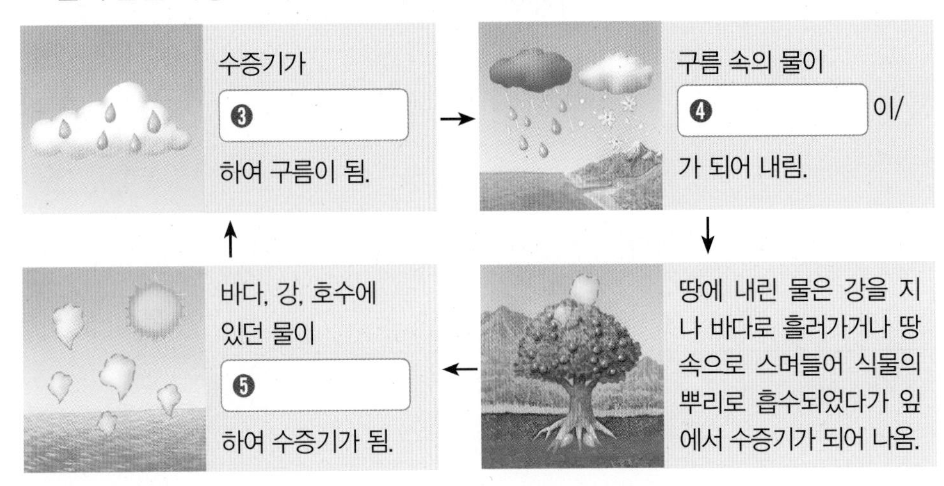

2 물은 소중해요

물의 중요성	• 생명체를 구성함. • 동식물의 생명을 유지함. • 땅의 모습을 바꾸어 계곡과 강 등의 자연환경을 만듦. • 농작물을 기를 때 필요함. • 공장에서 물건을 만들 때 필요함.

3 물이 부족해요

물 부족 현상을 해결하기 위한 방법	• 바닷물을 ❻ ______ (으)로 만들어 사용할 수 있는 물의 양 늘리기 • ❼ ______ 에 빗물을 저장하여 물을 효과적으로 사용하기 • 세면대에서 사용한 물을 걸러 변기의 물로 재사용하기 • 양치할 때 물을 컵에 받아 물의 사용량 줄이기

4 과학으로 물 부족 현상을 해결해요

● 물 부족 현상을 해결하기 위해 창의적인 방법을 활용한 사례

- 솔라볼, 워터콘, 안개 수집기 등은 물의 순환 과정과 지역의 특성을 활용함.
- 안개 수집기: 안개 수집기의 촘촘한 그물망에 안개 속의 물방울이 맺혀 깨끗한 물을 모을 수 있음.

❶ 보존
❷ 물의 순환
❸ 응결
❹ 비나 눈(눈이나 비)
❺ 증발
❻ 민물
❼ 빗물 저금통

정답과 해설 15쪽

1 물이 상태가 변하면서 끊임없이 돌고 도는 현상을 ( )(이)라고 합니다.

2 물은 흐르면서 땅 모습을 바꾸어 계곡과 강 등의 ( )을/를 만듭니다.

3 지구에 있는 물은 대부분 (민물 , 바닷물)입니다.

4 안개 수집기는 촘촘한 그물망에 안개 속의 (물방울 , 수증기)을/를 맺히게 하여 깨끗한 물을 모으는 장치입니다.

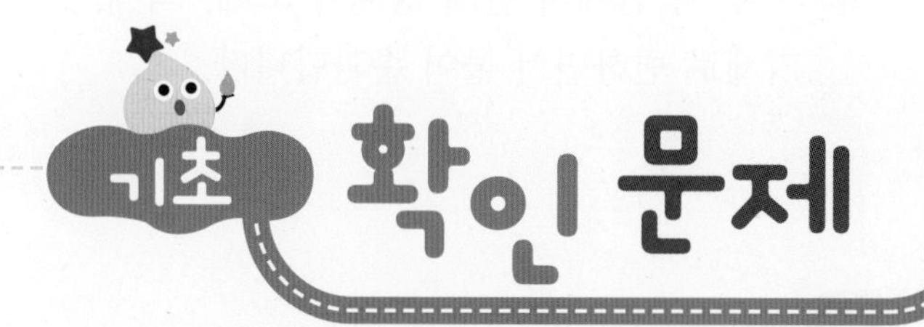

5 물의 여행

5 단원

정답과 해설 15쪽

1 다음은 물의 순환 과정입니다. 빈칸에 들어갈 알맞은 말을 쓰시오.

> 바다 → 공기 중 → 구름 → 비 → 땅속 → 식물의 ( ) → 식물의 잎 → 공기 중

( )

2 다음 물이 이동하거나 머무른 장소와 알맞은 물의 상태를 선으로 연결하시오.

(1) 공기 중 • • ㉠ 고체

(2) 구름 • • ㉡ 액체

(3) 빙하 • • ㉢ 기체

3 다음을 읽고 옳은 것은 ○표시를, 옳지 않은 것은 ×표시를 하시오.

(1) 물의 순환으로 지구 전체의 물의 양이 늘어납니다. ( )

(2) 농작물을 기르기 위해 물이 필요합니다. ( )

(3) 빗물 저금통은 빗물을 한꺼번에 모아서 바로 버리는 장치입니다. ( )

4 다음 빈칸에 들어갈 알맞은 말을 쓰시오.

> 워터콘 안에 바닷물을 넣으면 물이 ( )하여 수증기가 되고 수증기가 워터콘의 벽면에서 응결하여 물방울로 맺힙니다. 워터콘을 거꾸로 뒤집어 깨끗한 물을 병에 담아 사용할 수 있습니다.

( )

성취도 평가 문제 1회

1~3 다음 물의 이동 과정을 보고, 물음에 답하시오.

1 물이 머물렀던 장소 중 물의 상태가 나머지와 다른 하나는 어느 것입니까? (　　　)

① 강　② 바다
③ 땅속　④ 구름
⑤ 공기 중

2 다음 글을 읽고 물방울인 아리가 다음으로 이동할 곳은 어디입니까? (　　　)

아리: "어! 내 몸이 수증기가 되어 공기 중으로 떠오르고 있네. 내 몸이 보이지 않아."

① 강　② 바다
③ 하늘　④ 땅속
⑤ 지하수

3 ㉠의 과정에서 일어나는 변화로 빈칸에 들어갈 알맞은 말은 어느 것입니까? (　　　)

하늘 높이 올라간 수증기는 (　　)하여 구름이 됩니다.

① 증발　② 응결
③ 가열　④ 순환
⑤ 흡수

4 다음은 물의 순환 실험 장치입니다. 실험 장치를 셀로판테이프로 햇빛이 잘 드는 창문에 고정한 뒤 3일 동안 나타나는 변화로 옳지 않은 것은 어느 것인지 보기에서 골라 기호를 쓰시오.

보기
㉠ 지퍼 백 안의 물이 증발하여 수증기가 됩니다.
㉡ 주변의 차가운 공기 때문에 수증기가 지퍼 백 안쪽에서 물방울로 맺힙니다.
㉢ 지퍼 백 안에 맺힌 물방울이 아래로 떨어집니다.
㉣ 지퍼 백 안에서 물의 상태가 고체, 액체, 기체로 변하면서 물이 순환합니다.

(　　　　　　)

중요
5 다음은 물의 순환 과정의 일부를 설명한 것입니다. 빈칸에 들어갈 알맞은 말을 쓰시오.

- 바다, 강, 호수에 있던 물이 (㉠)하여 (㉡) 상태인 수증기가 됩니다.
- 수증기가 (㉢)하여 구름이 됩니다.

㉠ (　　　), ㉡ (　　　), ㉢ (　　　)

중요
6 물의 순환 과정에 대한 설명으로 옳지 않은 것은 어느 것입니까? (　　　)

① 지구 전체의 물의 양은 보존됩니다.
② 물은 상태가 변하면서 계속 순환합니다.
③ 물의 이동은 모든 장소에서 일어납니다.
④ 물은 여러 곳을 돌아다니며 우리 생활에 도움을 줍니다.
⑤ 물의 순환으로 사용할 수 있는 깨끗한 물의 양이 늘어납니다.

7 **다음과 관련된 물의 중요성은 어느 것입니까? (　　　)**

> 물에 의해 지형이 변하기도 합니다. 물에 의해 땅이 씻겨 나가거나 바위가 부스러지는 침식 작용이 일어납니다. 침식 작용으로 생긴 흙이나 자갈을 옮기는 운반 작용, 흙을 다시 쌓는 퇴적 작용이 일어납니다.

① 생명을 유지합니다.
② 자연환경을 만듭니다.
③ 농작물을 기를 때 필요합니다.
④ 공장에서 물건을 만들 때 필요합니다.
⑤ 뜨거운 열을 식히기 위해 사용됩니다.

8 **다음 보기 의 설명 중 옳지 않은 것을 골라 기호를 쓰시오.**

보기
> ㉠ 공장에서 물건을 만들 때 물이 필요합니다.
> ㉡ 횡단보도를 건널 때나 컴퓨터를 사용할 때 물이 필요합니다.
> ㉢ 물은 생물의 몸속을 돌며 생명을 유지할 수 있도록 해 줍니다.

(　　　　　　)

중요

9 **다음 중 세계 여러 나라에서 물이 부족한 까닭으로 옳지 않은 것은 어느 것입니까? (　　　)**

① 물을 낭비하기 때문입니다.
② 인구가 증가했기 때문입니다.
③ 지구 전체적으로 민물의 양이 늘었기 때문입니다.
④ 산업 발달로 이용할 수 있는 깨끗한 물이 줄어들었기 때문입니다.
⑤ 비가 아주 적게 오거나 특정 시기에만 오는 지역은 물을 보존하기 어렵기 때문입니다.

10 **물 부족 현상을 해결하기 위해 실생활에 적용할 수 있는 실천 방법으로 옳지 않은 것은 어느 것입니까? (　　　)**

① 빨래는 모아서 한꺼번에 합니다.
② 설거지할 때 세제를 많이 사용합니다.
③ 양치할 때는 컵에 물을 받아 사용합니다.
④ 샤워 시간은 줄이고 물은 계속 틀어 놓지 않습니다.
⑤ 기름기가 있는 그릇은 휴지로 먼저 닦은 후 설거지를 합니다.

11 **안개 수집기에 대한 설명으로 옳은 것은 어느 것입니까? (　　　)**

① 바닷물을 식수로 바꾸는 장치입니다.
② 빗물을 모았다가 재활용하는 것입니다.
③ 물을 증발시킨 후 다시 응결시켜 물을 모으는 장치입니다.
④ 세면대에서 사용한 물을 걸러 변기의 물로 재사용하는 장치입니다.
⑤ 안개 속의 물방울을 그물망에 맺히게 하여 물을 모으는 장치입니다.

12 **물 부족 현상을 해결하기 위해 창의적인 방법을 활용한 사례를 잘못 설명한 친구는 누구인지 쓰시오.**

> • 수빈: 솔라볼은 오염된 물을 햇빛을 이용해 증발시킨 뒤 응결시켜 깨끗한 물을 모으는 장치야.
> • 태양: 워터콘은 물의 순환 과정을 이용해 바닷물을 깨끗한 물로 바꾸어 주는 장치야.
> • 현주: 안개 수집기는 안개가 없는 지역에서 물을 절약하기 위한 장치야.

(　　　　　　)

5 단원

서술형 · 사고력 문제

1 다음은 물의 이동 과정을 나타낸 것입니다. 물음에 답하시오. 총 10점

(1) 위 그림에서 물이 액체 상태로 존재하는 경우를 2가지 쓰시오. 2점

(2) 위와 같이 물이 상태가 변하면서 지표면, 공기, 생명체 등을 끊임없이 돌고 도는 현상을 무엇이라고 하는지 쓰시오. 2점

(3) 식물의 잎에서 나온 수증기가 바다까지 이동하는 과정을 물의 상태 변화와 함께 쓰시오. 6점

도움말

- 물은 지구 곳곳을 이동하면서 상태가 달라지기 때문에 이동하거나 머무는 장소에서 물의 상태를 알고 있어야 합니다.

공부한 날 월 일

수행 평가

1 **다음은 나미브 사막에 사는 사막딱정벌레와 물 부족 현상을 해결하기 위한 장치입니다. 물음에 답하시오.**

(가)

(나)

(1) (나)의 장치 이름을 쓰시오.

(2) (가)와 (나)에서 공통적으로 물을 얻는 방법을 쓰시오.

(3) 물 부족 현상을 해결하기 위해 창의적인 방법을 활용한 다른 사례를 조사한 후 조사한 내용을 그림으로 나타내고, 과학적 원리가 무엇인지 써 봅시다.

그림	내가 조사한 장치
	이름:
	과학적 원리:

도움말

• 물의 순환 과정과 지역의 특성을 이용하여 물 부족 현상을 해결하기 위한 장치를 만들 수 있습니다. 이러한 장치는 우리가 이용할 수 없는 형태의 물을 이용할 수 있도록 바꾸어 주는 장치라는 것을 알고 있어야 합니다.

5 단원

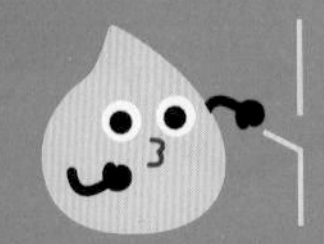

미로 끝에 놓인 동물을 찾아보세요.
중간에 사다리가 없거나 길이 막혀 있으면
다시 되돌아와서 다른 길을 찾아보세요.

재미있는 미로 찾기 문제

친구들과 그림자놀이를 하고 있어요.
손으로 여러 가지 동물의 모습을 만들고 있네요.
그런데 이것은 어떤 동물의 모습을 나타낸 그림자일까요?
미로 찾기를 하며 어떤 동물인지 알아볼까요?

출발!
도착!

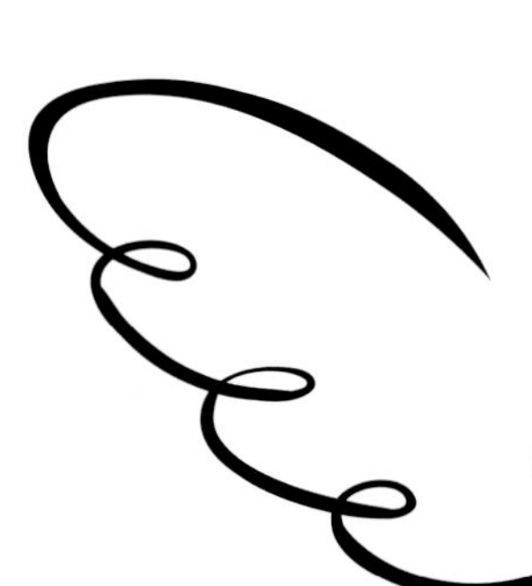
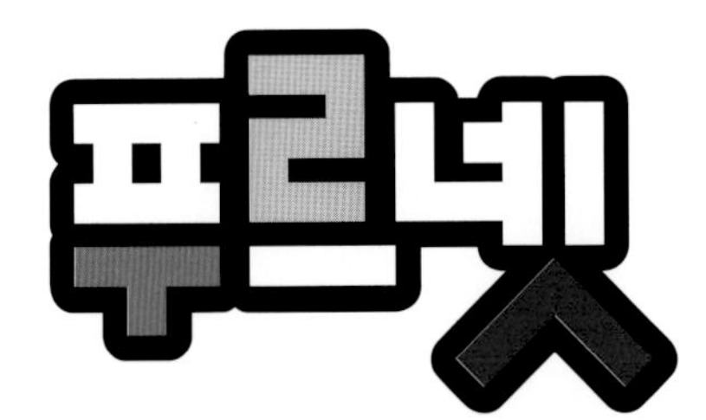
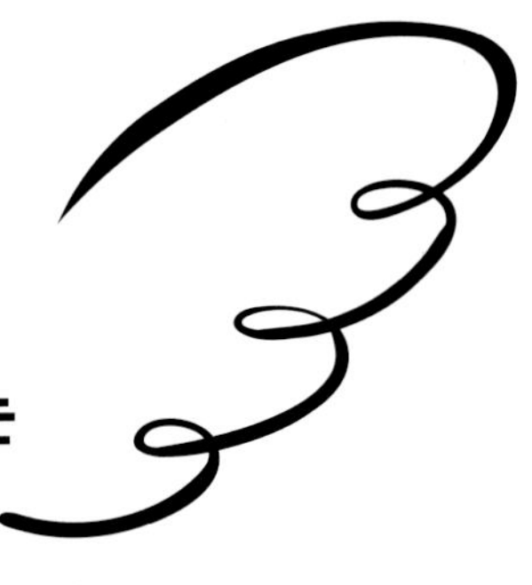

학교 성적에 날개를 달아 주는 완전 학습 프로그램

푸르넷 본교재
교과 내용을 철저히 분석하여 핵심 내용을 체계적으로 학습할 수 있는, 학교 내신 대비에 최적화된 교재

푸르넷 공부방 맞춤형 지도
'두 번째 담임 선생님'으로 불리는 풍부한 경험과 노하우를 갖춘 선생님의 전문적인 지도. 개별 밀착 지도로 체계적인 맞춤 지도가 가능!

초등 푸르넷 학습 시스템

푸르넷 아이스쿨
동영상 강의와 다양한 멀티미디어 학습 자료, 문제 은행을 지원하는 학습 평가 인증 시스템

온라인 보충 학습 콘텐츠
과목별 멀티미디어, 독서·논술, 영어 문법 및 내신 대비 등 다양한 보충 학습 자료로 학습과 재미를 동시에!

푸르넷 주간학습
본교재와 함께하는 주간별 자기 주도 학습. 온라인 강의와 수학 수준별 문제 제공!

우리학교 시험대비
기출문제를 분석하여 출제율 높은 문제로 엄선하여 구성한 학교 시험 대비 교재

전 과목 학습지 초등 푸르넷

본교재
개념 – 유형 – 서술형 – 단원 마무리까지 체계적인 학습
- 1~6학년 국어, 수학, 사회, 과학(월 1권)

주간 평가 교재
주간별 실력 점검으로 만점 대비
- 1~6학년 국어, 수학, 사회, 과학(월 1권)

보충 학습 교재
과목별 배경지식과 사고력 향상
- 1~6학년 푸르넷 프렌즈(월 1권)

온라인 강의
쉽고 재밌는 동영상 강의와 멀티미디어 학습
- 푸르넷 아이스쿨, 영어 보충 학습실

부록
- 1~6학년 우리학교 시험대비(학기별 1권)
- 3~6학년 사회 · 과학 알짜 핵심 노트(학기별 1권)

실험 관찰
초등 과학
자습서&평가문제집
4-2
정답과 해설
금성출판사

금성출판사

1 식물의 생활

교과서 개념 확인 문제 11쪽

1 ㉠, ㉢, ㉤, ㉥, ㉦, ㉧ **2** (1) ○ (2) ○ (3) × (4) ○
3 ④

교과서 개념 확인 문제 13쪽

1 ㉠ 잎몸 ㉡ 잎맥 ㉢ 잎자루 **2** ⑤
3 (1) ○ (2) ○ (3) ○

교과서 개념 확인 문제 17쪽

1 적응 **2** (1) ㉡ (2) ㉠ (3) ㉢
3 (1) ○ (2) ○ (3) ×

교과서 개념 확인 문제 21쪽

1 (1) ○ (2) ○ (3) ○
2 ㉠ 잎몸 ㉡ 잎자루 ㉢ 공기주머니 **3** 줄기

교과서 개념 확인 문제 25쪽

1 ② **2** (1) ㉡ (2) ㉠ (3) ㉣

교과서 개념 확인 문제 29쪽

1 사막 **2** (1) ○ (3) ○ **3** 키

교과서 개념 확인 문제 31쪽

1 (1) ㉢ (2) ㉠ (3) ㉣ (4) ㉡ **2** ①

교과서 평가 문제 40쪽

1 ② **2** ㉢ **3** (1) ㉠, ㉡, ㉢ (2) ㉣
4 ㉣ **5** ④ **6** ③, ④
7 ⑤ **8** (2) ○ (3) ○ (4) ○ **9** ②, ⑤
10 극지방 **11** 해설 참조 **12** 해설 참조

1 식물을 채집할 때 열매나 잎을 따서 직접 맛을 보지 않습니다.

2 ㉠ 닭의장풀의 잎, ㉡ 강아지풀의 잎, ㉣ 연꽃의 잎은 잎의 가장자리가 매끄럽습니다.

3 ㉠ 닭의장풀의 잎, ㉡ 강아지풀의 잎, ㉢ 벚나무의 잎은 끝 모양이 뾰족하지만, ㉣ 연꽃의 잎은 뾰족하지 않습니다.

4 서양민들레, 갈대, 수련은 여러해살이풀로 씨와 땅속 부분으로 겨울을 나고, 단풍나무는 나무로 씨, 땅속 부분, 땅 위 부분으로 겨울을 납니다.

5 부레옥잠은 잎자루 속 공기주머니에 공기가 들어 있어 물에 떠서 살 수 있습니다. 또한 긴 뿌리에 수염 같은 작은 뿌리가 빽빽하게 나 있어 물에 떠 있는 몸을 지탱해 줍니다.

6 물속에 잠겨서 사는 식물은 물속 땅에 뿌리를 내리고, 줄기와 잎이 좁고 긴 모양이어서 물의 흐름에 따라 잘 휘어집니다. 줄기가 단단하고 대부분 키가 큰 것은 잎이 물 위로 높이 자라는 식물의 특징입니다. 수염처럼 생긴 뿌리가 물속에서 뻗어 있는 것은 물에 떠서 사는 식물의 특징입니다.

7 야자나무, 바나나, 고사리 등과 같은 식물은 일 년 내내 기온이 높고, 햇빛이 강하며 비가 많이 오는 곳에 적응하여 살아가고 있습니다. 선인장은 사막 환경에 적응한 식물입니다.

8 덥고 비가 많이 오는 곳에 사는 식물은 일 년 내내 잎이 푸릅니다. 일 년 내내 기온이 높고 비가 많이 오므로 다른 환경보다 매우 다양한 식물이 살고 있습니다.

9 알로에는 굵은 잎에 대부분의 물을 저장하고, 잎의 껍질이 두꺼워 물의 증발을 막을 수 있기 때문에 사막에서 잘 적응하며 살아갑니다.

10 극지방은 땅속이 일 년 내내 얼어 있기 때문에 식물이 땅속 깊이 뿌리를 내리지 않습니다.

11 예시 답안
줄기가 굵어서 물을 많이 저장할 수 있습니다.

평가 항목	채점 기준	배점
식물의 공통점	선인장과 아데니움의 공통점을 쓴 경우	4

12 예시 답안
연꽃의 잎에 작고 둥근 돌기가 많이 나 있어 물이 스며들지 않는 특징을 활용하였습니다.

평가 항목	채점 기준	배점
연꽃 잎의 특징	물이 스며들지 않는 특징을 활용하였다는 내용을 포함하여 쓴 경우	4
	물에 젖지 않는다고만 쓴 경우	2

2 물의 상태 변화

교과서 개념 확인 문제 47쪽

1 (1) ㉠ (2) ㉢ (3) ㉡ **2** (1) 다른 (2) ㉠ 푸른색, ㉡ 붉은색
3 (1) 액체 (2) 액체 (3) 고체

교과서 개념 확인 문제 49쪽

1 (1) 늘어남 (2) 변하지 않음 (3) 줄어듦 (4) 변하지 않음
2 (1) < (2) =
3 ㉠

교과서 개념 확인 문제 53쪽

1 (1) 사라집니다 (2) 기체
2 ㉠ 수증기, ㉡ 증발
3 ㊀ 머리 말리기, 빨래 말리기, 생선 말리기, 고추 말리기, 수채 물감으로 그린 그림 말리기 등

교과서 개념 확인 문제 55쪽

1 (1) 낮아 (2) 끓음
2 (1) × (2) × (3) ○
3 ㉠ 증발, ㉡ 물, ㉢ 수증기

교과서 개념 확인 문제 59쪽

1 무거워
2 ㉠ 응결, ㉡ 수증기
3 (1) ○ (2) ○

교과서 개념 확인 문제 63쪽

1 (1) ○ (2) × (3) ×
2 (1) 수증기 (2) ㉠ 얼음 ㉡ 수증기
3 ③

교과서 평가 문제 70쪽

1 ④
2 수증기
3 ③
4 ②
5 ①
6 (1) (나) (2) 기체
7 ③
8 응결
9 ⑤
10 ②
11 해설 참조
12 해설 참조

1 수증기는 기체입니다. 물은 담는 그릇에 따라 모양이 변합니다. 물은 얼음이나 수증기로 변할 수 있고, 물, 얼음, 수증기는 모두 같은 물질입니다.

2 물은 액체, 얼음은 고체, 수증기는 기체 상태입니다. 물과 얼음은 보이지만, 수증기는 보이지 않습니다.

3 물은 서로 다른 상태로 변할 수 있습니다. 강물이 어는 현상은 액체인 물이 고체인 얼음으로 상태가 변하는 현상입니다.

4 얼음이 녹으면 부피가 줄어듭니다. 하지만 무게는 변하지 않습니다.

5 빨래, 감, 젖은 머리카락, 땀을 말리는 것은 모두 물이 수증기가 되어 공기 중으로 증발하는 것을 이용하는 현상입니다. 눈이 녹는 것은 고체가 액체로 상태가 변하는 현상입니다.

6 (1) 물을 넣고 가열하면 물의 표면에서 증발이 일어나다가 물이 끓기 시작하면 물의 표면과 물속에서 기포가 생겨 올라옵니다. 물이 끓고 난 뒤에는 물이 줄어 물의 높이가 낮아집니다.
(2) 물을 가열하면 액체인 물이 기체인 수증기로 변하여 공기 중으로 흩어집니다.

7 증발은 액체가 표면에서 기체로 변하는 현상이고, 끓음은 액체가 표면과 속에서 기체로 변하는 현상입니다. 물의 증발과 끓음의 공통점은 물이 수증기로 상태가 변한다는 것과 표면에서 물의 상태 변화가 일어난다는 것입니다. 하지만 끓음은 표면뿐만 아니라 물속에서도 물이 수증기로 상태가 변한다는 차이점이 있습니다. 또, 물이 증발할 때보다 끓을 때 더 빨리 수증기로 변해 물의 양이 빠르게 줄어듭니다.

8 차가운 컵 표면에 생긴 물방울은 공기 중에 있던 수증기가 물로 변한 것입니다. 이처럼 기체인 수증기가 액체인 물이 되는 현상을 응결이라고 합니다.

9 슬러시 기계는 물이 얼음으로 변하는 상태 변화를 활용한 것입니다. 눈 만드는 기계도 물이 얼음으로 상태 변화하는 것을 활용한 예입니다. 스팀 청소기와 만두 찌기, 가습기, 물을 끓여 살균하는 것은 물이 수증기로 변하는 상태 변화를 활용한 예입니다.

10 눈 만드는 기계는 물이 얼음으로 변하는 상태 변화를 활용한 예입니다.

11 **예시 답안**
수증기는 물이 상태 변화한 것입니다.

평가 항목	채점 기준	배점
물의 상태 변화	수증기는 물이 상태 변화한 것이라는 내용을 포함하여 쓴 경우	4
	물이라고만 쓴 경우	2

12 **예시 답안**
물이 얼면서 부피가 늘어났기 때문입니다.

평가 항목	채점 기준	배점
물을 얼렸을 때의 부피 변화	물이 얼면서 부피가 늘어났기 때문이라고 쓴 경우	4
	물이 얼었기 때문이라고만 쓴 경우	2

3 그림자와 거울

교과서 개념 확인 문제 77쪽

1 (1) ○ (2) ○ (3) ×
2 ㉠, ㉣, ㉥
3 (가) ○

교과서 개념 확인 문제 79쪽

1 (1) × (2) × (3) ○ (4) ○
2 (1) ㉠ (2) ㉡
3 ④
4 불투명

교과서 개념 확인 문제 83쪽

1 직진 **2** (1) ○ (2) ○ (3) × (4) ○ **3** ㉡

교과서 개념 확인 문제 87쪽

1 거리 **2** (1) ○ (2) × (3) ○ **3** (2) ○

교과서 개념 확인 문제 91쪽

1 (1) ○ (2) × (3) ○ **2** ㉢ **3** 그림자와 거울

교과서 개념 확인 문제 95쪽

1 거울 **2** (1) ○ (2) × **3** 방향
4 ㉡

교과서 개념 확인 문제 97쪽

1 (1) ㉠ (2) ㉣ (3) ㉢ (4) ㉡ **2** (1) ○ (2) ○ (3) ×

교과서 평가 문제 104쪽

1 ③ **2** 손전등－종이 인형 **3** ⑤
4 (1) ㉡ (2) ㉠ **5** (1) ㉠ (2) ㉡ **6** 빛의 반사 **7** (1) 커 (2) 작아
8 ㉠ **9** 학 과 **10** 해설 참조 **11** 해설 참조

1 그림자가 생기기 위해서는 빛, 물체, 스크린이 있어야 합니다.

2 '손전등－물체－스크린'을 순서대로 놓고 물체에 빛을 비추면 그림자가 생깁니다.

3 불투명한 물체(양산, 그늘막, 모자 등)는 빛이 물체를 통과하지 못해 그림자가 진하고 선명합니다. 투명한 물체(유리컵, 투명 필름 등)는 빛이 대부분 물체를 통과해 그림자가 연하고 흐릿합니다.

4 불투명한 물체(종이 인형)의 그림자는 진하고, 투명한 물체(투명 필름 인형)의 그림자는 연합니다.

5 빛은 직진하기 때문에 그림자의 모양은 물체가 빛을 받는 면의 모양과 같습니다. 그림자 1은 오른쪽 손전등에서 나온 빛을 받기 때문에 컵의 손잡이 부분이 나오지 않고, 그림자 2는 왼쪽 손전등에서 나온 빛을 받기 때문에 컵의 손잡이가 그림자에 보입니다.

6 빛의 반사는 빛이 나아가다가 물체나 거울에 부딪쳐 방향을 바꾸어 되돌아 나가는 현상입니다.

7 그림자의 크기를 크게 하려면 종이 인형을 손전등에 가깝게 하고, 그림자를 작게 하려면 종이 인형을 손전등에서 멀게 합니다.

8 거울에 비친 물체의 모습은 상하는 바뀌어 보이지 않지만 좌우는 바뀌어 보입니다. 물체의 색깔은 실제 물체의 색깔과 같습니다.

9 거울에 비친 글자의 모양은 좌우가 바뀌어 보입니다.

10 예시 답안
(1) ㉡
(2) 양산에서 생긴 그림자로 사람들은 햇빛을 피할 수 있습니다.

평가 항목	채점 기준	배점
불투명한 물체를 이용한 예	불투명한 물체를 찾고, 이용하는 방법을 쓴 경우	8
	불투명한 물체는 찾았으나, 이용하는 방법을 쓰지 못한 경우	3

11 예시 답안
(1) 공통점: 색깔이 같습니다. / 모양이 같습니다.
(2) 차이점: 실제 종이 인형은 오른팔을 위로 올렸는데, 거울에 비친 종이 인형은 왼팔을 위로 올렸습니다. / 위로 올린 팔의 위치가 서로 반대입니다. / 좌우가 바뀌어 보입니다.

평가 항목	채점 기준	배점
거울에 비친 모습	공통점과 차이점을 모두 쓴 경우	8
	공통점과 차이점 중 1가지만 쓴 경우	4

4 화산과 지진

교과서 개념 확인 문제 111, 113쪽

1 (1) ㉠ 설탕, ㉡ 모래 (2) 액체 **2** (1) × (2) ○ (3) ○
3 ( ) (○)
4 (1) ○ (2) ○ (3) × (4) ○
5 (1) ㉢ (2) ㉠ (3) ㉡
6 ㉠ 화산 가스, ㉡ 화산 암석 조각, ㉢ 용암

교과서 개념 확인 문제 117쪽

1 (1) 어둡고 (2) 큽니다 **2** (1) ㉡, ㉣ (2) ㉠, ㉢ **3** ㉡

교과서 개념 확인 문제 121쪽

1 (1) ○ (2) × (3) ○ **2** (1) ㉡ (2) ㉠
3 (1) ○ (2) ○

교과서 개념 확인 문제 125쪽

1 (1) ○ (2) × (3) ○ **2** (1) ㉡ (2) ㉠

3

교과서 개념 확인 문제 127쪽

1 (1) ○ (2) × **2** ㉣

3 ㉠ 발생 지역, ㉡ 날짜, ㉢ 규모

교과서 개념 확인 문제 131쪽

1 (1) × (2) ○ (3) × **2** (1) ㉡ (2) ㉠

3 (1) 떨어져 (2) 책상 아래로 들어가

교과서 평가 문제 140쪽

1 ㉡ **2** ③ **3** ⑤ **4** ㉢
5 ④ **6** ⑤ **7** 해설 참조 **8** 해설 참조

1 화산재는 고체 상태이고, 화산 암석 조각의 크기는 다양합니다.

2 현무암은 색깔이 어둡고, 암석을 이루는 알갱이의 크기가 작습니다. 현무암 표면에는 구멍이 많지만 구멍이 없는 현무암도 있습니다. 화강암은 색깔이 밝고, 암석을 이루는 알갱이의 크기가 큽니다.

3 화산 활동은 인간의 힘으로는 막을 수 없는 자연재해이지만 미리 대비하여 피해를 줄일 수 있습니다.

4 우드록은 지층을, 양손으로 미는 힘은 지구 내부에서 발생하는 힘을, 우드록이 끊어질 때의 떨림은 지진을 나타냅니다. 우드록은 짧은 시간 동안 가해진 힘에 의해 끊어지지만, 실제 지진은 오랜 시간 동안 가해진 힘에 의해 발생합니다.

5 얼마나 강한 지진이 발생했는지는 규모로 나타내고, 규모가 큰 지진이 발생하면 건물이나 도로가 부서져 재산이나 인명 피해가 발생하기도 합니다.

6 지진이 발생하면 가스와 전기를 차단하고, 문을 열어 출구를 확보해야 합니다. 또한 실내에서는 책상이나 탁자 밑에서 몸을 보호하고, 밖으로 나갈 때는 승강기 대신 계단을 이용해 대피합니다.

7 가열하기 전의 설탕은 땅속의 마그마를, 모래는 지표를 나타냅니다. 비커를 가열하면 설탕이 녹기 시작하면서 공기 방울이 올라오는데, 이 공기 방울은 실제 화산 활동에서 화산 가스를 나타냅니다. 가열한 후 모래를 뚫고 올라와 흐르는 설탕은 용암을 나타냅니다.

예시 답안
(1) (가) 마그마 (나) 지표 (다) 화산 가스 (라) 용암
(2) 땅속의 마그마가 지표면으로 나오면서 만들어진 지형입니다.

평가 항목	채점 기준	배점
(1) 화산 활동 모형실험과 화산 활동 비교	(가)~(라)를 모두 쓴 경우	4
	(가)~(라) 중 일부만 쓴 경우	각 1
(2) 화산의 의미	마그마가 지표면으로 나와 만들어졌다는 내용을 포함하여 쓴 경우	4
	일부 내용만 쓴 경우	2

8 **예시 답안**
(1) (가) 현무암 (나) ㉠
(2) 마그마가 분출하면서 포함하고 있던 가스(기체)가 빠져나간 흔적입니다.

평가 항목	채점 기준	배점
(1) 현무암의 생성 위치	암석 이름과 생성 위치를 모두 쓴 경우	2
	암석 이름과 생성 위치 중 1가지만 쓴 경우	1
(2) 현무암에 구멍이 생긴 까닭	마그마가 분출할 때 가스 성분이 빠져나갔다는 내용을 포함하여 쓴 경우	6
	일부 내용만 쓴 경우	3

5 물의 여행

교과서 개념 확인 문제 147쪽

1 (가) 기체 (나) 액체 (다) 고체 **2** ⑤

3 (1) 변합니다 (2) 보존됩니다

교과서 개념 확인 문제 149쪽

1 물의 순환 **2** ④ **3** ㉠ 수증기, ㉡ 구름, ㉢ 눈, ㉣ 물

교과서 개념 확인 문제 153쪽

1 ⑤ **2** ㉠, ㉢ **3** ④

교과서 개념 확인 문제 155쪽

1 ㉠ 바닷물, ㉡ 민물, ㉢ 인구 **2** (1) ○ (2) × (3) ○

3 ㉠

교과서 개념 확인 문제 159쪽

1 (1) ㉠ (2) ㉡ (3) ㉡ **2** 안개 수집기 **3** 그물망

교과서 평가 문제 166쪽

1 ① 2 ㉡ 3 ㉡ 4 물의 순환
5 ㉢ 6 ④ 7 ① 8 ④
9 ④ 10 해설 참조 11 해설참조

1 물은 다양한 장소에서 고체 상태인 얼음, 액체 상태인 물, 기체 상태인 수증기로 존재합니다. 고체 상태의 물이 존재하는 곳은 빙하입니다. 바다, 호수, 구름, 오아시스에서는 물이 액체 상태로 존재합니다.

2 바다에서 물이 증발하여 수증기(㉠)가 되고, 구름 속의 물이 무거워지면 비(㉡)가 되어 내립니다. 식물의 잎에서 물은 수증기(㉢)로 바뀌어 공기 중으로 나옵니다.

3 물이 증발하면 기체 상태인 수증기가 되고, 수증기가 하늘로 올라가 응결하면 액체 상태인 구름(또는 물)이 됩니다. 응결하여 만들어진 물이 비나 눈이 되어 내리며, 땅에 내린 물은 강을 지나 바다로 흘러갑니다.

4 물이 상태가 변하면서 지표면, 공기, 생명체 등을 끊임없이 돌고 도는 현상을 물의 순환이라고 합니다.

5 물이 순환하기 위해서는 물의 상태 변화가 일어나야 합니다. 따라서 지퍼 백은 햇빛이 잘 드는 창가에 셀로판테이프로 붙여야 합니다.

6 물의 순환 실험 장치 내의 물은 상태가 변화하면서 이동하는데, 응결된 물방울들이 서로 뭉치게 되면 무거워져서 흘러내리게 됩니다.

7 농작물을 기를 때 물이 필요합니다.

8 물 부족 현상을 해결하기 위해서는 사용 가능한 물의 양을 늘리고(해수 담수화 기술 등), 물을 절약하는 등 물을 효과적으로 이용하려는 노력이 필요합니다.

9 물 부족의 원인은 물을 이용하는 인구가 크게 증가하였고, 지구에 있는 물이 대부분 바닷물이며, 지역과 기후에 따라 물의 양이 달라 물을 보존하기 어렵고, 산업이 발달하여 물의 사용량이 크게 늘었기 때문입니다.

10 예시 답안

(1) (가) 지구에 있는 물은 대부분 바닷물이라서 사용할 수 있는 민물의 양이 매우 적습니다.
(나) 물을 낭비합니다.

(2) (가) 바닷물을 민물로 만들어 사용할 수 있는 물의 양을 늘립니다.
(나) 양치할 때 물을 컵에 받아 물의 사용량을 줄입니다.

평가 항목	채점 기준	배점
(1) 물이 부족한 원인	원인을 (가)와 (나) 모두 쓴 경우	4
	원인을 (가)와 (나) 중 1가지만 쓴 경우	2
(2) 물 부족 현상을 해결하기 위한 방법	해결 방법을 (가)와 (나) 모두 쓴 경우	4
	해결 방법을 (가)와 (나) 중 1가지만 쓴 경우	2

11 예시 답안

(1) 솔라볼

(2) 물의 증발 현상과 물의 응결 현상입니다.

평가 항목	채점 기준	배점
(1) 물 부족 현상을 해결하기 위한 과학적이고 창의적인 장치	장치를 1가지 쓴 경우	2
	장치를 쓰지 못한 경우	0
(2) 과학적 원리	과학적 원리를 구체적으로 쓴 경우	4
	과학적 원리에 관한 설명이 미흡한 경우	2

우리학교 시험 대비 평가 문제

1 식물의 생활

쪽지 시험 172쪽

1 잎맥 2 생김새 3 분류 기준 4 여러해살이풀
5 ㉠ 갈대, ㉡ 붕어마름 6 공기 7 햇빛
8 ㉠ 뿌리, ㉡ 뿌리 9 ㉠ 작고, ㉡ 뭉쳐
10 특징

기초 확인 문제 173쪽

1 (1) ○ (2) × (3) ○ (4) ○ 2 ㉠, ㉡ 3 공기
4 (1) ㉠ (2) ㉢ (3) ㉣ (4) ㉡ 5 ㉠, ㉣

성취도 평가 문제 1회 174쪽

1 ③ 2 ㉠ 잎몸 3 ④ 4 ③ 5 초은
6 ② 7 (1) ㉡ (2) ㉢ (3) ㉠ 8 ④ 9 물
10 ②, ⑤ 11 ①, ⑤ 12 단풍나무

1 식물의 잎을 채집할 때는 필요한 양만큼 채집하도록 합니다.

2 ㉡ 잎맥은 잎몸에서 선처럼 보이는 것입니다. ㉢ 잎자루는 잎몸과 줄기 사이에 있는 부분입니다.

3 단풍나무 잎의 끝은 뾰족하고, 가장자리는 톱니 모양입니다.

4 사람마다 기준이 다르거나 감정을 쓴 것은 분류 기준으로 적합하지 않습니다. '잎의 모양이 귀여운가?'는 사람마다 기준이 다르므로 잎을 분류하는 기준으로 적합하지 않습니다.

5 은행나무는 씨, 땅속 부분, 땅 위 부분으로 겨울을 납니다.

6 부레옥잠은 잎자루가 풍선처럼 부풀어 있습니다. 잎자루의 공기주머니 속에 공기가 들어 있어 부레옥잠이 물에 떠서 살 수 있습니다.

7 수련은 잎이 물에 떠 있는 식물이고, 연꽃은 잎이 물 위로 높이 자라는 식물이며, 개구리밥은 물에 떠서 사는 식물입니다.

8 야자나무는 햇빛이 강한 곳에서 잘 자랍니다. 덥고 비가 많이 오는 환경에 사는 식물 중 그늘지고 물기가 많은 곳에서 잘 자라는 식물에는 고사리가 있습니다.

9 알로에는 잎에 물을 저장하고 있기 때문에 잎을 자른 면에 화장지를 붙여 보면 물이 묻어납니다.

10 선인장은 잎이 가시로 변해서 건조한 환경에서 잎을 통해 물을 빼앗기는 것을 막을 수 있고, 동물이 잎을 함부로 먹지 못합니다.

11 극지방에 사는 식물은 키가 작고 뿌리를 얕게 내립니다. 또한 서로 뭉쳐서 나며, 주로 풀이 많습니다.

12 단풍나무 열매는 날개가 있어 높은 곳에서 떨어질 때 뱅글뱅글 돌면서 천천히 떨어지는데, 헬리콥터의 회전 날개는 단풍나무 열매의 생김새를 활용하여 만들었습니다.

성취도 평가 문제 2회

176쪽

1 ⑤ **2** ② **3** (가) ⓒ (나) ⓛ **4** 공기
5 ⓒ **6** ④ **7** ②, ④ **8** ① **9** ⓛ, ⓒ
10 ④ **11** ⓛ

1 ⓜ 소나무의 잎은 전체적인 모양이 바늘 모양이며, 잎이 한 곳에 2개씩 뭉쳐납니다.

2 강아지풀, 고들빼기, 소나무는 잎의 끝 모양이 뾰족하고, 회양목, 은행나무, 괭이밥은 잎의 끝 모양이 뾰족하지 않습니다.

3 (가) 소나무는 씨, 땅속 부분, 땅 위 부분으로 겨울을 납니다. 여러해살이풀인 (나) 서양민들레는 씨와 땅속 부분으로 겨울을 납니다.

4 부레옥잠의 잎자루에 비눗방울 액을 묻히고 누르면 비눗방울이 생깁니다. 이것은 잎자루에 있는 공기주머니 속 공기에 의해 비눗방울이 만들어진 것입니다.

5 나사말은 물속에 잠겨서 사는 식물입니다.

6 넓고 잘 휘어져서 물을 쉽게 흘려보낼 수 있는 바나나 잎은 비가 많이 오는 환경에 적응한 것입니다.

7 비가 아주 적게 오는 사막에 사는 식물의 종류에는 선인장, 알로에, 아데니움, 용설란 등이 있습니다. 검정말과 나사말은 물속에 잠겨서 사는 식물이고, 단풍나무는 사계절이 구분되는 환경에서 살기 알맞게 적응한 식물입니다.

8 아데니움은 줄기가 굵어 물을 저장하기에 좋습니다.

9 문제의 설명은 극지방의 환경에 대한 내용입니다. 사과나무는 사계절이 있는 환경에서 살기 적합하게 적응하였습니다. 크고 두꺼운 잎에 물을 저장하는 용설란은 사막 환경에서 살기 적합하게 적응하였습니다.

10 우엉 열매는 갈고리 모양의 가시가 빽빽하게 나 있어 동물의 털이나 사람의 옷에 잘 붙을 수 있습니다.

11 제시된 건축물은 인도에 있는 사원으로, 연꽃의 꽃 생김새를 모방하여 만든 것입니다.

서술형·사고력 문제

178쪽

1 예시 답안

(1) 씨와 땅속 부분으로 겨울을 납니다.
(2) 무궁화, 씨, 땅속 부분, 땅위 부분으로 겨울을 납니다.

평가 항목	채점 기준	배점
(1) 여러해살이풀의 겨울나기	씨와 땅속 부분을 모두 쓴 경우	4
(2) 나무의 겨울나기	무궁화, 씨, 땅속 부분, 땅위 부분을 모두 쓴 경우	4

2 예시 답안

부레옥잠의 잎자루에 있는 공기주머니 속 공기가 비눗방울 액으로 이동하여 비눗방울이 만들어집니다.

평가 항목	채점 기준	배점
부레옥잠의 특징	잎자루에 있는 공기주머니 속 공기에 의해 비눗방울이 만들어진다고 쓴 경우	4
	비눗방울이 만들어진다고만 쓴 경우	2

3 예시 답안

(1) • 잎의 표면이 매끈하며, 탱탱합니다.
• 잎이 크고 길며 통통합니다.
• 잎의 가장자리에 가시가 있습니다.

(2) • 잎의 껍질이 두껍고 매끈해서 물이 마르는 것을 막을 수 있습니다.
• 크고 두꺼운 잎에 물을 많이 저장할 수 있습니다.
• 가시가 있어 동물이 함부로 먹지 못합니다.

평가 항목	채점 기준	배점
(1) 알로에 잎의 겉모양	알로에 잎의 겉모양의 특징 중 2가지를 모두 쓴 경우	4
	알로에 잎의 겉모양의 특징 중 1가지만 쓴 경우	2
(2) 알로에가 사막에 살 수 있는 까닭	알로에가 사막에 살 수 있는 까닭 중 2가지를 모두 쓴 경우	4
	알로에가 사막에 살 수 있는 까닭 중 1가지를 쓴 경우	2

4 예시 답안

끝이 갈고리 모양이어서 동물의 털이나 옷 등에 잘 붙을 수 있습니다.

평가 항목	채점 기준	배점
우엉 열매의 특징	끝이 갈고리 모양이어서 동물의 털이나 옷 등에 잘 붙는다고 쓴 경우	4
	끝이 갈고리 모양이라고만 쓴 경우	2
	동물의 털이나 옷 등에 잘 붙는다고만 쓴 경우	

수행 평가 180쪽

1 **예시 답안**

- 분류 기준 1: 잎자루가 있는가?
  - 그렇다.: ㉠, ㉡, ㉢, ㉤, ㉥
  - 그렇지 않다.: ㉣
- 분류 기준 2: 잎이 한 장인가?
  - 그렇다.: ㉢, ㉣, ㉤, ㉥
  - 그렇지 않다.: ㉠, ㉡
- 분류 기준 3: 잎의 가장자리가 톱니 모양인가?
  - 그렇다.: ㉠, ㉤, ㉥
  - 그렇지 않다.: ㉡, ㉢, ㉣

관련 주제

2 비슷한 잎끼리 분류해 볼까요?

채점 기준

평가 항목	채점 기준	배점
기준을 정하여 식물 잎 분류하기 (각 분류 기준별)	여러 가지 식물의 잎을 생김새에 따라 기준을 세워 옳게 분류할 수 있는 경우	6
	여러 가지 식물의 잎을 생김새에 따라 기준을 세울 수는 있지만 분류하는 능력이 다소 부족한 경우	3

※ 18~15점: 상, 12~9점: 중, 6점 이하: 하

2 **예시 답안**

(1) • 잎이나 줄기, 뿌리 등에 공기가 들어 있는 부분이 있습니다.
• 수염처럼 생긴 뿌리가 물속으로 뻗어 있습니다.

(2) ㉠ 뿌리, ㉡ 휩니다

(3) 땅속에 뿌리를 내리고 있습니다.

관련 주제

4 연못이나 강에 사는 식물은?

채점 기준

평가 항목	채점 기준	배점
(1) 물에 떠서 사는 식물의 특징	물에 떠서 사는 식물의 특징 중 2가지를 모두 쓴 경우	4
	물에 떠서 사는 식물의 특징 중 1가지를 모두 쓴 경우	2
(2) 물속에 잠겨서 사는 식물의 특징	㉠과 ㉡을 모두 옳게 쓴 경우	2
	㉠과 ㉡ 중 1가지만 옳게 쓴 경우	1
(3) 물에 사는 식물의 특징	붕어마름, 수련, 갈대의 공통점을 쓴 경우	4

※ 10~8점: 상, 7~4점: 중, 3점 이하: 하

2 물의 상태 변화

쪽지 시험 184쪽

1 상태 변화 **2** ㉠ 늘어나고, ㉡ 줄어듭니다
3 변하지 않습니다 **4** ㉠ 증발, ㉡ 끓음 **5** 응결
6 수증기 **7** 수증기 **8** 얼음
9 ㉠ 물 ㉡ 수증기

기초 확인 문제 185쪽

1 (1) ㉡ (2) ㉠ (3) ㉢ **2** (1) (가) < (나) = (2) (가) > (나) =
3 ㉠ 액체, ㉡ 표면, ㉢ 기체, ㉣ 수증기
4 (1) ○ (2) × (3) ○ **5** ① **6** ㉠, ㉢, ㉤

성취도 평가 문제 1회 186쪽

1 ㉠ 얼음, ㉡ 물, ㉢ 수증기 **2** ㉠ **3** ③, ④
4 ㉢, ㉡, ㉠, ㉣ **5** 증발 **6** ⑤ **7** ㉢
8 ④ **9** ③ **10** ① **11** ㉠, ㉢ **12** ⑤

1 액체인 물, 고체인 얼음, 기체인 수증기는 서로 다른 상태로 변할 수 있는데, 이처럼 물의 상태가 변하는 것을 물의 상태 변화라고 합니다.

2 물은 고체 상태로 변하면 얼음이 되고, 수증기는 공기 중에 있지만 보이지 않습니다.

3 물이 얼면 부피가 늘어나고, 얼음이 녹으면 얼음이 얼 때 늘어난 부피만큼 줄어듭니다. 하지만 물이 얼거나 얼음이 녹아도 무게는 변하지 않습니다.

4 물이 얼 때의 무게 변화를 알아보기 위해서는 먼저 시험관에 물을 절반 정도 붓고 마개를 닫은 뒤 시험관의 무게를 측정합니다. 그리고 시험관 속 물을 얼리고, 물이 완전히 얼면 시험관의 무게를 측정하여 얼기 전 시험관의 무게와 비교합니다.

5 액체인 물이 표면에서 기체인 수증기로 상태가 변하는 현상을 증발이라고 합니다.

6 증발의 예는 생선 말리기, 빨래 말리기, 감 말리기, 머리 말리기 등이 있습니다.

7 증발과 끓음은 액체인 물이 기체인 수증기로 상태가 변한다는 공통점이 있습니다. 하지만 증발은 물 표면에서 액체가 기체로 변하고, 끓음은 물 표면과 물속에서 액체가 기체로 변한다는 차이점이 있습니다. 그러므로 끓음은 증발보다 물이 빠르게 줄어듭니다.

8 기체인 수증기가 액체인 물로 상태가 변하는 것이 응결입니다.

9 기체인 수증기가 액체인 물로 변하는 현상을 응결이라고 합니다. 액체는 담는 그릇에 따라 모양이 변합니다. 고체는 담는 그릇이 바뀌어도 모양이 변하지 않습니다. 물은 색깔이 없습니다. 또 물은 얼음이나 수증기로 상태가 변할 수 있습니다.

10 스팀 청소기는 물이 수증기로 상태 변화하는 것을 활용한 예입니다.

11 물에 물감을 섞어 얼리고, 스키장에서 눈 만드는 기계를 사용하는 것은 물이 얼음으로 상태 변화하는 것을 활용한 예입니다. 찜기에서 옥수수를 찌는 것은 물이 수증기로 상태 변화하는 것을 활용한 예입니다.

12 빨래가 마르는 것과 운동장에서 물로 그린 그림이 사라지는 것은 증발의 예입니다. 달걀을 삶을 때 물이 끓는 것은 끓음의 예입니다. 응결은 기체가 액체로 상태 변화하는 것입니다.

성취도 평가 문제 2회 188쪽

1 ④ 2 ①, ⑤ 3 ① ㉡ ② ㉢ ③ ㉠ ④ ㉣
4 ㉡ 5 규린 6 무거워 7 ⑤ 8 ④
9 ④ 10 ㉠ 물, ㉡ 얼음

1 물이 끓을 때 하얀색으로 보이는 것은 수증기가 아니라 김입니다. 수증기는 색깔과 냄새가 없는 기체이므로 보이지 않습니다.

2 물이 얼거나 얼음이 녹아도 무게는 변하지 않습니다.

3 물이 든 비커를 가열하면 물속에서 기포가 발생합니다. 물이 끓을 때 발생하는 기포는 액체인 물이 표면과 물속에서 기체인 수증기로 변한 것입니다. 이때 물이 수증기로 변하여 공기 중으로 흩어지기 때문에 비커에 담긴 물의 높이가 낮아집니다.

4 액체의 표면에서 액체가 기체로 변하는 현상을 증발이라고 하며, 액체의 표면과 속에서 액체가 기체로 변하는 현상을 끓음이라고 합니다. ㉠과 ㉢은 증발 현상이고, ㉡은 끓음 현상입니다.

5 물이 끓을 때는 물이 표면과 물속에서 모두 수증기로 변하기 때문에 증발할 때보다 물이 빠르게 줄어듭니다.

6 시약병에 물과 얼음을 넣은 뒤 15분이 지나면 시약병 표면에 물방울이 생기기 때문에 무게가 무거워집니다.

7 시약병 표면에 생긴 물방울은 공기 중에 있던 수증기가 물로 변한 것입니다. 가열한 냄비 뚜껑 안쪽에 맺힌 물방울, 추운 겨울철 유리창 안쪽에 맺힌 물방울, 이른 아침 풀잎에 맺힌 이슬도 공기 중의 수증기가 응결하여 생긴 것입니다.

8 끓음과 증발은 액체가 기체로 변하는 현상입니다. 증발은 액체의 표면에서 액체가 기체로 변하는 현상입니다. 응결은 기체인 수증기가 액체인 물이 되는 현상입니다. 젖은 머리카락이 마르는 것은 우리 주변에서 볼 수 있는 증발의 예입니다.

9 물이 끓으면 기체인 수증기가 됩니다. 수증기는 눈에 보이지 않습니다.

10 슬러시 기계는 액체인 물이 고체인 얼음으로 상태 변화하는 것을 활용한 예입니다.

서술형·사고력 문제 190쪽

1 **예시 답안**

(1) 얼음은 고체입니다. 물은 액체입니다. 수증기는 기체입니다.

(2) 얼음은 단단합니다. 얼음은 모양이 일정합니다. 얼음은 차갑습니다. 물은 담는 그릇에 따라 모양이 변합니다. 수증기는 눈에 보이지 않습니다. 등

평가 항목	채점 기준	배점
(1) 물의 상태	3가지를 모두 쓴 경우	3
	3가지 중 2가지만 쓴 경우	2
	3가지 중 1가지만 쓴 경우	1
(2) 얼음, 물, 수증기의 특징	얼음, 물, 수증기의 특징을 모두 쓴 경우	6
	얼음, 물, 수증기의 특징 중 2가지만 쓴 경우	4
	얼음, 물, 수증기의 특징 중 1가지만 쓴 경우	2

2 **예시 답안**

(1) 물이 얼면 부피는 늘어나고, 무게는 변하지 않습니다.

(2) 얼음이 녹으면 부피는 줄어들고, 무게는 변하지 않습니다.

평가 항목	채점 기준	배점
(1) 물이 얼 때의 변화	부피와 무게 변화를 모두 쓴 경우	4
	부피와 무게 변화 중 1가지만 쓴 경우	2
(2) 얼음이 녹을 때의 변화	부피와 무게 변화를 모두 쓴 경우	4
	부피와 무게 변화 중 1가지만 쓴 경우	2

3 **예시 답안**

(1) 증발, 감 말리기, 빨래 말리기, 생선 말리기, 머리 말리기, 수채화 등

(2) • 공통점: 증발과 끓음은 모두 물이 수증기로 상태가 변합니다.

• 차이점: 증발은 물 표면에서만 물이 수증기로 변하고, 끓음은 물속과 표면에서 모두 물이 수증기로 변합니다. 물이 끓을 때는 증발할 때보다 물이 빠르게 줄어듭니다.

평가 항목	채점 기준	배점
(1) 증발 현상, 증발의 예	증발을 쓰고, 증발의 예를 2가지 이상 쓴 경우	4
	증발을 쓰고 증발의 예를 1가지만 쓴 경우, 증발을 쓰지 못하고 증발의 예를 2가지 이상 쓴 경우	3
	증발을 쓰고 증발의 예를 쓰지 못한 경우, 증발을 쓰지 못하고 증발의 예를 1가지만 쓴 경우	1
(2) 증발과 끓음의 공통점과 차이점	공통점과 차이점을 모두 쓴 경우	4
	공통점과 차이점 중 1가지만 쓴 경우	2

4 예시 답안

(1) 액체인 물이 기체인 수증기로 상태 변화합니다.

(2) 스팀 청소기, 만두 찌기, 스팀다리미 등

평가 항목	채점 기준	배점
(1) 물의 상태 변화	물의 상태 변화를 쓴 경우	3
(2) 물이 수증기로 상태 변화하는 것을 활용한 예	예를 2가지 이상 쓴 경우	4
	예를 1가지만 쓴 경우	2

수행 평가

192쪽

1 예시 답안

(1) ① 거의 변화가 없다가 시간이 지나면 작은 기포가 조금씩 생깁니다.

② 큰 기포가 연속해서 매우 많이 생깁니다. 기포가 올라와 터지면서 물 표면이 울퉁불퉁해집니다.

③ 물이 끓은 후 물의 높이가 물이 끓기 전보다 낮아졌습니다.

④ 물이 수증기로 변해 공기 중으로 흩어졌기 때문입니다.

(2) ①

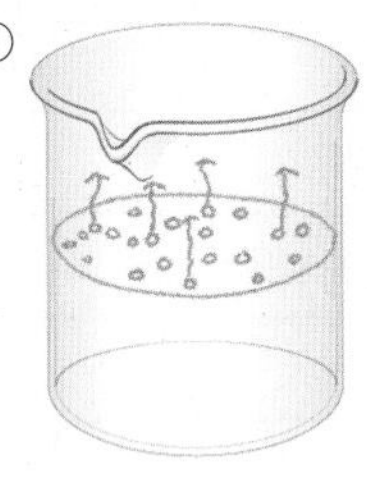

②

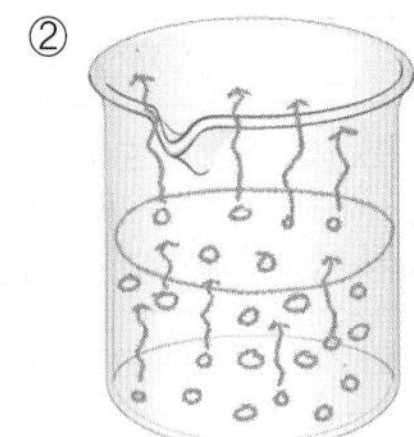

③ 수증기

④ 느립니다

⑤ 빠릅니다

관련 주제

3 물이 사라졌어요

4 물을 끓여 보아요

채점 기준

평가 항목	채점 기준	배점
(1) 물이 끓기 전과 끓을 때의 변화와 까닭	물이 끓기 전과 끓을 때의 변화와 까닭에 대한 설명을 서술한 경우	6
	물이 끓기 전과 끓을 때의 변화와 까닭에 대한 설명을 미흡하게 서술한 경우	4
	물이 끓기 전과 끓을 때의 변화와 까닭에 대한 설명 중 1가지만 서술한 경우	3
(2) 물의 증발과 끓음	증발과 끓음 현상을 그림으로 표현하고, 공통점과 차이점의 답을 모두 옳게 고른 경우	4
	증발과 끓음 현상을 그림으로 표현했으나, 공통점과 차이점 중 1가지만 답을 옳게 고른 경우	3
	증발과 끓음 현상을 그림으로 표현하지 못했으며, 공통점과 차이점 중 1가지만 답을 옳게 고른 경우	1

※ 10~8점: 상, 7~5점: 중, 5점 이하: 하

2 예시 답안

(1) 염화 코발트 종이가 붉은색으로 변합니다. 시약병 표면에 생긴 물질이 물이라는 사실을 알 수 있습니다.

(2) 공기 중에 있던 수증기가 응결하여 물로 변했기 때문입니다.

관련 주제

5 물이 나타났어요

채점 기준

평가 항목	채점 기준	배점
(1) 염화 코발트 종이의 색깔 변화	염화 코발트 종이의 색깔 변화와 알 수 있는 사실을 서술한 경우	5
	염화 코발트 종이의 색깔 변화와 알 수 있는 사실을 미흡하게 서술한 경우	3
	염화 코발트 종이의 색깔 변화와 알 수 있는 사실 중 1가지만 서술한 경우	1
(2) 시약병 표면에 물이 생긴 까닭	표면에 물이 생긴 까닭을 서술한 경우	5
	표면에 물이 생긴 까닭을 미흡하게 서술한 경우	3

※ 10~8점: 상, 7~5점: 중, 5점 이하: 하

3 그림자와 거울

쪽지 시험

196쪽

1 빛 **2** 불투명한 **3** 연하고 흐릿합니다

4 직진 **5** 그림자 **6** 달라집니다

7 ㉠ 커지고, ㉡ 작아집니다 **8** 같습니다

9 ㉠ 바뀌어 보이지만, ㉡ 바뀌어 보이지 않습니다 **10** 반사

기초 확인 문제

197쪽

1 연한 **2** ④ **3** ⑤ **4** 좌우

5 ㉡ **6** ② **7** ③

성취도 평가 문제 1회

198쪽

1 ㉡ 2 ㉡ 3 ⑤ 4 ④ 5 ㉠
6 ① 7 (1) ㉡ (2) ㉢ (3) ㉠ 8 ㉡ 9 ㉡
10 ㉢ 11 ㉠ 방향, ㉡ 반사 12 ⑤

1 '손전등 – 물체 – 스크린'을 순서대로 놓고 물체에 빛을 비추면 그림자가 생깁니다.

2 도자기 컵은 불투명하기 때문에 빛이 통과하지 못해 그림자가 진하고 선명합니다. 유리컵은 투명하기 때문에 빛이 대부분 통과하여 그림자가 연하고 흐릿합니다.

3 투명한 물체는 빛이 대부분 통과합니다. 휴대 전화 액정 보호 필름은 투명하기 때문에 빛이 대부분 통과하고, 모자, 양산, 그늘막, 색안경은 불투명한 물체입니다.

4 빛이 물체를 만나 빛의 대부분이 통과하면 연한 그림자가 생깁니다. 투명한 물체는 빛의 대부분이 통과하여 연한 그림자가 생깁니다.

5 빛은 직진하기 때문에 물체 모양과 그림자 모양이 비슷합니다.

6 그림자가 생기려면 빛, 물체, 스크린이 있어야 합니다. 빛이 곧게 나아가다가 물체를 만나 통과하지 못해 그림자가 생기는데, 물체의 투명도에 따라 그림자의 진하기가 달라집니다.

7 빛이 직진하다가 물체를 만나 통과하지 못하면 물체 모양과 비슷한 그림자가 물체 뒤쪽에 있는 스크린에 생깁니다. 그림자 모양은 물체가 빛을 받는 방향에 따라 달라집니다.

8 손전등과 물체 사이의 거리가 가까워지면 그림자의 크기가 처음에 비해 커집니다. 반대로 손전등과 물체 사이의 거리가 멀어지면 그림자의 크기는 처음에 비해 작아집니다.

9 거울에 비친 물체는 상하는 바뀌지 않고, 좌우가 바뀌어 보입니다.

10 빛이 거울에 부딪치면 거울을 통과하지 못하고 방향이 바뀝니다.

11 거울은 빛의 반사를 이용해 물체의 모습을 비춥니다.

12 우리 생활 속에서 자신의 모습을 보거나 주변에 있는 다른 모습을 비출 때 거울을 이용합니다. 햇빛으로부터 눈을 보호하는 것은 색안경을 이용한 경우입니다.

성취도 평가 문제 2회

200쪽

1 ㉠ 빛, ㉡ 뒤 2 (1) ㉡ (2) ㉠ 3 ④
4 ⑤ 5 직진 6 ④ 7 ㉠ 8 ⑤
9 우, 므 10 ① 11 ⑤ 12 거울

1 그림자가 생기려면 물체에 빛을 비춰야 합니다. 그림자는 물체 뒤쪽에 생깁니다.

2 도자기 컵은 불투명하여 빛이 통과하지 못하고, 유리컵은 투명하여 빛이 대부분 통과합니다.

3 도자기 컵은 불투명하여 빛이 통과하지 못하기 때문에 진하고 선명한 그림자가 생기고, 유리컵은 투명하여 빛이 대부분 통과하기 때문에 연하고 흐릿한 그림자가 생깁니다. 물체의 모양과 그림자의 모양은 비슷하지만 빛을 비추는 방향에 따라 그림자의 모양이 바뀔 수 있습니다.

4 불투명한 물체는 빛이 통과하지 못하는 물체이고, 투명한 물체는 빛이 대부분 통과하는 물체입니다. 즉, 불투명한 물체와 투명한 물체는 빛이 물체를 통과하는 정도에 따라 나뉩니다.

5 빛은 곧게 나아가는 성질이 있습니다. 빛이 직진하다가 물체를 만나 통과하지 못하면 물체에 빛이 닿는 단면과 같은 모양의 그림자가 물체 뒤쪽에 생깁니다.

6 직진하는 빛이 물체를 통과하지 못하면 빛이 비춘 물체의 단면 모양대로 그림자가 생깁니다. 문제의 그림에서 손전등의 빛이 직진했을 때는 컵의 윗부분 원과 손잡이 부분이 그림자로 나타납니다.

7 빛이 있어야 그림자가 생깁니다. 햇빛이 비치는 낮에 운동장의 그네에는 햇빛 반대편에 그림자가 생깁니다. 반면 햇빛과 가로등이 없는 밤에는 운동장의 철봉에 그림자가 생기지 않습니다. 구름이 햇빛을 가린 낮일 때 정글짐에는 빛이 운동장까지 도달하지 못하기 때문에 그림자가 생기지 않습니다. 그러나 엄밀히 말하면 구름에 의해 햇빛이 막히면서 구름 그림자가 생긴 것으로 정글짐은 구름 그림자 안으로 들어온 것입니다.

8 그림자의 크기를 크게 하려면 스크린을 고정한 상태에서 손전등을 물체에 가깝게 하거나 물체를 손전등에 가깝게 합니다. 그림자의 크기를 작게 하려면 스크린을 고정한 상태에서 손전등을 물체에서 멀게 하거나 물체를 손전등으로부터 멀게 합니다. 문제에서 손전등을 물체에서 멀어지게 하였으므로 그림자의 크기는 처음에 비해 작아지게 됩니다.

9 거울에 비친 물체의 모습은 상하는 바뀌어 보이지 않지만 좌우는 바뀌어 보입니다. '우'와 '므'는 좌우로 뒤집어도 같은 '우'와 '므'이므로 거울로 비추어도 모양이 변하지 않습니다.

10 거울에 비친 물체의 모습은 상하는 바뀌어 보이지 않지만 좌우는 바뀌어 보입니다. 또한 물체의 색깔은 실제 물체와 같습니다.

11 빛이 나아가다가 물체에 부딪치면 진행 방향이 바뀌는데, 이러한 현상을 빛의 반사라고 합니다.

12 거울은 빛의 반사를 이용해 물체의 모습을 비추는 도구입니다. 자신의 모습 보기, 주변에 있는 다른 모습 보기, 뒤쪽에서 오는 자동차 보기, 잘 보이지 않는 안쪽 이 살펴보기 등에 활용할 수 있습니다.

서술형·사고력 문제

202쪽

1 예시 답안

(1) 그림자의 크기를 크게 하려면 손전등을 종이 인형에 가까이 가져갑니다. / 손전등과 종이 인형의 거리를 가깝게 합니다.

(2) 그림자의 크기를 작게 하려면 손전등을 종이 인형에서 멀리합니다. / 손전등과 종이 인형의 거리를 멀게 합니다.

평가 항목	채점 기준	배점
그림자의 크기	그림자의 크기를 크게 하고, 작게 하는 방법을 모두 쓴 경우	8
	그림자의 크기를 크게 하거나 작게 하는 방법 중 1가지만 쓴 경우	4

2 예시 답안

(1) 자동차 햇빛 가리개

(2) 자동차 햇빛 가리개에 햇빛이 비추면 진한 그림자가 생겨 햇빛을 막는 데 이용됩니다. 등

평가 항목	채점 기준	배점
그림자의 진하기	불투명한 물체를 찾고, 생활 속에서 불투명한 물체가 어떻게 이용되는지 쓴 경우	8
	불투명한 물체를 찾을 수 있으나, 생활 속에서 불투명한 물체가 어떻게 이용되는지 쓰지 못한 경우	3

3 예시 답안

(1) 그림자가 사라집니다.

(2) 빛이 사라졌기 때문입니다. / 구름 그림자에 가려졌기 때문입니다.

평가 항목	채점 기준	배점
그림자가 생기는 조건	햇빛이 사라지면 그림자가 사라지는 것을 알고, 그 까닭을 쓴 경우	8
	햇빛이 사라지면 그림자가 사라지는 것은 썼으나, 그 까닭은 쓰지 못한 경우	4

4 예시 답안

(1)

(2) 빛이 나아가다가 거울에 부딪쳐 방향을 바꾸어 되돌아 나가기 때문입니다. / 빛이 거울을 만나면 반사하기 때문입니다.

평가 항목	채점 기준	배점
빛의 반사	빛의 반사를 그릴 수 있고, 그 까닭을 쓴 경우	8
	빛의 반사를 그릴 수 있으나, 그 까닭을 쓰지 못한 경우	4
	빛의 반사는 잘못 그렸으나, 까닭을 바르게 쓴 경우	4

수행 평가

204쪽

1 예시 답안

(1) ㉠ 친구, ㉡ 스크린

(2) 그림자가 생기려면 물체를 비추는 빛, 물체, 스크린이 순서대로 있어야 하기 때문입니다.

관련 주제

1 그림자를 만들어 보아요

채점 기준

평가 항목	채점 기준	배점
(1) 그림자가 생기는 위치	그림자가 생기는 조건에 따라 물체와 스크린을 배치할 수 있는 경우	5
(2) 그림자가 생기는 조건	그림자가 생기는 조건을 알고 있는 경우	5
	그림자가 생기는 조건을 미흡하게 설명한 경우	2

※ 10~8점: 상, 7~5점: 중, 5점 이하: 하

2 예시 답안

(1) 연한 그림자가 생깁니다.

(2) 빛이 나아가다가 투명한 물체를 만나면 대부분 통과하기 때문에 연한 그림자가 생깁니다.

관련 주제

2 그림자의 진하기가 달라요

채점 기준

평가 항목	채점 기준	배점
(1) 투명한 물체의 그림자	투명한 물체의 그림자가 연함을 알고 있는 경우	3
(2) 투명한 물체의 그림자가 연한 까닭	빛이 투명한 물체를 만나면 대부분 통과한다는 것을 알고 있는 경우	5

※ 8점: 상, 5점: 중, 3점: 하

3 예시 답안

(1) (가) 그림자의 크기가 작아집니다.
(나) 그림자의 크기가 커집니다.

(2) (가) 그림자의 크기가 작아집니다.
(나) 그림자의 크기가 커집니다.

관련 주제

4 그림자의 크기가 달라졌어요

채점 기준

평가 항목	채점 기준	배점
(1) 손전등의 위치에 따른 그림자의 크기 변화	(가)와 (나)의 경우를 모두 설명한 경우	5
	(가)와 (나)의 경우 중 1가지만 설명한 경우	3
(2) 물체의 위치에 따른 그림자의 크기 변화	(가)와 (나)의 경우를 모두 설명한 경우	5
	(가)와 (나)의 경우 중 1가지만 설명한 경우	3

※ 10~9점: 상, 8~5점: 중, 5점 이하: 하

4 예시 답안

앞에 달리는 자동차의 뒷거울에 구급차 앞부분의 모습이 비추어

보일 때, 좌우로 바꾸어 쓴 글자가 다시 좌우가 바뀌어 똑바로 보이기 때문입니다.

관련 주제

5 거울로 보면 바뀐 것이 있어요

채점 기준

평가 항목	채점 기준	배점
거울에 비친 물체의 모습	거울에 비친 물체의 모습이 좌우가 바뀌어 보이는 까닭을 알고 있는 경우	5
	거울에 비친 물체의 모습이 좌우가 바뀌어 보이는 까닭에 대한 설명이 미흡한 경우	3

※ 8점: 상, 5점: 중, 3점 이하: 하

4 화산과 지진

쪽지 시험 208쪽

1 마그마 2 화산 3 현무암 4 화강암
5 온천 또는 지열 발전 6 화산재 7 내부
8 지진 9 규모 10 낮은

기초 확인 문제 209쪽

1 ③
2 (1) ○ (2) × (3) ×
3 ㉠ 온천, ㉡ 화산재
4 ㉢, ㉠, ㉡
5 ㉠
6 ㉢에 ○표

성취도 평가 문제 1회 210쪽

1 ⑤ 2 ㉠ 3 (가) ㉠, ㉣ (나) ㉡, ㉢ 4 유하
5 ③ 6 ④ 7 ⑤ 8 ② 9 ②
10 ㉠, ㉡, ㉢ 11 ① 12 ①

1 비커를 가열하면 설탕이 녹기 시작하면서 공기 방울이 올라오는데, 이 공기 방울은 실제 화산 활동에서 화산 가스를 나타냅니다.

2 화산 암석 조각은 화산이 분출할 때 나오는 화산 분출물로, 고체 상태이며 크기가 다양합니다.

3 (가)는 현무암으로 제주도 돌하르방, 돌담, 맷돌 등에 이용했습니다. (나)는 화강암으로 다보탑, 석굴암 등에 이용했습니다.

4 현무암은 어두운색을 띠고 돋보기로 관찰하면 알갱이의 크기가 매우 작습니다. 표면에 구멍이 많이 뚫려 있는 것도 있고 없는 것도 있습니다.

5 화산 활동은 우리 생활에 피해를 주기도 하지만 도움을 주기도 합니다. 화산 주변 땅속의 높은 열을 이용하여 온천을 개발하거나 지열 발전을 할 수 있습니다.

6 오랫동안 지구 내부에서 발생하는 힘을 받으면 지층이 휘어지거나 끊어지기도 하는데, 이때 지층이 끊어지면서 땅이 흔들리는 것을 지진이라고 합니다.

7 얼마나 강한 지진이 발생했는지는 규모로 나타내고 규모의 숫자가 클수록 강한 지진입니다.

8 지진 피해 사례를 조사할 때는 지진이 발생한 지역, 발생한 날짜, 지진의 규모, 피해 내용 등을 조사합니다.

9 규모의 숫자가 클수록 강한 지진입니다.

10 지진이 발생하면 건물이 무너지고, 부상자가 발생하며, 도로가 갈라지고, 실종자가 발생하는 등의 피해가 생기기도 합니다. 규모가 같아도 건물의 종류, 지역의 환경에 따라 피해 정도는 달라집니다.

11 집에서의 지진 대처 방법으로는 탁자 밑으로 들어가 몸을 보호하며, 가스와 전기를 차단하고 문을 열어 출구를 확보합니다.

12 지진이 발생했을 때 자신이 있는 장소나 상황에 따라 지진 대처 방법이 다르므로 장소와 상황에 맞는 대처 방법을 미리 배워두어야 합니다.

성취도 평가 문제 2회 212쪽

1 ③ 2 ② 3 ㉠ 마그마, ㉡ 기체, ㉢ 용암 4 ④
5 ④ 6 ② 7 ④ 8 지진 9 ⑤
10 ③ 11 ① 12 ㉢

1 화산 활동 모형 만들기 실험에서 가열하기 전의 설탕은 땅속에 녹아 있는 물질인 마그마를, 모래는 지표를 나타냅니다.

2 화산이 분출할 때는 화산 가스, 용암, 화산 암석 조각, 화산재 등이 나옵니다. 옅은 회색의 고운 가루는 화산재입니다.

3 마그마에는 여러 가지 화산 가스가 많이 들어 있고, 단단한 암석이 누르고 있어 높은 압력을 받고 있습니다. 지표로 분출하면 가스가 빠져나가고 용암이 됩니다.

4 용암은 검붉은색으로 지표면을 흐르면서 주변에 화재를 일으키기도 하는 액체 상태의 화산 분출물입니다.

5 화강암은 색깔이 밝고 돋보기로 관찰하면 암석을 이루는 알갱이가 잘 보입니다.

6 현무암은 마그마가 지표 가까이에서 빠르게 식었기 때문에 알갱이가 커질 수 있는 시간이 짧아 알갱이의 크기가 작습니다. 화강암은 마그마가 땅속 깊은 곳에서 서서히 식어 알갱이가 커질 수 있는 시간이 충분하여 알갱이의 크기가 큽니다.

7 화산 활동이 우리 생활에 미치는 영향 중 피해 사례로는 산불이나 지진이 발생하기도 하며 화산재와 화산 가스의 영향으로 호흡기 질병에 걸릴 수 있습니다.

8 양손으로 우드록을 수평으로 밀면서 변화를 관찰하는 활동을 통해 지진이 발생하는 과정 및 원인을 알 수 있습니다.

9 지층이 오랫동안 지구 내부에서 발생하는 힘을 받으면 지층이 휘어지거나 끊어지기도 합니다. 이때 지층이 끊어지면서 땅이 흔들리는 것을 지진이라고 합니다.

10 지진이 얼마나 강하게 발생했는지는 규모로 나타냅니다. 규모의 숫자가 클수록 강한 지진입니다.

11 지진이 발생하면 가스 밸브는 잠그고 전기는 꺼서 화재가 발생하지 않도록 합니다.

12 지진이 발생하면 승강기에서 내린 뒤 계단을 이용하여 대피합니다.

서술형 · 사고력 문제

214쪽

1 예시 답안

(1) 현무암은 화강암보다 색깔이 어두운 편이고, 암석을 이루는 알갱이의 크기가 작습니다.

(2) 현무암은 마그마가 지표 가까이에서 빠르게 식어서 알갱이의 크기가 작습니다.

평가 항목	채점 기준	배점
(1) 현무암의 특징	화강암과 비교했을 때 다른 점 2가지를 쓴 경우	4
	화강암과 비교했을 때 다른 점 1가지만 쓴 경우	2
(2) 알갱이의 크기가 다른 까닭	알갱이의 크기가 다른 까닭을 마그마가 식는 장소와 빠르기를 모두 넣어 쓴 경우	4
	알갱이의 크기가 다른 까닭을 일부 내용만 쓴 경우	2

2 예시 답안

(1) 산불이나 지진이 발생하기도 합니다. 화산재로 비행기의 엔진이 고장 나 항공기 운항이 어렵게 됩니다. 용암이나 화산재가 마을과 농경지를 덮쳐 피해를 줍니다.

(2) 화산 주변에 온천이나 관광지를 개발합니다. 화산 주변 땅속의 열을 이용해 전기를 얻습니다. 화산재가 쌓여 기름지게 된 땅에서 농사를 짓습니다.

평가 항목	채점 기준	배점
(1) 화산 활동 피해 사례	피해 사례 2가지를 쓴 경우	4
	피해 사례 1가지만 쓴 경우	2
(2) 화산 활동 이용 사례	이용 사례 2가지를 쓴 경우	4
	이용 사례 1가지만 쓴 경우	2

3 예시 답안

(1)

(2) 우드록은 짧은 시간 동안 작용하는 힘에 의해 끊어집니다. 실제 지진은 오랫동안 지층이 지구 내부의 힘을 받아 끊어지고 흔들리면서 발생합니다.

평가 항목	채점 기준	배점
(1) 지진 발생	힘의 방향을 옳게 표시한 경우	2
(2) 모형실험과 실제 지진의 차이점	모형실험과 실제 지진의 내용을 모두 넣어 쓴 경우	4
	일부 내용만 쓴 경우	2

4 예시 답안

(1) 교실 또는 학교

(2) ㉠은 책상 아래로 들어가 머리와 몸을 보호하고, 책상 다리를 잡습니다. ㉡은 책가방으로 머리를 보호하고 선생님의 안내에 따라 대피합니다.

평가 항목	채점 기준	배점
(1) 장소별 대처 방법	장소를 옳게 쓴 경우	2
(2) 지진 대처 방법	㉠과 ㉡의 대처 방법을 모두 쓴 경우	6
	㉠과 ㉡의 대처 방법 중 1가지만 쓴 경우	3

수행 평가

216쪽

1 예시 답안

(1) ㉠ 가열하기 전의 설탕, ㉡ 공기 방울, ㉢ 용암

(2) 물질 이름: 용암

특징: 검붉은색입니다. 녹은 초콜릿처럼 보입니다. 매우 뜨겁습니다.

관련 주제

1 화산 활동으로 어떤 물질이 나올까요?

채점 기준

평가 항목	채점 기준	배점
(1) 화산 활동과 화산 활동 모형실험 과정 비교하기	㉠, ㉡, ㉢을 모두 쓴 경우	3
	㉠, ㉡, ㉢ 중 일부만 쓴 경우	각 1
(2) 화산 분출물의 종류	물질의 이름과 특징을 모두 쓴 경우	5
	물질 이름만 쓴 경우	2

※ 8~6점: 상, 5~2점: 중, 2점 이하: 하

2 **예시 답안**

(1) 다보탑

(2) 화강암

(3) 색깔이 밝습니다. 알갱이의 크기가 큽니다. 검은색 알갱이와 반짝이는 알갱이를 볼 수 있습니다.

관련 주제

2 마그마가 식으면 암석이 만들어져요

채점 기준

평가 항목	채점 기준	배점
(1), (2) 문화재 이름과 암석의 종류 찾기	문화재 이름과 암석의 종류를 모두 쓴 경우	4
	문화재 이름과 암석의 종류 중 하나만 쓴 경우	2
(3) 암석의 특징	암석의 특징 2가지를 모두 쓴 경우	6
	암석의 특징 1가지만 쓴 경우	3

※ 10~8점: 상, 7~4점: 중, 3점 이하: 하

3 **예시 답안**

지진 발생으로 흔들림이 있을 때

- 집: 탁자 아래로 들어가 머리를 보호합니다.
- 교실: 책상 아래로 들어가 머리와 몸을 보호하고 책상 다리를 꽉 잡습니다.
- 대형 할인점: 장바구니나 소지품을 이용하여 넘어지거나 떨어지는 물건으로부터 머리와 몸을 보호합니다.

흔들림이 잠시 멈추었을 때

- 집: 가스와 전기를 잠그고, 문을 열어 출구를 확보합니다. 계단을 이용하여 신속하게 이동합니다.
- 교실: 머리를 보호하고 선생님의 안내에 따라 넓은 장소로 신속하게 이동합니다.
- 대형 할인점: 한꺼번에 출구로 가지 않고 안내에 따라 계단을 이용하여 신속하게 대피합니다. 건물과 떨어져 공원과 같은 넓은 곳으로 이동합니다.

관련 주제

6 지진이 발생하면 어떻게 해야 할까요?

채점 기준

평가 항목	채점 기준	배점
지진이 발생했을 때 대처하는 방법	장소를 한 곳 선택하여 지진 발생 시 흔들림이 있을 때와 흔들림이 잠시 멈추었을 때의 대처 방법을 모두 쓴 경우	10
	장소를 한 곳 선택하여 지진 발생 시 흔들림이 있을 때와 흔들림이 잠시 멈추었을 때의 대처 방법 중 하나만 쓴 경우	5

※ 10~8점: 상, 7~4점: 중, 3점 이하: 하

5 물의 여행

쪽지 시험

219쪽

1 물의 순환　2 자연환경　3 바닷물　4 물방울

기초 확인 문제

219쪽

1 뿌리　2 (1) ㉢ (2) ㉡ (3) ㉠

3 (1) × (2) ○ (3) ×　4 증발

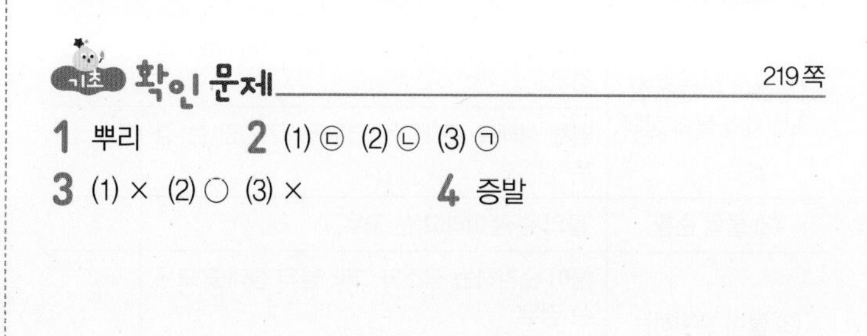

성취도 평가 문제 1회

220쪽

1 ⑤　2 ③　3 ②　4 ㉣

5 ㉠ 증발, ㉡ 기체, ㉢ 응결　6 ⑤　7 ②

8 ㉡　9 ③　10 ②　11 ⑤　12 현주

1 물은 공기 중에서는 기체 상태로 존재하고, 강, 바다, 땅속, 구름에서는 액체 상태로 존재합니다.

2 현재 아리가 위치한 지점은 공기 중이고, 하늘로 올라가 구름이 됩니다.

3 하늘 높이 올라간 수증기는 응결하여 액체 상태인 구름이 됩니다.

4 지퍼 백 안에서 물은 고체 상태로 변하지 않습니다. 물의 상태가 액체, 기체로 변하면서 물이 순환합니다.

5 바다, 강, 호수에 있던 물이 증발하여 수증기가 되며, 수증기는 하늘로 올라가 응결하여 구름이 됩니다.

6 지구에서 물은 상태가 변하면서 돌고 돌지만 사용할 수 있는 깨끗한 물의 양이 늘어나지는 않습니다. 인구 증가와 산업 발달로 사용할 수 있는 깨끗한 물의 양은 줄어들고 있습니다.

7 물은 계곡과 강 등의 자연환경을 만듭니다.

8 물은 다양한 곳에서 이용됩니다. 그러나 횡단보도를 건너거나 컴퓨터를 사용할 때는 물이 필요하지 않습니다.

9 지구에 있는 물은 대부분 바닷물이라서 사용할 수 있는 민물의 양이 매우 적습니다.

10 샴푸나 세제를 많이 사용하는 것은 환경 오염의 원인이 될 수 있습니다.

11 안개 수집기는 안개 속의 물방울을 그물망에 맺히게 하여 물을 모으는 장치입니다.

12 안개 수집기는 안개 속의 물방울을 그물망에 맺히게 하여 깨끗한 물을 모으는 장치입니다.

서술형·사고력 문제

222쪽

1 예시 답안

(1) 바다, 구름, 비, 지하수 등

(2) 물의 순환

(3) 식물의 잎에서 나온 수증기는 다시 하늘로 올라가 응결하여 액체 상태인 구름이 되고, 고체 상태인 눈이나 액체 상태인 비가 되어 내리다가 바다로 되돌아갑니다.

평가 항목	채점 기준	배점
(1) 물이 이동한 장소에서의 물의 상태	액체 상태로 존재하는 경우를 2가지 이상 쓴 경우	2
	액체 상태로 존재하는 경우를 1가지만 쓴 경우	1
(2) 물의 순환	'물의 순환'이라고 쓴 경우	2
(3) 물이 순환하는 과정	물이 순환하는 장소와 그때 물의 상태를 모두 쓴 경우	6
	물이 순환하는 장소 또는 그때 물의 상태 중 1가지만 쓴 경우	3

수행 평가

223쪽

1 예시 답안

(1) 안개 수집기

(2) 공기 중이나 안개 속에 있는 물방울을 맺히게 하여 물을 얻습니다.

(3)

그림	내가 조사한 장치
	이름: 워터콘
	과학적 원리: 워터콘의 바닥에 바닷물이나 오염된 물을 넣으면 물이 증발하여 수증기가 되고, 수증기가 워터콘 벽면에서 응결하여 깨끗한 물을 모을 수 있습니다.

관련 주제

4 과학으로 물 부족 현상을 해결해요

채점 기준

평가 항목	채점 기준	배점
(1) 장치 이름	장치 이름을 쓴 경우	2
(2) 물을 얻는 방법	물을 얻는 방법을 쓴 경우	2
(3) 물 부족 현상을 해결하기 위한 창의적인 방법을 조사하고 과학적 원리 탐색하기	물 부족 현상을 해결하기 위한 장치를 그림과 함께 표현하고 적용된 과학적 원리를 설명한 경우	6
	장치를 그림으로 표현하였으나 과학적 원리의 설명이 미흡하거나 없는 경우	3

※ 10~8점: 상, 7~5점: 중, 5점 이하: 하

초등 과학 실험 관찰

자습서&평가문제집 4-2

정답과 해설

www.purunet-ischool.co.kr

"공부가 재밌넷! 푸르넷"

단과 학습 프로그램

푸르넷 수학

현직 초등학교 교사와 일타 강사들의 경험을 토대로 각종 문제들을 종합 분석하여 만든 초등 수학 전문 프로그램

- 본교재(월 1권), 플러스북(월 1권)
- 중간고사·기말고사 예상문제(연 4회 / 4·6·9·11월)
- 푸르넷 아이스쿨(동영상 강의, 유사·발전 문제, 학습만화 e-book)

오! 역사논술

초·중등 역사 교육 과정을 반영하여 한국사를 총 48주 탐구 주제로 풀어낸 역사 논술 프로그램

- 본교재(월 1권), 활동자료(월 1종)
- 동영상 강의(월 4강)
- 오! 역사논술 퀴즈(월 40문항)

푸르넷 독서논술

다양한 분야의 책을 읽고, 창의·융합적 지식과 공부의 원천 기술을 기르는 독서논술 프로그램

- 1~7단계: 리딩북(월 2~4권), 워크북(월 4권), 리딩다이어리(연 1권), X-파일북(연 2권)
- 3~7단계: 동영상 강의(월 2~3강)

푸르넷 한자

실생활에서의 한자 활용 능력, 어휘력, 교과서 한자어 인지도 등을 종합적으로 향상시켜 주는 한자 학습 프로그램

- 본교재(월 1권), 교과서 한자어(월 1권), 한자 쓰기 연습장(월 1권)
- 한자 만화 e-book

영어 학습 프로그램

English Buddy

공신력 있는 리딩 프로그램과 체계적인 커리큘럼, 영어 학습에 최적화된 다양한 디지털 콘텐츠, 정확한 개별 진단 및 지도 교사의 맞춤 지도가 융합된 영어 전문 프로그램

- **Beginner** Reading Book 4권, Reading Study Book 1권, Phonics Study Book 1권, Pencil Book 1권, MP3 CD 1장, Smart Learning 서비스
- **Prime** Reading Book 4권, Reading Study Book 1권(Writing Note 포함), Study Book 1권, Smart Learning 서비스
- **Experience** Reading Book 4권, Study Book 1권, Webtoon for Daily Conversation 1권, Test Buddy 1권, MP3 CD 1장, Smart Learning 서비스

초등 과학 4-2
자습서 & 평가문제집

발행일 • 2022년 8월 15일 초판 발행
발행인 • 김무상
발행처 • (주)금성출판사
주소 • 서울특별시 마포구 만리재옛길 23 (우)04210
등록 • 1965년 10월 19일 제10-6호
구입문의 • TEL 02-2077-8144~6 / mall.kumsung.co.kr
내용문의 • TEL 02-2077-8278(8272) / thub.kumsung.co.kr

mall.kumsung.co.kr
발간 이후에 발견되는 오류는 정오표를
다운로드하면 확인할 수 있습니다.